JN082845

総領事日記
関西で深める韓日交流

第18代 駐大阪大韓民国総領事
呉泰奎
(オテギュ)

東方出版

はじめに

私は、「駐大阪大韓民国総領事」として任命されるまで、約32年間新聞記者として働いてきました。大学を卒業し兵役を終えてから、初めての職場が新聞社で、新聞社を辞めてから他の職は挟まず、大阪総領事として任命されました。ですから私にとって新聞記者は最初の職業、総領事は二番目の職業ということになります。

ジャーナリストが、いきなり公館長（大使／総領事）へと転職することは、世界どの国においても稀な事例だと思います。韓国で新聞記者が政府官僚として勤めた後に公館長として任命されたケースはありますが、私のように記者から直接公館長に起用された例は、今のところないのではと認識しています 。

ジャーナリストと公館長は、ある意味仕事の方向性が反対であると言えます。ジャーナリストの役割が、外部から政府を監視し、批判することである一方、公館長は政府の政策や方針を駐在国の政府や国民に伝え、説明することが主な任務となります。ジャーナリストが「政府外部からの監視者」だとするならば、公館長は「政府内部における行為者」ですから、置かれた立場の乖離が決して小さくはないでしょう。それに加え、私は2017年７月から５ヵ月間、「韓・日日本軍慰安婦被害者問題合意検討タスクフォース」の委員長を務めた経歴もあります。

このような珍しい背景や経歴ゆえなのか、私の大阪総領事任命に関し、韓国と日本両方から多くの関心が集まりました。「外交経験を持たない記者出身」という点から「天下り人事」という視線があったかと思えば、「2015年韓・日日本軍慰安婦合意」を批判的に検討したタスクフォースで委員長を務めた経歴が、韓日関係に負担になるという憂慮もありました。このような指摘が全面的に正しいとは言えないものの、世論としては十分にあり得る反応だったと思います。今振り返ってみると、このような指摘のおかげで、私は自らが総領事としてするべきことがより鮮明になりましたし、また業務に対し、より一層励む刺激剤となったのではないかと思います。

「天下り公館長」、「反日公館長」というイメージを払拭させ、言葉ではなく行動によって成果を表すためには何をどうすれば良いだろうか。30年余りのジャーナリスト経験に基づいた識見を活かし、駐在国の市民及び同胞に対し、真心を以て歩み寄るのが最も望ましい方法ではないだろうかと自問自答しました。この本の材料となったFacebookの記事も、そのような過程において生まれた産物の一つです。

外交官として働きながら、外交官と記者の仕事は一見異なるように見えるものの、意外と似ているところが多いことに気づきました。外交官は、駐在国の要人と面会する中で、特に重要な内容は本国に報告をします。英語で言うと、'network & report' が主な業務です。記者も人に会って取材をし、その結果を記事として報告することが主な仕事です。

'network & report' という点で業務内容が類似しています。ただ、外交官は同僚や上司を対象に報告書を作成するのに対し、記者は一般の読者を対象に記事を書くという点が異なるだけです。

しかし、世の中は今変わってきています。外交官達による、昔ながらの「内輪の外交」の時代は過ぎ去りつつあります。民主主義の発展と共に外交分野でも市民の声が反映されるようになり、市民を主体・対象とする公共外交 (public diplomacy) の重要性は増しています。最近は市民の声が反映されていない外交官だけの閉鎖的な外交交渉は失敗する場合が多い傾向にあります。それが特に国民の大多数が関心を寄せている事柄の場合は言うまでもありません。代表的な事例が「2015年韓・日日本軍慰安婦合意」です。

最近、韓国政府が公共外交 (public diplomacy) の重要性を強調しており、中でも特に自国民を対象とした公共外交に力を注いでいるのも、このような変化を反映していることだと言えるでしょう。公館の外交活動にはいろいろあると思いますが、私は公館の行うことを駐在国の国民や同胞に、できるだけ広く周知し、共有することが、非常に重要かつ効果的な外交だと思います。

このような考えから、2018年4月17日、大阪赴任後すぐに、総領事の活動の中で公開しても大丈夫な内容を取り上げ、『大阪通信』というタイトルでFacebookに投稿し始めました。

市民と共にする外交が重要視される時代とは言え、外交活動の中には、公にできない仕事や行事も多く存在します。それでも公開と非公開との境界線をうまく区別し、できる限り公開可能な領域を広げる努力はしてきたと自負します。

一般的に、外交官が外交活動に関して直接公開・投稿することは珍しいですが、記者出身の私には慣れていることで、得意分野でもあります。同時に、私のこのような活動は、「外交官純血主義」の弱点を補う目的として民間人を公館長に起用しようとする文在寅政府のハイブリッド人事政策にも、肯定的に貢献できるのではないかと思いました。

大阪、京都を含む関西一帯は、古代から韓半島との交流が一番先に始まり、現在も人的交流が最も活発に行われ、日本の中で在日同胞が最も密集して暮らしている場所という３つの特徴を備えています。このような点から、日本全国の中でも韓日友好及び協力に関する潜在力を最も秘めている「公共外交の宝庫」と言っても過言ではありません。私は政府間の仲が悪かったとしても、いやむしろ悪い時であるほど、関西の持つ魅力を活かし、「関西が導く韓日友好関係」を築き上げていきたいと思っていました。関西の活発な交流と協力を通して、国同士の葛藤が少しでも緩和されることを願いました。在任中、日本の地方自治体、経済界、学術分野、マスコミ、文化界の関係者など、幅広い要人の方々にお会いし、密度の濃い意見交換をするために努力しました。民団をはじめ、様々な同胞団体及び同胞達と一緒に行事や食事を共にしながら、喜びや悩み、苦悩に寄り添う努力をしました。

この本は私が赴任して以降、2020年７月末まで各種活動をしながら、見て、感じて、話して、考えたことを日記のように記録したものを綴ったものです。新聞記者出身の新米総領事が、管轄地域（大阪府、京都府、滋賀県、奈良県、和歌山県）を舞台に足を運んで記録した報告書という表現が一番しっくりくると言いましょうか。外交日程は毎年定例的に繰り返されることが多いため、テーマが重なったり、内容が重複する場合も多いですが、時間の流れによる私の考えの変化や知見の広がりを垣間見ることができるのではないかとの思いから、そのままにすることにしました。

総領事在任中に本を出版することに対して負担はありましたが、逆にだからこそ意味があるのではという周りの勧めもあり、７月末をもって原稿を締め切りました。しかし、今後も在任中は中断することなく投稿を続けるつもりです。一般的に公館長の任期は３年程ですので、2021年上旬ごろまではFacebookやブログ(https://ohtak.com/)を通して、皆様にお会いすることができると思います。

元々出版を意識して書きはじめた文ではありませんが、今回出版まで至ったのは、東京特派員時代からの友人であり、兄貴分の小栗章さん（本文No.65参照）の力が絶対的でした。彼は、私から特に依頼したわけでもないにもかかわらず、私が記事を投稿し始めた当初から、自らのご好意によってブログを開設し、日本語訳をし、着々と投稿文を蓄積してきてくださいました。この本の日本語訳はごく一部の用語や文章の修正、タイトルの変更以外は全て彼の力に頼ったものです。この場をお借りして、彼に感謝の意を伝えたいと思います。元朝日新聞ソウル特派員である波佐場清さんとライターである川瀬俊治さんは、管轄地域である大阪に位置する東方出版での出版を斡旋してくれました。また、出版過程で、原稿のチェックや写真データの整理を自分のことのように手伝ってくれた秘書室職員の金珍實さんと張正勳さん、東方出版編集者の北川幸さんにも感謝の意を伝えます。そして、いつもそばで「容赦のない野党」役を担ってくれている妻、鄭賢珍にも感謝を述べたいと思います。

最後に、この本が厳しい韓日関係の中でも、両国民の心と心をつなぐ接着剤になり、韓国と在日同胞社会、また同胞同士の距離を縮めてくれる触媒になることを願います。

2020 年８月末日、堂島川が見渡せる官邸で

総領事日記

関西で深める韓日交流

◎

目次

総領事日記

関西で深める韓日交流

001 生花インターナショナル大阪支部イベント出席 April 29, 2018

本日は、生花インターナショナル大阪支部の第27回フェスティバルがあり、文化外交の一環として夫婦で出席しました。

生花という文化を特化し、日本の魅力を世界に広めているようすに感嘆し、見習うべきだと感じました。韓国の魅力もより多くの人に知らせるため一層努力したいと思います。

002 言論弾圧事件の現場、朝日新聞阪神支局を訪問 May 2, 2018

今朝の『朝日新聞』に、31年前の5月3日（日本の憲法記念日）、右翼団体メンバーと推定される人が散弾銃を持ってこの支局に侵入し、記者一名を殺害し、もう一人には重症を負わせた事件に関連した社説が載っていました。現場の朝日新聞阪神支局は大阪からさほど離れていないため、直接訪ねてみることにしました。 私がマスコミ出身なので、言論弾圧の現場を目で確認し、言論の自由に対する連帯を表明したかったのです。

阪神支局襲撃事件資料室を訪れた筆者

阪神支局長は、突然の訪問依頼だったにもかかわらず歓迎してくださり、感謝の意を表してくださいました。言論の自由、民主主義を守るには国境はないと確認できる充実した一日でした。

003 セレッソ大阪、尹晶煥監督を応援 May 5, 2018

本日の午後、総領事館職員らとスポーツを通した文化外交活動をしました。サッカー韓国代表出身の尹晶煥（ユンジョンファン）が監督を務めるセレッソ大阪のホームスタジアムである長居スタジアムでV. ファーレン長崎との競技があり、応援や激励の意味で訪れました。

結果は、私達の応援の甲斐あって3−1で勝利、試合が終わってから尹監督と挨拶を交わし、夕食を共にしました。

尹監督は、ご自身が誰よりも影響力のある「文化外交官」であることを自ら良くご存じでした。今後、この地で韓国の優秀性や存在感を知らせるために、良き同伴者になれば幸いに思います。

004 朝日新聞大阪本社を表敬訪問 May 7, 2018

今週から関西の報道機関を訪問し始めました。

今日は朝日新聞大阪本社の小倉一彦代表を表敬訪問しました。小倉一彦代表や古川伝編集局長は、お二人とも言論の自由の大切さやマスコミの役割についての確固たる認識を持っておられました。面談の後、古川局長は私が記者出身であることを配慮したのか､編集作業の現場まで案内をし説明してくれました。

韓国ではあまり知られていませんが、元々『朝日新聞』は関西で創刊されました。現地のマスコミは、その国を知り、私達の考えを効果的に伝えるのに一番重要な媒介ですので、報道関係者とのコミュニケーションは大事だと感じています。

005 大阪韓国総領事館、5月10－13日に移転 May 9, 2018

大阪総領事館は5月10－13日、（改築工事のため）新しい場所に移転します。1974年、困難な生活のなかで在日韓国同胞が祖国を思い、大阪の要衝、道頓堀の近くに立派な総領事館を建設し寄進してくださいました。泪が出るほどありがたいことです。このビルも長い年月を経て、1995年の阪神淡路大震災のときの衝撃もあったので、今年5月から改築することになりました。

3年後、装いも新たに最新式ビルとなった総領事館がここに戻ってくる予定です。大阪の中心地に建つ超現代的な大阪大韓民国総領事館の威容をいまから期待しています。本日、（改築工事のため）消え去る領事館ビルの前に全職員が集まり、移転の記念写真を撮影しました。

006 関西から韓日友好関係を築いていこう：大阪韓国文化院20周年美術展

May 10, 2018

昨日（9日）、文在寅(ムンジェイン)大統領が韓国の大統領として6年半ぶりに日本を訪問しました。韓日、韓中日首脳会談が滞りなく行われ、韓日関係にとって格別な日になりました。近年、韓日関係は下層が熱く上層が冷めた「下熱上冷」関係でしたが、今回の文在寅大統領訪日を機に「下熱上温」の雰囲気が醸成されたと思います。

大阪でも、大阪韓国文化院の開院20周年を記念して大韓民国芸術院美術展の日本特別展が開催され、日本の有識者等が開幕式に多数参加し、熱気に溢れていました。昨日のイベントを通じて、私は「関西から韓日友好関係を築いていこう」という旗を掲げて業務に邁進していこうと密かに思いました。

昨日参加した芸術院会員の方々を公邸の初の晩餐に招待しました。みなさん80歳以上の高齢者でしたが、韓国芸術家ならではの力と魅力に溢れていました。

007 日本における韓国青年の就業機会増大 May 11, 2018

韓国最大の社会問題の一つが、青年の就職難です。

日本の人口構造の変化によるものだとしても、日本における韓国青年の就業機会が増大したのは幸いです。大阪総領事館としても韓国青年の就職難を少しでも緩和すべく努力しています。

> (ソウル＝聯合ニュース) ワンギルファン記者＝駐大阪総領事館（総領事呉泰奎）は、9日、日本企業に就職しようとする韓国青年に面接試験にパスするためのノウハウなどを指導するカスタマイズドキャンプを10～11日、ソウル瑞草区のKOTRA IKPで開催することを発表した。
>
> KOTRAと共催のキャンプには、日産自動車株式会社、株式会社クボタ、株式会社ローソンなど、日本企業の書類選考をパスした求職者70人が参加する予定だ。これら企業は、21~22日、ソウル江南区三成洞のCOEX Dホールで KOTRA が提供する「2018グローバル就職フェスティバル」に参加し、韓国の人材を選考する。
>
> キャンプ参加者は、日本のビジネス文化や特徴をはじめ、面接試験の基本とよくある質問などを調べ、面接応答ぶりを事前に作成するとともに、質疑・応答を介して実践練習を行う。また、自己紹介とPR方法を学び、就職試験の成功と失敗事例などを聞くことで、自己能力の最終点検を行う。
>
> 大阪総領事館のヤンジェグク副総領事は「日本企業に韓国の青年人材の魅力を十分に感じてもらえるよう面接技法やビジネス日本語の使い方など、実際の面接前の最終点検としてキャンプを準備した」とし、「今回の研修を通じ日本の企業就職に必須な能力を身に付けるよう期待している」と述べた。

008 近畿大学が創った新コンセプトの図書館 May 14, 2018

先週から大阪地域のマスコミを訪問していますが、今週から大学を訪問することにしました。韓日間の交流をさらに深く息の長いものにするには、高度な学問の交流が重要だと考えるからです。

ここ関西地域には、国立の京都大学や大阪大学、私立の立命館大学、同志社大学、近畿大学、関西大学、関西学院大学などの名門大学が多数あります。

カフェのような近畿大学の図書館

今日は、大学訪問の第一歩として近畿大学の細井美彦学長を表敬訪問しました。細井学長は、韓国の大学における国際化への努力を高く評価され、たいへんありがたく思いました。

私は、カフェのような内装の同学図書館をさらにうらやましく思いました。韓国と同じように、日本の学生たちも最近あまり本を読まないそうですが、新しいコンセプトの図書館を創ってから、図書館に来る学生の数が大幅に増えたそうです。

009　韓国芸術院美術展・日本特別展：韓国の報道　　May 15, 2018

大阪文化院の開院20周年記念行事の一環として開催された、大韓民国芸術院美術展の日本特別展が韓国で大きく報道されました。日本ではまれな特別展示会と日本の参加者も評した大型行事です。

大阪で「大韓民国芸術院美術展」日本特別展示

韓国文化院の開院 20 周年記念、韓国芸術院会員の最近の作品と芸術院所蔵作品の展示会

大阪韓国文化院（院長朴英恵）は、5 月 9 日午後 5 時、韓国文化院ミリネギャラリーとヌリホールで文化院開院20周年を記念し「大韓民国芸術院美術展の日本特別展」の開幕式を挙行した。

開幕式には、呉泰奎総領事をはじめ、ナドクソン大韓民国芸術院会長、呉龍浩民団大阪団長、朴英恵韓国文化院長、出川哲朗大阪市立東洋陶磁美術館館長、佐々木洋三関西・大阪21世紀協会専務理事、若菜英晴毎日新聞社副代表など大阪文化界と主要な報道機関の関係者約130人が参加し盛況を呈した。特に、今回の展示会開幕式のために特別作品を出品したパクグァンジン大韓民国芸術院美術分科委員長、ジョンレジン、イシンジャ、ユフィヨン会員なども参加し開会式に花を添えた。今回の大阪特別展は、大韓民国芸術院の開院以来、昨年の北京に続き二回目の海外展示であることに大きな意味がある。

呉泰奎大阪総領事は祝辞で「平昌冬季オリンピックの後、4 月27日の歴史的な南北首脳会談など、韓半島に世界の注目が集まっているなか、本日文

在寅(ジェイン)大統領が韓国大統領として6年5ヵ月ぶりに日本の地を踏み、東京で開催中の韓中日首脳会談に出席」しているとし、「このような重要な時に開かれる今回の展示は、韓国の文化芸術発展に大きな功績を残した大韓民国芸術院会員の作品に大阪でお目にかかれる貴重な機会」と説明した。

続いてナドクソン大韓民国芸術院会長は「大阪の展示を通じ、韓日両国が互いの文化芸術に通じ、さらに友好増進に資することで、芸術的に融合する契機になることを望む」と述べた。

出川哲朗大阪市立東洋陶磁美術館館長は「美術関係者として、海外でも高く評価されている韓国芸術院美術会員の作品を大阪で鑑賞できる機会を得て非常にうれしい」と所感を述べた。

今回の日本特別展は6月2日まで開催され韓国画、洋画、彫刻、書道、工芸など、アートの各分野で韓国を代表する芸術院会員17人の最近の作品と芸術院所蔵作品など計19点の作品が展示される。

主な展示作品は、▲韓国画がミンギョンガプ会員の「抑制された情熱　17－5」など3点▲洋画家イジュン会員の「行事」など9点、▲彫刻家ペクムンギ会員の「表情」など4点▲書家イスドク会員の「大海明月」▲工芸家イシンジャ会員の「起源」など2点である。

在外同胞新聞　ユ・ソヨン記者

010　一回の投資で長く労せずに「展示品外交」　May 19, 2018

今週はマスコミ各社訪問の幅を広げ、現地のテレビ局訪問を始めました。

最初の訪問先は日経系列のテレビ大阪でした。現在「月桂樹洋服店の紳士たち」ほか、韓国ドラマを3本放送しています。同じ日に毎日放送（MBS）も訪問しましたが、こちらもスタッフ数十人が韓流ファンクラブを結成し、K－POPなどを楽しんでいるそうです。

このように日本社会の底辺に広がる韓国に対する好感をどのように引き上げ、拡大していくかが私の悩みどころです。多くのみなさんのご協力とアイデアをご提供くださるようお願いいたします。

こうして、官庁や大学、マスコミ各社を訪問して羨ましいのは、どこの建物の壁にもかかっている絵画などの展示物と装飾品です。毎日放送には備え付けの茶室があり、それだけで十分な文化外交を行っているように思われます。一回の投資で長くできる「展示品外交」に、私たちも力を注ぐ時ではないか、と考えています。

011　民族学級の生徒たちの運動会　　May 20, 2018

19日（土）と20日（日）は、東大阪市と大阪市生野区で開催された民族学級の生徒たちの運動会に行ってきました。

民族学級は、簡単に言うと、日本の小中学校のなかに設置された在日同胞などのための課外クラスです。このクラスでは、講師が週に数時間ずつ出席する生徒に韓国語と韓国文化などを教えています。在日同胞などが多い大阪の地域特性を反映した制度です。また、在日同胞が闘争を通じて、日本の教育当局から得た成果でもあります。

19日の東大阪市の運動会は23回、20日の生野区の運動会は33回の歴史を誇っています。参加した親と講師など関係者らの話を聞くと、幼いころ、自分のルーツとアイデンティティを確認する重要なイベントだったといいます。

彼らがここ日本でマイノリティとして生活しながらも、民族文化を語り、ルーツを忘れずに明るく生きている姿を見て、心が満たされる気がしました。

いま、在日同胞社会は１−２世から３世以降へと世代交代が進み、運動会も徐々に参加者数と参加の熱気が減っているのは大きな問題ですが、生徒たちの明るく堂々とした姿を見ると世代交代もそれほど悲観的ではないという気がします。

運動会の開会式を待っている子ども達

厳しい環境のなかでも民族教育のため尽力していらっしゃるすべての方々、本当にありがとうございます。

012　和歌山県庁と和歌山新報社　　May 23, 2018

大阪総領事館は、管轄地域が大阪府、京都府、奈良県、和歌山県、滋賀県の５県です。22日は地方に行動範囲を広げ、和歌山県庁を訪ねました。

はじめに和歌山県の仁坂吉伸知事を表敬訪問し、民団と和歌山県日韓親善協会幹部と昼食を兼ねて懇談しました。続いて和歌山県最大の新聞社、和歌山新報社を訪ね、津村周社長と韓日交流問題について歓談し、在日同胞と韓国に関心を持って報道してくれるよう要請しました。残念ながら、和歌山市の市長とは今回日程が合いませんでした。

和歌山県は、海洋と山地を兼ね備えた豊かな自然環境と食べ物をアピールして、韓国の観光客を誘致しようとする努力を活発に行っています。みなさん韓国との交流に関心が高く、ウィンウィン関係をつくれるような気がしました。

013　奈良県庁、奈良市役所、奈良新聞社　　May 24, 2018

一昨日（22 日）に続き、昨日（23 日）は、奈良県を訪ねました。奈良県というとすぐ思い浮かぶのが法隆寺と東大寺、そして路上の鹿が連想されるほど、韓国人にとって親しみ深い地方です。古代百済、新羅との縁も深いところです。

奈良県では、まず、荒井正吾県知事と面談し、次いで民団幹部と昼食をしながら話を交わしました。荒井知事は昨年総領事館で開かれた祝賀行事の祝辞を韓国語で諳（そら）んじてされたほどの知韓派、親韓派です。

午後には、慶州市と姉妹関係にある奈良市の仲川げん市長を表敬訪問し、両国間の交流活性化、特に日本から韓国に行く観光客の増加に関する話題をめぐり多くの話を交わしました。続いて奈良新聞社を訪れ、甘利治夫代表に会って、在日同胞と韓国に対する格別のご関心をお願いしました。

雨中の訪問でしたが、満ち足りた一日でした。

014　歴史的な重さに比べ管理が疎かな耳塚　　May 26, 2018

25 日（金）は、終日京都に出張し、赴任の挨拶を行いました。総領事館に到着するやいなや京都に向けて出発しました。

京都日程は耳塚への献花で始まりました。耳塚は壬辰倭乱（文禄の役 1592－93、慶長の役 1597－98）のとき、日本軍が戦功を証明するために何万人もの朝鮮軍戦死者の耳と鼻を切って持ち帰り、これを埋めておいた塚墓です。

悲しくも辛い歴史の現場ですが、今さらながら、このような痛々しい歴史を繰り返してはならないという決意を固め、犠牲者の冥福を心より祈りました。その後、順に、西脇隆俊京都府知事との協議、京都民団関係者との昼食懇談会、緒方禎己京都府警察本部長との協議、門川大作京都市長との協議、京都新聞社の訪問と、分刻みの日程をこなしました。京都での 1 日を終えて総領事館に戻ると、5 時半近くになっていました。

京都訪問で最も印象に残ったのは、耳塚を訪れて献花したことです。京都府知事や京都市長と面談した際も、耳塚の管理をさらに入念にしてほしいと要請しました。

京都の耳塚に献花する筆者

韓国人が感じる歴史的な重さに比べ、耳塚は疎かに管理されているように感じたからです。暗い歴史も明るい歴史も、歴史は未来への教訓にならなければならないという点で、日本のためにも耳塚の管理に一層の配慮をしていただきたいと思います。

015 関西地域こそ韓国系民族学校の本拠地 May 27, 2018

26日（土）、27日（日）は、吉日のようです。

大阪、京都には韓国政府が支援する民族学校が三ヵ所あります。大阪に白頭学院建国学校と金剛学園（2ヵ所）、京都に京都国際学園があります。東京韓国学校を含め日本全国の韓国系民族学校は四校だけですから、関西地域こそ韓国系民族学校の本拠地といっても過言ではありません。

関西地域にある三つの韓国系民族学校が、週末を利用して一斉に体育大会を催しました。大阪の両学校は土曜日に、京都は日曜日に行いました。

三つの学校行事を奨励するため、私は週末の時間を割いてすべてに出席しました。在日同胞社会が世代交代期に入った時期に次世代を育成する必要がありますが、その責任を果たすべきところがまさに民族学校だと考えています。

実際、これらの学校の運動会を見ると、なぜ民族学校が必要で、重要なのかを理解できます。教育は国家百年の計という言葉を実感した週末でした。

016 大きな流れは対立から平和に May 28, 2018

5月26日の記事。去る25日に赴任の挨拶のため、京都府庁を訪問し、西脇隆俊府知事にお会いして交わした話の内容が『京都新聞』に掲載されました。

ドナルド・トランプ米国大統領が6月12日のシンガポール米朝会談のキャンセルを発表した翌日だったので、米朝会談のことが話題になりました。私は会談中止の発表にもかかわらず、「大きな流れは対立から平和に変わっている。大きな山はすでに越えた。これからは小さな山を越えることが残っているだけだ」と説明しました。

ところが、実際に翌26日、南北首脳が板門店での会談を通じて、このような流れが間違っていないことを確認してくれたのです。結果的に私は嘘をつかなかった格好になります。

ちなみに、京都新聞は京都府と滋賀県を中心に朝刊45万部、夕刊20万部を頒布する中堅の地元新聞社です。

017 純血主義よりハイブリッド主義 May 31, 2018

5月最後の日の午前、移転した総領事館の会議室で、KOTRA大阪貿易館、韓国観光公社大阪支社、韓国農水産食品流通公社大阪支社などの政府機関、釜山広域市、全羅南道などの自治体事務所、派遣や現地企業、在日同胞関係の代表など30人が参加し、2018年上半期の企業活動支援協議会を開催しました。

お弁当でランチを取りながら、青年のための海外就業支援協議会も開催しました。

韓半島情勢がよい方向に変化しつつあり、貿易、観光などは上向き基調という報告があり､日本市場開拓に関連した経験など有益な情報交換を行いました。また、就業と関連し、現地企業を行いながら経験した失敗と成功の経験も共有しました。

仕事は純血主義ではなく、ハイブリッド主義のほうが成功する可能性が高いようです。経験を共有しながら、今日も貿易、雇用の面で努力する姿を頼もしく思いました。会議が終わった後、領事館に新たに掛けた絵画の前で記念写真も撮影しました。

018 日本における韓国語教育の先駆者、天理大学 June 2, 2018

6月1日（土）は奈良県にある天理大学を訪問し、永尾教昭学長と歓談しました。 1838年に日本で創始された天理教が1925年に設立した学校で、韓国との関係が非常に深い大学です。二つの面でそうです。

一つ目は、大学設立と同時に朝鮮語（韓国語）科を作り、日本で最初に韓国語教育を実施した大学です。外交官をはじめ、韓国語を駆使する専門家を早くから輩出した韓国語教育の先駆者です。二つ目は、彼の有名な朝鮮時代の安堅（1410年前後－1464年以後）の「夢遊桃源図」（日本の国宝に指定されている）を所蔵しているところだということです。

学長と学問、知識の交流を含む韓日協力の問題を話したほか、天理教本部の建物と、各国の貴重な民俗遺物などを保管、展示している参考館（一種の博物館）も見学しました。

天理大学は天理市にあり、市の名称は天理教から付けられたものだといいます。８万人程度の市民が住み、その30％程度が天理教の信者だそうです。市内のあちこちの建物が瓦屋根で、中国でも韓国でもない、日本でもあまり見られない独特の光景です。

019 尹東柱の詩の朗読大会とK-POPカバーダンス日本コンテスト

June 3, 2018

２日（土）は、消化不良にかかるかと思われるほど心の糧を「暴飲暴食」しました。

午後１時から白頭学院建国学校で開かれた尹東柱（ユンドンジュ）の詩の朗読大会に参加しました。祝辞のために招待されたものと思っていたところ、会場に着くと、主催者側から審査員だけでなく、講評、授賞式まで任せられ困惑しましたが、久しぶりに尹東柱の詩に心ゆくまで沈潜することができました。

母語が韓国語でない10人と、韓国語が母語の５人のグループに分けてコンテストを行いました。詩を暗誦する彼らの表情とイントネーションを見聞きしながら、レベルに関係なく、全員が尹東柱のように感じられました。おかげで尹東柱の詩を通じて自分を振り返る時間も持て、尹東柱の又従兄弟（無知ながら今まで知りませんでした）尹亨柱（ユンヒョンジュ）氏（韓国の有名なフォークシンガー）のすばらしい歌を生で聴く贅沢も享受しました。

この後、午後６時から開かれた大阪文化院開院20周年記念K-POPカバーダンス日本コンテスト会場に行きました。この大会には、日本全国で予選などを経て上がってきた13チームが参加しました。ソウルで開かれる「ソウル新聞」主催の世界大会出場資格を得た第１位のチームは大阪代表でした。

空気を振動させるような参加者のエネルギーに、審査員と観客が一丸となって呼応していました。日本のK-POP展開がすごいという話は聞いていましたが、この熱気溢れる大会を直接見て感じ、ようやく理解できました。

昼から夜遅くまでの日程でしたが、精神的に満ち足りた一日でした。

020 民族教育の先生達の体育大会に参加

June 4, 2018

３日（日）、民族教育関係者の親善体育大会が開催され、私も参加しました。心は30代なのに、身体は59歳（望六）という矛盾を実感しました。

大会は建国学校の運動場で開かれ、建国学校・金剛学校・京都国際学校の３民族学校の先生方、大阪地域の日本の公立学校が運営する民族学級と民族クラブで教える講師の先生方を含め、70人余りが参加しました。

青白赤緑の4チームに分かれて対抗し、私は白組に配されました。10種目ほどありましたが、残念ながら、午後に別の予定があり、玉入れ、二人三脚競走、球ころがしの三種目だけ出場して中座しました。

在日同胞社会が将来的に維持・発展するには、民族教育がよくならなければならず、民族教育がよくなるためには、先生方がよき道しるべにならなければならないと考えています。

021 京都大学、大阪大学、立命館大学、連続訪問 June 5, 2018

今日は朝から大阪、京都にある名門の国立大学と私立大学（大阪大学、京都大学、立命館大学）三校を訪問し、総長・学長に赴任挨拶を行いました。京都大学と大阪大学はいずれも日本のトップクラスの国立大学（独立行政法人）であり、立命館大学は同志社大学、関西大学、関西学院大学の関西地域を代表する四つの名門私学の一つです。

ゴリラ研究の第一人者であり、国立大学協会会長である山極壽一京都大学総長、データ情報処理の権威である西尾章治郎大阪大学総長、学校法人立命館の森島朋三理事長の三氏が異口同音に韓日の深く長い交流のため知識・学問・学校交流が必要だということに積極的に共感してくださいました。

最高の学者たちとの対話は緊張しますが、知的虚栄心を満たしてくれるような充足感も与えてくれます。

022 民団主催の歓迎式記事：金吉浩の“済州 Today”コラム June 8, 2018

私の総領事着任の民団歓迎式に関連、この地に住むジャーナリストが“済州 Today”にコラム記事を寄稿しました。私と関連した内容で、少し恥ずかしいのですが、出版された内容なので共有します。

> 済州 TODAY［金吉浩（キムギル ホ）の日本の話］呉泰奎大阪総領事の歓迎式（2018. 6. 8）
>
> 「こんにちは。去る4月17日に総領事として赴任した呉泰奎です。私の名前がこのように大きく書かれ貼られたのを見るのは初めてです」と、照れくさそうな微笑を浮かべながら話しだした。
>
> 去る5月14日午後6時から、民団大阪本部5階ホールにて開催された呉泰奎総領事の歓迎会では、所管地域の大阪府、京都府、滋賀県、奈良県、和歌山県の民団幹部や傘下団体の幹部が一同に集まるだけあって、それに相応しい横断幕だった。

韓国語で挨拶の言葉を述べたが、韓国語がわからない同胞のためには日本語訳文が配布され、きめ細かい配慮が感じられた。
「駐大阪韓国総領事館は、本日から臨時庁舎での業務が始まりました。先週、引っ越しの前日に、御堂筋の総領事館前で職員が集まり、最後の記念写真を撮りました。写真を撮ってから私は総領事館前の色あせた看板を見て、涙がにじみました。その看板には1974年9月15日、駐大阪大韓民国総領事館建設期成会、故・韓禄春（ハンノクチュン）会長をはじめとする大阪、京都、滋賀、奈良、和歌山の民団地方本部の団長及び有志の皆様が総領事館を建設·寄贈したという内容が刻まれていました。
祖国と日本から冷遇されても、皆様が祖国のために一丸となって資金を募って、大阪の最も中心地である御堂筋に太極旗（テグッキ）を掲げたいという一心で、御堂筋沿いに建物を建設し、祖国に寄贈してくださいました。
私は大韓民国が存在する限り、在日同胞の祖国への愛を忘れてはいけないと思います。 新築される総領事館の中には、このような献身的な思いを広く知らせるために、一番いい場所を確保し、展示スペースを設けたいと思います。それで、同胞の皆様の苦難や、祖国への愛、献身的な行動が今後も広く受け継がれるようにすることをお約束致します」
「私の就任につきましては、韓日の友好関係のためにあまり良くない経歴を持っていることで、一部では心配する声があることも承知しています。私はこのような懸念をより一層頑張れ！という『激励の叱責』と受け止め、また、事前に『予防接種』を受ける気持ちで受け止めたいと思います」と述べるのを聞き、心配する同胞の気持ちへの配慮も感じることができた。
筆者もこの件については去る５月６日付の済州TODAYに「大阪総領事というポジション」という記事を憂慮の内容で書いている。
外交部長官直属機関「韓日日本軍慰安婦被害者問題合意検討タスクフォース（TF）」の委員長であった呉泰奎総領事は2017年12月、この合意書は被害者の意見を十分に反映していないという指摘などを含む検討報告書を発表し、日本政府から抗議があった。呉総領事自らが、このような周りの憂慮を避けることなく、正面から向き合う発言に肯定的な印象を受けた。
「私は総領事として４つの仕事を推進してまいります。一つ、同胞社会間、同胞と日本社会がより仲よくなるよう支援する、二つ、君臨するのではなく、仕える総領事館になる、三つ、日本社会に韓国の良いイメージを広める、四つ、政治経済はもちろん、文化・芸術・スポーツなどの交流を拡大する。これらを一言で申し上げますと『関西発、韓日交流関係構築』となります。

皆様、一人の夢はなかなか叶えられませんが、一緒に見る夢は現実になります。

これから関西地方から韓日友好関係を築くために、頑張りますので、皆様のお力添えのほど、宜しくお願い致します」

一般的に赴任の挨拶というのは、教科書的、抽象的な場合が多いが、呉総領事の挨拶は、彼の白い髪の毛のように純粋に聞こえたので、より大きい期待を抱くようになった。

023 バレーボール日本代表チームの競技観戦 June 10, 2018

9日（土）は、大阪市中央体育館で行われたバレーボール国別対抗戦、国際バレーボール連盟（FIVB）バレーボールネイションズリーグ（VNL）を見学しました。

大阪日韓親善協会会長が日本バレーボール協会の仕事もしており、日本とポーランドの試合を見に行ったのです。結果は、身長と力で絶対優位にあるポーランドが3－0で楽勝しました。

韓国でも見られなかったバレーボール国別対抗戦を大阪で観戦しながら、日本のバレーボール熱を肌で感じ、日本バレーボール協会幹部と挨拶を交わす機会を得ました。韓国チームはライバルですが、団体同士とても協力的だといい、現場に来た私を温かく迎えてくれました。こういう友情も公共外交（public diplomacy）の一つだと思います。

024 外交官になって読んだ『外交外伝』 June 11, 2018

韓国の外交部、元北東アジア局長の趙世暎（チョセヨン）東西大学特任教授が著した外交に関する一般向けの本『外交外伝』を一気呵成に読みました。日本に赴任する前、著者にいただいた本ですが、少し余裕ができた今ようやく読破しました。

『ハンギョレ新聞』に連載された当時もほとんど欠かさず読んでいたのですが、マスコミ界にいたときと、外交の第一線に立つ今では本書の持つ意味合いがまったく異なります。出版に際し、慰安婦タスクフォース活動など、新規内容が追加されたこともあり、立ち位置に応じた受容と読解力の違いを強く実感しました。私には実務的な面で大いに役立ちますが、一般の人々が外交と外交官について理解するのにも大きな助けになると思います。

外交についてさらっと説明しているようでありながら、随所に深く考える材料を挿入しているのが本書の魅力だといえます。

025　韓国総領事が訪問したのは初めて：パナソニック　June 14, 2018

韓国地方選挙の 13 日、韓国は休日ですが、在外公館はいつもどおりに仕事をします。

この日、この地域から出立した世界的企業パナソニック（株）を訪ね、赴任の挨拶を行いました。創業者松下幸之助の一代記を展示してある歴史館を見学し、創業者の孫である松下正幸副会長にお会いしました。

松下副会長は、韓国総領事の訪問を受けたのは初めてだと、歓待してくださいました。会社の建物の国旗掲揚台に太極旗が掲揚され、玄関や電子掲示板にも私の訪問を歓迎する文を載せていました。訪問前から記念写真を撮る位置まで指定してくるなど過敏とも考えましたが、行ってみると、それが最大のもてなしだということがわかったのです。

若かったころ洗濯機を担当した関係で親しくなった具本茂（クボンム）（1945－2018）LG グループ会長の死を悼み、韓国との縁を強調されました。そして両国の関係が揺らぐことがないよう、トップによる経済、文化、スポーツなどの交流と協力が重要であることで意見の一致をみました。

026　日本語を話す大阪地域の総領事会親善パーティー　June 15, 2018

13 日夕方、中国総領事の招待で「日本語を話す大阪地域の総領事会」の交流会がありました。

餃子づくりを体験した後、夕食をしながら交流する時間を持ちました。互いに悩みが似ています。情報を共有したり、他の文化も理解し、共同のテーマについて協力もできる良い集まりです。

中国総領事館主催の餃子交流会

会の準備をしながら、エプロンに各国の国旗をつけた主催者の中国総領事の配慮と、冒頭に餃子づくり体験を入れて自国の食文化を知らせる姿を見て、初心者総領事として一つのことを学びました。昨秋から、各国持ち回りで主催しているということで、次回は韓国の番だといわれました。

英語圏の国々の総領事たちの日本語の実力は中途半端なものではありません。漢字語圏でない国の人々が、日本語を学ぶのにどれほど多くの時間と労力を注いできたか想像するに余りあります。

027 震度6の大地震に襲われて June 18, 2018

大阪に赴任して最大の地震を体験しました。震度6だそうです。午前8時ごろ、ゴオーという音がしたかと思うや、家のなかで立っていられないほど激しく揺れました。慌てて床に倒れ、膝に軽い擦り傷を負いました。家中あちこちの植木鉢や額縁などが破損しました。恐ろしいこと、この上もありません。震源地に近く、マンションの12階なので、ことさら揺れがひどかったようです。

028 出勤してすぐ地震対応室を設置 June 18, 2018

午前9時ごろ出勤してすぐ、総領事館の5階会議室に地震状況対応室を設置しました。在日同胞と韓国人観光客の被害状況を把握し、現地情報や対応策をホームページとSNSを介して伝播しています。

現在、民団ほか関連機関に連絡を取って申告電話などを把握した結果、まだ被害受付状況はありません。

総領事館職員も交通が途絶え、複数名が出勤していませんでしたが、全員の安全を確認できました。その後の状況を注視しながら継続して緊急態勢をとっています。

029 大阪地震に関連、NHK WORLDがインタビュー June 19, 2018

昨日、大阪地震に関連、NHK WORLD がインタビューした内容が放送されました。

> 呉泰奎大阪韓国総領事のインタビュー内容をお送りします。
>
> 大阪で発生したマグニチュード6.1の地震に際し、大阪韓国総領事館では地震発生直後から状況対策室を設置しました。約1週間のあいだSNSを介して在日同胞や韓国人旅行者のため、余震や二次災害への警戒を呼びかけたり、公共交通機関の情報を発信しています。
>
> 今回の地震対応を振り返り、在外公館の災害時の役割、そして懸念される南海トラフ巨大地震への備えについて聞いてみましょう。[以下略]

030　授業参観が民族学級の生徒や関係者の力になれば　June 20, 2018

19日、大阪市生野区にある中川小学校を訪問し、民族学級の授業を参観しました。前日の地震もありキャンセルしようとしましたが、学校側が構わないというので訪問しました。この学校は、在校生325人のうち137人が民族学級に参加しており、国籍に関係なく韓国にルーツのある生徒が60%にのぼります。

行ってみると、校長先生も歓待してくれ、生徒たちも韓国総領事の来訪のためたくさんの準備をして、大いに楽しみにしていたようで、地震直後という負担感が少し楽になりました。

参観した授業は、4年生19人が参加する「ふるさとさがし」という授業でした。大半の生徒は4世と3世でした。済州島出身の生徒がなんと15人、全南が2人、慶南と京畿が各1人でした。授業時間に先生が質問すると、生徒たちが互いに競争するように手を上げ積極的に取り組む姿が印象的でした。

授業が終わった後、5人の生徒が私の前で自分たちが民族学級で韓国関連のことを学ぶ理由ときっかけについて発表し、民族学級を応援してくださいと訴えたときは、やや目が潤みました。

授業参観の後、子ども達と記念写真

私の授業参観がこれら生徒にとどまらず、民族教育のために努力する方々の力になればと思います。

031　尹東柱と鄭芝溶の詩碑がある同志社大学訪問　June 23, 2018

昨日（22日）は、詩人の尹東柱（ユンドンジュ）と鄭芝溶（チョンジヨン）が通った京都の同志社大学を訪問し、松岡敬学長にお会いしました。

この学校を設立した新島襄は、明治維新以前に激変する世界を知るために、米国に密航しました。ボストンでキリスト教の教育を受け、キリスト教精神に基づいた「良心的な人材」を育成するために、帰国後にこの学校を設立しました。 2025年に建学150周年を迎えます。

建学の精神が「良心教育」であり、自由主義、キリスト教主義、国際主義を教育理念としている、先駆的な姿勢に頭が下がる思いがします。

この建学の精神、韓国と深い縁からか松岡学長との会話は、あえて呼吸を合わせる必要もありませんでした。松岡学長は豊富な資料を用意し、学校に関する説明や韓国との交流の重要性を心を込めて説明してくださいました。翌23日の朝、同志社大学の2025年ビジョンを説明する新聞の全面広告が目に止まりました。

同志社大学の尹東柱詩碑を訪れた筆者

会談は同学の理工学部がある京田辺キャンパスで行われましたが、そこからわざわざ京都御所の近くにある今出川キャンパスまで30分ほど移動し、キャンパスの一角に並び立つ尹東柱と鄭芝溶の詩碑を、参拝するような気持ちで見入っていました。

032 気分転換と視察を兼ね大阪城へ

June 24, 2018

日本第二の都市、大阪を衝撃に陥れた6·18大地震から1週間が過ぎました。気象庁は1週間以内に同規模の余震が起こり得るとし、雨続きのため地滑りなどの追加災害が発生する恐れがあると警戒していました。

幸いなことに、今のところ小規模の余震があったほかは、深刻な状況になっていません。それでも、総領事館は万一の事態に備え、緊急体制を維持しています。

今日（24日）は、地震後初の日曜で天気も穏やかだったので、視察を兼ねて気分転換のため、一人で大阪のシンボル大阪城の周辺をこっそり見て回りました。

日本人だけでなく韓国ほか各国の観光客が、地震などなかったかのように大阪城の見学やボート遊びで、のどかな週末を楽しんでいました。巨大な大阪城の天守閣が、まるで天上界から人間の営みをじっと見下ろしているようでした。

033 マリ出身 Oussouby SACKO（ウスビ・サコ）京都精華大学学長の魅力

June 26, 2018

今日（26日）は、知人の紹介で京都精華大学を訪問しました。学部に漫画、デザイン、大衆文化、芸術、人文の5学部、大学院に漫画、デザイン、芸術、人文の4つの研究科を置くユニークな大学です。4千人が在学し、外国人留学生の比率が20%を超え、韓国の学生が最も多いそうです。

京都市と共同で日本最大規模の「京都国際マンガミュージアム」を運営するなど、漫画学部が有名です。同学部の卒業生が韓国で大学教授などとして多数活躍しており、漫画学部に入学を希望する韓国の若者も多いといいます。

さらに驚くべきことに、同学の学長はアフリカのマリ出身のウスビ・サコ教授（今年4月就任）なのです。ほぼ完璧な日本語を駆使するサコ学長は、韓国事情にも精通する「親韓派」で、韓国との交流に深い関心を寄せています。

京都大学で建築学の修士博士課程を修了したサコ学長は一見して知的な感じを与え、前向きなイメージを発信する人でした。出会い自体を楽しく感じさせる人で、将来、韓国との学術・文化交流にとってよき仲間になりそうです。

034 モーター製造で世界一：日本電産　June 27, 2018

「回って動くものすべて」何でも作るモーター製造で世界一の会社、1973年に従業員4人でスタートし、今や10万人以上の従業員を抱える会社、仕事のためなら休日も返上という会社から、2020年までに「残業ゼロ」目標を宣言するまでに急変した会社。

成績や頭のよさより、ご飯を早く食べ、長距離を走り、声の大きな人を選ぶ、として韓国でも有名になった会社。その日本電産株式会社（NIDEC）の本社を、昨日（26日）訪問しました。

「すぐやる、必ずやる、できるまでやる」というユニークな経営哲学を持つ永守重信会長には、残念ながらお会いできませんでした。外交官出身の田辺隆一監査役にお会いし、グローバル時代に合わせて変化する会社の経営戦略と経営哲学について聞きました。

モーターは半導体と比べられるほど、未来産業のコメという考えのもと、モーターに特化して世界一の会社を築いた話。海外工場の拡大に伴い、会社の運営も国際標準に合わせて調整している話など、興味津々に聞きました。

日本電産ロビーの地球模型

他のものはすべて改め変わったとしても、生産性だけは守り抜く、という永守会長の経営哲学が会社を持続的に成長させる原動力だという説明に思わずうなずきました。

同じ京都発祥の先輩格のグローバル企業・京セラより社屋をわざわざ少し高くし、京都で最も高いビルを建てたことからもうかがえるように、会社中にチャレンジ精神が横溢しているように思われました。

日本電産も韓国総領事の訪問を太極旗を掲揚して歓待し、韓国との経済協力に大きな関心を寄せていました。

035 「最近の韓半島情勢と韓日関係の展望」講演　June 29, 2018

昨日（28日）は、関西地域の退職・現職記者の集まり「ジャーナリズム研究会」に招かれ、赴任して初めて外部講演をしました。講演のタイトルは「最近の韓半島情勢と韓日関係の展望」です。

久しぶりに日本語で約1時間の発表をしたので、呂律が回らないなど困難が少なくありませんでした。ともあれ「メディア同志」の待遇の雰囲気のなかで真剣に話し会えたことが大きな成果だったと思います。

参加者はみな記者出身なので、鋭い質問を連発してきました。私は小さなことにこだわらず、大きな流れとして昨年末と今の状況を比較してみると、韓半島情勢が対立から和解に向けていかに大きく変化したかを理解できると説明しました。

この変化の過程において、その流れを主導した文在寅（ムンジェイン）大統領の役割が大きかったこと、今般の変化はすでに元に戻すのは難しい地点まで来ていると思われる、という点を強調しました。

特に、70年にわたって敵対していた北朝鮮と米国の首脳が、世界が注視するなかで約束したことは、実務者レベルで行われた2005年9·19共同声明とは比較できないほど重みがあると考える、と述べました。

重いテーマにもかかわらず、記者という職業の共通点があるせいか、終始温かさを感じたのは私の主観的な判断だけではないと思います。

036 食事を共にすることの大切さ　June 30, 2018

昨日（6月29日）の夜は、大阪府の公立学校で韓国にルーツを持つ生徒に「私たちのもの、私たちのこと」を教えている民族学級の講師たちに会いました。

イベントタイトルは仰々しく「総領事と民族講師との対話」でしたが、実は、厳しい環境のなかで苦労して働いている民族講師と一緒に食事をという思いから作った機会だったのです。私が彼らと同じ席で食事することが彼らを力づけることになればというもので、それ以上でも以下でもありませんでした。

他の人と食事を一緒にするという意味を、実はよく理解していなかったのです。最近、赴任の挨拶でお会いした山極壽一京都大学総長からいただいた本を読み、一緒に食事する重要性を改めて悟ったのです。

ゴリラ研究の第一人者である山極総長は、食事を共にすることは一緒に食べる人同士の「平和の宣言」のようなものだといいます。1992年、日本の小泉純一郎首相が訪朝した際、金正日委員長と握手こそしたが、一緒に食事をしていない事実を指摘しながら、もしあのとき、二人が一緒に食事していたら、両国は完全に和解したのではないだろうかと述べています。

振り返ってみると、私も食事をした人としていない人、一緒に食べたい人とそうでない人の間に大きな違いがあることを感じます。一緒に食事しながら会話することが、互いを理解し互いに力添えできる出発点であることを、今回のことを通じて改めて確認しました。

一緒に食事するのに次いで重要なことは、現場主義ではないかと思います。2時間半ほど講師たちと共にいて、私は頭でわかっていたつもりの民族教育の現状と重要性を生き生きと知ることができました。デスクで1年かかっても理解できないことが、現場では数時間以内に理解できるようです。

縮小している在日同胞社会を復活させる重大な責務を担う民族講師のみなさん、私たちのささやかな食事と数時間の同席が大きな力に転化されることを願ってやみません。

037 韓国人観光客にオンラインで熱中症注意喚起　　July 3, 2018

総領事館が、在日同胞と韓国からの観光客を含む外部の人々と接触する窓口は大きく分けて三つあります。一つは苦情などのため顔と顔を合わせる面談、二つは電話を介した接触、三つはホームページやSNSなどのオンライン上の通信です。

どれも重要ですが、世の中の変化とともに、オンライン・コミュニケーションの重要性が大きくなっており、今回の地震に関連した対応を通じてそれを実感します。

今後、オンライン・コミュニケーションの重要性がさらに大きくなることは間違いありません。世の中の流れに沿い、多くの人と簡単かつ迅速に、双方向で接触できる利点があるからです。

そういう観点から、熱い夏に大阪を訪れる韓国人観光客向けに熱中症予防に関する注意と案内を総領事館のホームページに載せました。参考になさってください。花より団子ともいいますが、夏の大阪観光も健康あってこそです。

［夏の熱中症に関する注意事項］

気温が上がる日や湿度が高く高温多湿な場合に発生する熱中症が原因で救急搬送される人が増えており、日本の消防庁が熱中症に注意するよう呼びかけています。

日本全国で 6 月 18 日から 24 日の間に熱中症（その疑いのある症状を含む）で 667 人が救急搬送されています。暑い環境に長時間さらされた場合に発生する、脳の体温調節機能障害による病気です。

熱中症を予防するため、広いつば付きの帽子を使い、頭と首の部分を日差しから保護し、行動中は適量の水を時々飲むようにしてください。暑い夏の関西を訪問される韓国国民のみなさん、熱中症に特に注意し、旅行中に熱中症の疑いがあらわれた方は水分を十分に摂取し、速やかに日陰に移動するなどの初動対応をとってください。

038　韓日協力の現場、宇治市ウトロ地区訪問　　July 4, 2018

京都府宇治市には韓国と縁のあるものが二つあります。一つは伊勢田町ウトロ地区の住宅施設であり、もう一つは尹東柱（ユンドンジュ）の詩碑です。

多くの報道を通じて韓国でもよく知られているとおり、ウトロ地区は日帝時代（1910－1945）に宇治の飛行場で働いていた朝鮮人労働者が集住しているところです。この地から彼らが追い出される危機に際し、住民と韓日両国の市民団体が連携して、新しい生活の場を作るよう要求したのです。韓日政府がこの要求を受け入れ、2017年末、40棟のマンションが完成し、一部の住民が入居しました。

まだ10世帯が残っており、第二期アパート工事が開始される予定です。昨日（３日）は、完成された建物を検分し、第二期工事に関し市に協力を要請するため、山本正市長への表敬を兼ねて宇治市役所を訪問しました。

ウトロ住民集会場にあるセウォル号犠牲者の壁画

これに先立ち、昨年10月末、宇治川沿いに建てられた尹東柱の詩碑も訪ねました。尹詩人が最後に旅行したところが写真に残っており、そこに詩碑を建てたそうです。

尹詩人の詩碑は、彼が通っていた同志社大学の校庭、下宿址（現在は京都芸術大学）をはじめ、3ヵ所にあります。この他に、宇治市は10円玉に描かれている平等院鳳凰堂、平等院とともに世界文化遺産に登録された宇治上神社、食品では抹茶が有名です。

039 国際派・親韓派の滋賀県知事と歓談　July 6, 2018

5日は雨のなか滋賀県庁を訪問し、三日月大造知事にお会いしました。先月末、知事選挙があったので、大阪総領事館の管轄地域のなかで最も遅い県庁訪問になりました。民主党出身で衆議院3選の経歴を持つ三日月知事は今回の選挙で県知事に再選されています。

まだ40代の彼は在日外国人の地方参政権を支持し、多文化共生を掲げる国際派であり、親韓派の政治家です。初対面からお互い、ワールドカップで日本と韓国がともに善戦したことを話題にし、両国が多方面で協力しようということですぐ意気投合しました。知事との面談が終わった後、滋賀県民団幹部と昼食を共にしました。

むかし近江と呼ばれた滋賀（県）は朝鮮の三国時代から韓半島との交流が深く、朝鮮時代の朝鮮通信使が通過した主要地域でもあります。このような縁が知られ、韓国の観光客も増えているそうです。

滋賀県は、県全体の大きさの6分の1に相当する日本一の湖、琵琶湖も有名です。県庁から見ると、まさに海のように見えます。

040 田中均元外務省審議官の講演を聞く　July 7, 2018

日本の代表的な外交戦略家である田中均元外務省審議官が、去る3日、日本記者クラブで行った、ほぼ2時間に及ぶ日本語の講演です。日本語を理解し、外交に関心のある方は、時間を割いてでも聞く価値が十分あると思います。

外交は国内の政治的利益ではなく、国益のために行わなければならず、主張ではなく結果を出すことが重要なのは、日本だけに当てはまる言葉ではないと思います。

世界情勢の変化、安倍外交の問題、北朝鮮の核問題、拉致問題の解決方法など、傾聴に値する話が数多くあります。韓国にも、このようなレベルの外交官

がたくさん出てほしいと思います。 参考：https://youtu.be/ttBYrcNkNzM

041 K-POP に次ぐ韓国料理の人気 July 8, 2018

今日（8日）、五日ぶりに晴れわたった大阪の空を見ました。空に穴があいたように溢れんばかり降った雨と雲に押さえ付けられていた心が、久しぶりに晴れわたりました。人間の生活は天候に最も大きく影響されるようです。

昨日は大雨が降るなか、大阪文化院主催の韓福眞（ハンボクジン）宮廷料理研究家招待：「韓国宮廷料理セミナー」が京セラドーム大阪付近のハグミュージアム・ハグホールで開かれました。

大雨のため、予約取り消しで会場がガラガラになるかと心配しました。しかし、ふたを開けてみると、遠く名古屋からの参加者も来るなど、杞憂に終わりました。K-POP に次ぐ韓国料理の人気を実感しました。

もともと、日本人客は会場に来ても、静かに座って整然と見守るのが普通ですが、この日はちょっと違いました。韓福眞さんが作って陳列しておいた料理の写真を一人二人と出てきて撮りはじめ、時間が経つと行列になりました。また、これらの料理は、もともと試食用ではなかったのに、試食しましょう、ということになり、たくさんの人々が集まって前に出て来て、まるで市場のような雰囲気になりました。

ビートたけしの言う日本人の性格診断「赤信号みんなで渡れば怖くない」が浮き彫りになったのです。でも、それよりも韓国料理の熱い人気を誇らしく思いました。

文化院のスタッフは、業務の性格上、土曜日に仕事するしかないのですが、休日返上で熱心に準備しています。そんな彼らの努力がいかに大きいか。私も最初から最後まで2時間以上会場に滞在し、講義も聞いて試食もして写真も撮ってきました。

042 社会的価値と人間性の重視：オムロン July 10, 2018

昨日（9日）、京都に本社を置くグローバル企業、オムロン株式会社を訪問しました。体温計、血圧計などで韓国にもよく知られた企業です。

お会いした日戸興史最高財務責任者（CFO）兼グローバル戦略本部長から、オムロンが追求する企業の価値と戦略について聞き、韓国への投資と韓国人の人材採用などについて意見交換しました。

日戸本部長を応接室で待つ間、部屋を見回すと、企業価値を書いてある牌が目立ちました。「ソーシャルニーズの創造」「断えざるチャレンジ」「人間性の尊重」の三つでした。成長する企業は、やはり、どこか他社と違う、という印象を受けました。

オムロンの創設者である立石文雄氏は、日本電産の初期に永守重信会長にベンチャー資金を提供し起業に役立てたといいます。日戸本部長は、今は日本電産のほうが大企業になった、と笑って話されました。

オムロンの本社は京都駅近くにあり、屋上から古都京都を一望できます。扁額も掛かっていますが、よくわかりません。禅仏教の「一花（華）開五葉」に見えます。漢字に詳しい方、教えていただければ幸いです。

043　日本の、世界の平和のための民族学級　July 11, 2018

昨日（10 日）は、大阪府東大阪市の野田義和市長を表敬訪問しました。大阪府には大阪市をはじめ、33 市、9 町、1 村の行政地域があります。

東大阪市は人口約50万人であり、大阪府のなかで大阪市、堺市についで大きい行政地域です。中小企業が多く、外国人 1 万 7 千人のうち、在日同胞が約 1 万人住んでいます。

外国人が多く住んでいることもあり、市の国際感覚も高いようです。3 選の野田市長も多文化共生に大きな力を注ぎ、在日同胞対象の民族学級も活発です。私は市長に対し、在日同胞のためではなく、日本の、さらには世界の平和のため、民族学級により一層の支援を要請しました。

今年初めに当選した大阪民団の呉龍浩団長もここ東大阪市の出身です。

044　心温まる印象の大阪市立大学学長　July 12, 2018

11 日午後、大阪市立大学を訪問し、荒川哲男学長と学術・学生交流などについて意見交換しました。近所のおじさんのような心温まる印象の荒川学長(医学博士）は、学生・学術交流に積極的な関心を見せました。

大阪市立大学は、来年、大阪府立大学と統合する予定で、そうなると、日本最大規模の公立大学になるそうです。

商人の都市大阪で 1880 年、大阪の商業講習所として始まり、今では 8 学部 10 研究科、学部生 6595 人、大学院生 1652 人、教職員 2215 人の大規模な大学に成長しました。学校と縁のある学者 2 人（南部陽一郎、山中伸弥）がノーベル賞を受賞しています。

大学を訪問する日の朝刊に掲載された大学の全面広告を見たことを伝える

と、大喜びしていらっしゃいました。

045　米国人宣教師が設立した関西学院大学　　July 13, 2018

13日の午後、大学訪問シリーズの一貫で、関西地域の名門私学、関西学院大学を訪問しました。米国人宣教師のウォルター R. ラムバス（Walter Russell Lambuth, 1854－1921）氏が1889年に設立した大学で、京都の同志社大学と同じように、キリスト教の理念に基づいて教育しています。

同志社大学は、キリスト教の洗礼を受けた日本人が建てましたが、関西学院大学は外国人宣教師によって建てられ、それぞれ、京都と兵庫県を根拠地にしています。いずれの大学も、キャンパスの建物にキリスト教の雰囲気が色濃く漂っています。

村田治学長は、韓国の大学の学生を受け入れるなど、活発に交流しているとおっしゃっていました。韓国人大学生の徴兵制による軍入隊期間を休学期間に加算しないよう、最近、制度を変えたそうです。

済州島出身の学生6人を済州教育庁の推薦で入学させる入学制度もあり、来年から文系理系を問わず、全学生が人工知能（AI）の関連教育を受ける予定だといいます。国際化時代にふさわしい進取の気性が感じられる大学でした。

046　沈當吉（初代）から沈壽官（15代）まで420年　　July 14, 2018

雨があがってすぐ猛暑に逆戻りし、大阪の日中気温は40度前後を上下しています。路上にも人影はまばらです。

今日（14日）は大阪文化院の開院20周年を記念し、15代沈壽官(ちんじゅかん)氏の招聘講演会を開催しました。1598年、壬辰倭乱（慶長の役）の時南原(ナモン)から鹿児島に連れてこられ、朝鮮陶工の沈當吉(ちんとうきち)氏（初代）が薩摩焼をつくって以来、15代に至る420年の歴史を語っていただく企画です。

15代沈壽官氏の作品

午後に他の行事があり、私は講演会には出席できませんでした。事前に昼食をご一緒し、講演会場で写真を撮っただけでしたが、満ち足りた気持ちがしました。1990年に韓国で1年ほどキムチ甕を作る工房に滞在した苦労話など、興味深い話題が多かったのですが、後日を約して別れました。

講演に先立ち、7月4日～10日、大阪あべのハルカス近鉄本店で15代沈壽官氏の展示会が開かれ、最終日に鑑賞する機会を得ました。素人の観察眼ながら、蝶やトンボなどの生物をともに表現する繊細な作品の傾向がうかがえました。

047 各国公館が催す国ごとの記念行事　July 15, 2018

昨日（14日）は、フランス革命記念日の行事に行ってきました。各公館は1年に1回、ナショナルデーの記念行事を催します。フランス総領事館は土曜日にもかかわらず、革命記念日に合わせて行われました。

フランス総領事館は関西地域の10余りの総領事館のなかで唯一京都にあります。休日に加え、非常に暑い日で（京都の14日の最高気温38.5度）、遠方からの参加者はあまり多くありませんでした。

各国の祝日イベントは、私が行けば相手も参加するという相互主義に基づいています。新米総領事の私は、一度に多くの人脈を作れることもあり、なるべくすべての行事に出席するようにしています。

これまでに、イタリア、アメリカ、フランスの行事に参加しました。国別に違いはありますが、欧米諸国は行事を実務的に行う傾向があるようです。フランスとイタリアは伝統、アメリカは現代を強調するなど、いくつか違いもあるようです。

今回のフランスの行事は、16日深夜のワールドカップ決勝戦進出を意識したのか、会場の随所にミニサッカーボールが置かれていたのが目立ちました。

048 “들어가지 마라”から“들어가지 마시오”へ　July 19, 2018

手前みそですが、今回は私たちが行った「小さな大きい成果」を自慢したいと思います。

韓国語で들어가지 마라（入るな）と書かれていた道路標識を들어가지 마시오（入らないでください）に変えたのです。

関西空港から大阪市内に向かう道路の両側にある標識が韓国人に不快感を与える表現になっていることを、情報提供などを通じて知ったのは5月末でした。すぐに担当領事と職員が標識設置の担当機関を探し出し、表現の修正を求めました。ご承知のとおり、日本の行政機関は対応が遅く、事務手続きに非常に時間を要します。

はたして、担当機関は「命令文として不当な点はない」と、修正に難色を示しました。それでも私たち領事館スタッフが毎日のように担当者と接触を続け、ここを通る少なからぬ数の韓国人が、この標識の表現のために気分を害しており、回り回って日本のイメージにも悪影響を及ぼしかねない、と修正を重ねて求めました。

こうした粘り強い努力の結果、7月10日、大阪府から総領事館の要求に沿って道路標識の文言を修正した旨の連絡が、写真とともに届いたのです。この程度の修正に1ヵ月も、と見ることもできるでしょうが、私はこの小さな成果をたいへん誇らしく思っています。

049 千利休と与謝野晶子を生んだ堺市　　July 19, 2018

昨日（18日）は、大阪府で大阪市の次に大きい堺市を訪問し、竹山修身市長と挨拶を交わしました。ほかの表敬訪問と同じく、文化を含む多方面の交流や民族教育支援をめぐって話しました。堺市は、長い歴史を持つ人口83万人の都市で、在日同胞も4千人以上住んでいます。

中世から貿易と商業の都市として発展し、日本で覇権を取るには、堺商人と手を取らなければならないといわれたそうです。この都市が輩出した人物には、日本茶道の大成者として知られる千利休（1522－91）と、19世紀末から20世紀初に活躍した文人の与謝野晶子（1878－1942）がいます。二人の名前にちなんで作られた「さかい利晶の杜」記念館では、都市の歴史と文化を毎日見ることができます。

世界で最も面積が広い仁徳天皇陵を含む百舌鳥（もず）古墳群が市内に点在しています。特産品として刃物づくりが有名です。

050 朝鮮通信使に随行した外交官の雨森芳洲　　July 27, 2018

25日、炎天下のなか滋賀県にある朝鮮通信使の関連施設と遺跡を訪ねました。大阪から片道二時間はかかる遠方なので、オフィスには寄らずに、自宅から雨森芳洲（あめのもりほうしゅう）庵がある長浜市高月町に向かいました。

雨森芳洲（1668－1755）は壬辰倭乱（1592－98年 文禄慶長の役）の1世紀後に、韓日友好に尽力した人です。朝鮮通信使一行が日本を公式訪問した際、外交官として二度随行しています。「互いに欺かず争わず真実を以て交わる」という誠信交隣外交の主唱者であり、1990年に盧泰愚（ノテウ）大統領（当時）の訪日宮中晩餐会の祝辞で紹介され、韓国にも広く知られるようになりました。

はじめに、芳洲翁の故郷である高月民俗資料館を訪問し、高月の地域文化と

近江八幡にある朝鮮人街道碑

高月観音の里歴史民俗資料館の雨森芳洲像

韓国との交流について見学した後、30分ほど離れたところにある芳洲庵に行きました。ここでお茶をいただきながら芳洲翁にまつわる話を聞き、彼自身が残した書籍を拝見しました。

芳洲庵で関係者と昼食を共にしたあと、朝鮮通信使一行の主副従事官が宿泊した彦根城近くの宗安寺と、通信使一行が途中で休憩した近江八幡別院を見て回りました。近くにある通信使が通った街道を表示する「朝鮮人街道」という標石の前で記念写真も撮りました。

一日中ほとんど車に乗って移動した厳しい日程でしたが、滋賀県と韓国の切っても切れない関係を確認した一日でした。

051 韓国と縁の深い京都の世界的企業：京セラ　July 29, 2018

7月27日（金）は、京都に本社を置く世界的な企業、京セラ株式会社を訪問しました。

京セラは、創設者で今は名誉会長の稲盛和夫氏と韓国との縁で、韓国にも広く知られています。稲盛会長のご夫人が育種学者として著名な禹長春（ウジャンチュン）博士（1898－1959）の四女だからです。

禹博士は、旧韓末の明成皇后殺害事件（1895年、韓国では乙未事変）に関与し、日本に逃亡した禹範善（ウボムソン）（1858－1903）が日本女性と結婚して産んだ子なのです。稲盛会長はパナソニックの松下幸之助氏（1894－1989）、ホンダの本田宗一郎氏（1906－91）とともに日本で最も尊敬される三人の起業家の一人に数えられています。

稲盛会長はもともと大阪総領事館の管内に住んでおられ、韓国との縁もある方なので、直接お会いしたいと思いましたが、狩野浩一関連会社執行部長とお会いすることになりました。

建物に入ると、1階ロビーが美術館になっているのが注意を引きました。一見して、展示された絵画や彫刻作品が尋常でないものに見えたからです。

接見室でお会いした狩野氏は、90年代の韓国勤務経験と韓国の友人との友情や、同社が支援するプロサッカーチーム京都サンガと朴智星（パクチソン）の縁などを話題にして、温かく迎えてくれました。本社だけで約20名の韓国人が働いていて、うち5名は昨年入社したといいます。

社是は「敬天愛人」、経営理念が「すべての従業員の物心両面の幸福を追求すると同時に人類と社会の進歩発展に貢献すること」で、すべての従業員がそれを熟知しているといいます。また、1959年の創立以来、一年度も赤字がなく、従業員も減らしたことがないと自慢されていました。やはり、成長する企業は、どこか特別なところがあります。

052 観光地になった生野コリアタウン

July 30, 2018

29日（日）は、予定になかった大阪生野コリアタウンに行きました。看板も標識もなかった20余年前に訪れたときとは比較にならないほど華やかな街に変貌していました。

実はこの日、日本の第一野党である立憲民主党の代表、枝野幸男議員が堺市で講演会を行うというので、話を聞こうとしたのです。いざ講演会場に行ってみると、会議場は空っぽでした。台風の来襲予報があり、前日夕方に講演会をキャンセルしたとのことで、コミュニケーション不足のため骨折り損になりました。

ここまで来たのに何の成果もなく、ただ家に戻るのが無性に惜しかったので、突然、機首をコリアタウンに回し、フィールドワークすることにしました。大阪に赴任してから鶴橋駅の近くの商店街に何回か行く機会はありましたが、そこから徒歩10分程度の距離にあるコリアタウンには行ったことがなかったからです。

渡りに船と、台風は通過したのに、湿気を含んだ熱気で首まで汗でじっとりしました。それでも、多くの若者たちが集まっており、600メートルほど続く商店街の両側に並ぶ韓国レストランの客や、洋品店などでショッピングする人々でごった返していました。

コリアタウン中央の百済門

ああ、ただの韓国人の集住地区に過ぎなかったこの地が「コリアタウン」という名の観光地に変わってしまったのか、と隔世の感しきりでした。

1時間ほどの短いフィールドワークをしながら、大いに発展したという感慨とともに「コリアタウン」が今よりさらに発展する方途はないだろうか。また、そうなるように手助けする術はないだろうか、と考えました。そんな宿題を抱えて帰ってきながら、頭のなかに神戸チャイナタウンの光景がちらつくような気がしました。

053 韓国と日本の政治イベントを包む空気　July 31, 2018

今日（31日）、共同通信主催の石破茂元自民党幹事長の講演会が大阪で開かれました。自民党総裁三選を狙っている安倍晋三首相に唯一の対抗馬として出馬した彼の大阪講演なので興味がありました。

講演は11時30分から1時間程度でした。自民党総裁選挙を控え、大阪地域が石破議員の地方区基盤の鳥取県に近いためなのか、会議場には講演開始前から熱気が感じられました。

石破議員は無投票当選の総裁選挙となっては絶対だめだと、出馬の意思を重ねて確認しました。続いて1時間、野党と国民の説得と説明よりも、数の力で押し通す安倍式政治を揶揄するのに多くの時間を費やしました。

さらに、二極化、人口減少、地方の均衡発展、成長戦略、ジェンダーなど、幅広い問題について所信を明らかにしました。最後に、中央ではなく地方、権力者ではなく一般市民が出てきて政治を変えなければならない、という言葉で講演を締めくくりました。

安倍首相に対し、かなり強い対抗意識を表明しましたが、すでに勝敗が決まっているせいか、安倍首相を直接非難することはしませんでした。韓国とは異なり、講演会後の質疑応答もありませんでした。

いま最も熱い政治家の講演会も終始、秩序整然とした雰囲気のなかで行われるのを見て、韓国と日本の政治的なイベントを包む空気がまったく異なることを、あらためて実感しました。

他方、石破議員に限らず、1時間以上何の原稿も見ずに自分の政治的見解を筋道立てて自在に話す日本の議員たちの能力をうらやましく思いました。

054 第一次米朝サミット後に開催した「韓半島情勢講演会」

August 2, 2018

8月の初日、炎天下のもと、大阪総領事館主催により民団の大講堂で韓半島情勢に関する公開講演会を開催しました。テーマは「南北首脳会談後の韓半島情勢と新たな韓日・日朝関係の展望」です。米朝会談が実現する前、事前準備のなかで考えたテーマですが、タイトルに「米朝サミット」が入ればさらによかったと思います。

講師は丁世鉉（チョンセヒョン）元統一部長官（南北首脳会談後の韓半島情勢）とソウル大学日本研究所の南基正（ナムギジョン）教授（韓日・日朝関係）という、韓国内外で最高レベルの専門家を招聘しました。

南北首脳会談の日程が決まったのを見て、6月初めに講演会の予定を組みました。ところが、6月12日に米朝サミットが実施されることになったため、一度6月21日に延期しました。そして、6月18日にまったく予期しなかった地震が起き、再び8月1日に日程調整を行ったのです。再三の調整の末ようやく日取りを決めましたが、今度は40度近い猛暑が続き、参加者がどれほど集まるか不安でした。

ところが、いざ蓋を開けてみると大講堂に用意しておいた席が足りないほどの盛況を呈しました。日本における韓半島情勢に対する関心が高く、最高レベルの講演者を招聘して熱心に広報したことが、相乗効果を生んだと考えています。特に、今回の講演会では、いつもあまり参加しない、さまざまな分野の在日韓国人と日本人が来場して会場に賑わいを添えました。

丁元長官は、南北・米朝サミットの歴史的意味を説明し、これによって韓半島の冷戦解体の流れが元に戻せない趨勢になったと述べました。南教授は、北東アジア情勢の変化に参画していない日本は「国際政治の蚊帳の外」ではなく「歴史の蚊帳の外」にいるのだと言い、韓国と北東アジアの平和づくりに参画すべきだと力説しました。

2時間余りの講演を聞いて満足したようすで帰っていく参加者の姿を見て、韓日のこのようなコミュニケーション機会の重要性をあらためて痛感しました。

055　休暇中、米朝首脳会談に関する月刊誌特集を読破　　August 9, 2018

月曜日（6日）から水曜日（8日）まで休暇を取りました。

休暇を取ったところ、37－38度前後だった最高気温が33度まで下がりました。とはいえ休暇中も暑く、ほとんど外出しなかったので、避暑はしっかりできました。期せずして、読みたかった本や雑誌をすべて読破する余裕も持てました。

総合雑誌8月号の米朝サミット関連特集が充実していて、格好の勉強になりました。雑誌天国ともいえる日本には、くだらない内容を書き散らす扇情的な雑誌も少なくありませんが、揮発性の高い新聞や放送には見られない、良質の文章を載せたハイレベルの総合雑誌もあります。個人的には進歩性向の『世界』、中道保守の『中央公論』、保守性向の『文藝春秋』がそのような雑誌だと思います。

『世界』は李鍾元（イジョンウォン）早稲田大学教授と平井久志元共同通信ソウル支局長の対談、『文藝春秋』は佐藤優元外務省主任分析官と田中均元外務省審議官の寄稿を掲載しています。『中央公論』も佐藤元分析官の文を載せています。

現在、日本社会に表面的に横行している、南北・米朝会談に対する否定的な評価とは異なり、会談の歴史的な意味を掘り下げ、日本もこの流れに主導的に参加すべきだという論旨でした。拉致問題も入口論ではなく、出口ないし併行論を促していました。おそらく、固定読者を持つ雑誌の性格を反映したものではないかと思います。

個人的に最も興味があった記事は『文藝春秋』に掲載されたE. タルマジAP通信平壌支局長のルポ「アメリカ人記者の平壌現地レポート」でした。6.12米朝サミット前後の雰囲気と、北朝鮮経済の市場化、金正恩（キムジョンウン）委員長の経済重視政策を取材して書いており、他に見られない北朝鮮の生々しい姿を垣間見ることができました。

056　故郷の家・京都を多文化共生、国際化の中心地に　　August 12, 2018

9日夕方、尹基（ユンギ）理事長が運営する福祉施設の故郷の家・京都で開かれた「心の交流会」に参加しました。

尹理事長は、韓国木浦（モッポ）の孤児院「共生園」を作って多くの孤児を世話された故尹鶴子（ユンハクジャ）（田内千鶴子）先生の長男です。親の遺志を受け継ぎ、現在、日本の堺、大阪、神戸、京都、東京で在日同胞と日本人のための老人介護施設を運営しています。

この日は、年1度の故郷の家・京都を後援する在日同胞、京都市関係者ほか日本人などを招いて交流し、互いに慰労する行事でした。大阪総領事館の管轄地域にある施設で、尹理事長とは旧知の間なので招待を受け、参加しました。

かつて、朝鮮人をはじめ、貧しい人々が密集して住んでいた京都市南区の東九条に9年前に建てられた療養所ホールには、門川大作市長、京都民団幹部、NGO関係者などスポンサー70人が集まり、故郷の家が準備した食事を楽しみ、懇談しました。韓国の母娘歌人として有名なお嬢さんのイ・スンシンさんも参加し、韓国で発行したという著書『なぜ京都なのか』を紹介していました。

門川市長をはじめ、多くの参加者たちは、京都故郷の家を設立した当時に経験した困難などを振り返りながら、一時は貧困地域の代名詞だった場所を、これからは多文化共生、国際化の中心地にしようという志を共にしました。

韓日の間にはさまざまな困難もありますが、こういう清流もあると感じました。

057 韓国観光公社主催「日韓ぐるタメフェス」　August 13, 2018

11日（土）は、大阪南港のインデックス大阪で開かれた韓国観光公社主催「日韓ぐるタメフェス」イベントに参加しました。「ぐるタメフェス」が何を意味するのか皆目見当がつきませんでしたが、料理を意味するフランス語のグルメ、娯楽や祭りを意味するエンタテイメントとフェスタを合わせた和製造語だそうです。

最近、日本で起きているK-POPと韓国料理ブームを活かし、韓日協力と交流に貢献しつつ、短期的には韓国観光を促進するために企画したイベントです。ときどき単発的に、こういうイベントが行われますが、今回のように大衆文化と料理を一堂に集めたイベントを大阪で開催するのは初めてです。

大阪に赴任してからこの種のイベントに数回参加しましたが、とにかく熱気がすごいのです。このイベントも規模に比例し、二日間に本当に多くの人が参加しました。イベントの開始前から入場者が長蛇の列をなし、各自治体や企業が用意したブース関係者と挨拶を交わすのも難しいほど混雑しています。

祝辞のために参加した私ですが、韓日友好の一翼を担っている者として喜ばしい限りです。このような底辺の熱気をどうやって全般的な日韓友好関係につなげられるかが、私の課題だと考えています。

特に、今回の行事には、KARAの元メンバー、ハン・スンヨンさん、アイドルグループB.A.P.、スヌポなどが参加し、熱狂的な歓迎を受けていました。やはり彼らが主役だったのです。私のように儀礼的な挨拶をしに参加した者は脇役中の脇役です。「韓国の温かい料理と文化を楽しみ、『以熱治熱』で暑い夏にうち勝ってください」と、ひと言だけ挨拶をし、早々にステージを降りました。

058　日本の歴史認識を批判しなかった光復節での大統領祝辞

August 15, 2018

今日は第73回の光復節です。在外公館長として最初の光復節だからでしょうか、ことのほか格別に感じられます。

韓国の在外公館は韓国の公休日のなかで、三一節、光復節、開天節、ハングルの日だけ休みなのですが、実際には休日はないも同然です。これらの日に現地で開かれる記念行事に出席しなければないからです。

大阪総領事館の管轄地域は大阪府、京都府、奈良県、滋賀県、和歌山県なのに、光復節の日は、5ヵ所すべての地域で、民団主催の光復節式典が開かれます。総領事館職員も各地の行事に参加し、それぞれの会場で大統領祝辞を代読するのが最も重要な任務です。ですから、大阪総領事館も領事を5チームに分け、各府県に派遣します。

私は最大地域の大阪と京都の行事に参加しました。簡単に言うと、大統領の光復節祝辞を二度代読する光栄を拝したのです。

多くの地域で同じ時間に式を開催すると、物理的に参加できませんので、京都は午後にし、残りの地域は午前中に式を挙行します。参加してみて、やはり大阪と京都は在日コリアンの集住地域であり、民族学校もあってか、会場から人が溢れるほど賑わいました。大阪民団ホールに約500人、京都民団ホールに約150人が参加しました。

今回の大統領祝辞は、以前とは異なり、日本の過去の歴史認識に対する批判がありませんでした。午後、家に帰って日本のニュースを見ると、日本のマスコミもその点に注目して報道していました。大統領の祝辞の一部「安倍首相とともに韓日関係を未来志向に発展させ、韓半島と北東アジアの平和繁栄のために緊密に協力することにいたしました」を収録して報道したのです。日本の夕刊各紙もソウル発の記事で光復節の大統領祝辞が以前とは異なり、日本政府の歴史認識批判がなかった点に注目していました。

059　民族学校は在日同胞社会の中心たれ

August 19, 2018

17日（金）、1泊2日の日程で滋賀県大津市の琵琶湖周辺のホテルで開かれた第55回在日本韓国人教育研究大会に参加しました。東京と大阪、京都などにある民族学校と各地域のハングル学校の先生のための教師研修という性格を持つ年中行事です。

今年が55回目ですから、かなり長い歴史を持っていることがわかります。日本で活躍する教師が集まって互いに激励し友情を深め情報交換しながら、民族教育の重要性を確認し堅固にする意味は大きいと思います。年々縮小する在日同胞社会の再生を担う人材を育てる基盤という観点からも、民族学校の役割は大きいと私は考えています。

夕方の祝辞で、私は、民族学校について次の５点を指摘し、さらに発奮するよう求めました。

1. 民族学校は在日同胞社会の中心である
2. 民族学校は祖国と在日同胞社会をつなぐ臍帯である
3. 民族学校は祖国と日本をつなぐ架橋である
4. 民族学校は日韓・日朝の二国関係を超えるグローバル人材を養成する
5. 民族学校はこれらすべてを駆使し在日同胞社会をリードする次世代の人材を育成する揺籃である

琵琶湖の美しい自然環境が醸し出す和気藹々の雰囲気が、いつも民族教育の方向と課題に悩む先生方の心と疲れた身体に活力を与えてくれたように思いました。私も、久しぶりに美しい自然が心身に与える心地よい刺激を受けて帰ってきました。

060 金大中－小渕共同パートナーシップ宣言から 20 年　August 22, 2018

20日から22日まで２泊３日の東京出張を終え、大阪への帰途、車内で書いています。ニューオータニホテルで開かれた第26回日韓フォーラムに参加したのです。

ことしは、金大中－小渕共同パートナーシップ宣言（1998 年 10 月）から20年を迎える年であり、韓半島情勢が急変する時期に開かれたフォーラムであったためか、対立ではなく、協力に主眼を置いた充実した内容の会議になったと思います。

韓日協力に関する両国の学生の討議と提言もいい内容でした。少子高齢化や米中貿易紛争など、双方が共に直面している問題に関する議論と模索もよかったです。

個人的には、第３回日韓フォーラム賞受賞者に、大阪総領事館とも関係が深い朝鮮通信使「ユネスコ世界記録遺産」登録に尽力した韓日の団体（NPO 法人朝鮮通信使縁地連絡協議会、財団法人釜山文化財団）が選ばれたことを、何よりも嬉しく思いました。

外交官という立場上、発言を控えてリスニングに徹しました。とはいえ、会議の全セッションに出席し、外交現場で活用できる多くのアイデアや洞察力を得ました。

061 忘却と記憶の対決：浮島丸沈没事故73周年　　August 25, 2018

今日（25日）は、京都府舞鶴市に行ってきました。大阪から車で２時間半ほどかかる遠いところです。

舞鶴市で浮島丸沈没事故の73周年犠牲者追悼式が催されたのです。浮島丸沈没事故は、日帝時代（1910－45年）の徴用者やその家族が日本の敗戦直後、故国に帰るなか、1945年８月24日、彼らを乗せた日本海軍の輸送船浮島丸が舞鶴港沖で爆音と共に沈没し、多くの韓国人乗船者が亡くなった事故のことをいいます。

当時、日本政府は、乗船人員3735人、死亡者549人（乗組員25人、乗客524人）と発表しました。しかし、未だに事故の真相が究明されたとはいえません。

追悼式は、事故当日の24日に開かれる予定でしたが、同日台風がこの地域を通過するとの予報があり、一日順延されて行われました。

式は、事故が起きた海を一望できるところに作られた「殉難の碑」がある公園で開かれました。1978年に碑と公園ができて以来、毎年ここで追悼式が開かれています。

舞鶴市民が建てた「浮島丸殉難の碑」

40年続いている追悼式が、故国帰還を直前にして死亡した人々の無念の霊魂を慰め、真相究明のためのささやかな力になってほしいと切に願います。「忘却と記憶の対決」で記憶が勝ち、不幸の歴史の再発を防ぐことを祈るばかりです。

海底が広々と見えるような、あのように穏やかな海が悲劇の現場だったという事実が信じられません。

062　和歌山市・大津市の市長、和歌山県・滋賀県の民団を訪問

August 28, 2018

27日に和歌山市（和歌山県の県庁所在地）の尾花正啓市長、28日に大津市（滋賀県の県庁所在地）の越直美市長を訪問しました。いずれの市も県庁所在地なので着任後すぐ県知事を表敬訪問した際に訪れれば良かったのですが、日程調整ができず遅くなってしまいましたした。両市とも人口30万人台で、和歌山市は35万7987人、大津市は34万2694人です。いずれの市長も再選ですが、尾花市長は自民党、越市長は分裂前の民主党所属です。

両市とも古代から韓国との交流も縁も深く、在日同胞も比較的多く住んでいるので、相互理解と協力を強化しようということで、すぐに意見の一致をみました。いずれの市も豊かな自然風景を有し、韓国人観光客の誘致に高い関心を持っています。

和歌山市と大津市にはそれぞれ、和歌山県、滋賀県の民団本部もあります。今年はちょうどこれら地域の民団創立70周年でもあり、民団本部に立ち寄って激励する機会も持ちました。厳しい環境のなかで組織を維持し、発展させるために努力されている方々のため、些かなりとも力になれたらと思います。

063　高麗創建1100年を記念し三美術館が連携して高麗展

August 31, 2018

今年は高麗（918－1392年）創建から1100年になる年です。私は、恥ずかしくも大阪に赴任してから、このことを知りました。

大阪市立東洋陶磁美術館が高麗建国1100年を記念して高麗青磁特別展（9.1－11.25）を準備していることを、6月にこの美術館に赴任の挨拶をしたとき初めて知ったのです。東洋陶磁美術館は、李秉昌（イ ビョンチャン）コレクションをはじめ、世界で最も貴重な韓国陶磁器の所蔵館として有名です。

高麗建国記念特別展の開催は、ここだけではありません。28日に、1978年高麗仏画特別展を通じて高麗仏画の優秀性と存在を誇示した奈良の大和文華館を訪問し、ここでも高麗金属工芸特別展（10.6－11.11）を開催するというニュースを聞きました。日本の仏教細密画研究の大家である浅野秀剛氏が館長を務めるここは、韓中日3ヵ国の美術品だけを扱う専門美術館です。

館長との話を通じて奈良の別の美術館、依水園・寧楽美術館で「翡色と象嵌の高麗青磁・李朝粉青沙器特別展」（10.1－2.24）を開催するということ、しかも三つの美術館が連携して高麗展を開催するということを知りました。

展覧会のころに大阪地域にお越しの方、ぜひ時間をさいていただき、韓国ではなかなか見られない高麗美術の粋を楽しむのも一興かと思います。

064 韓国の芸術文化に対する興味の幅が広い関西地域 September 2, 2018

８月最後の日の金曜日、大阪市が誇るシンフォニーホールで、韓国のオーケストラの公演が行われました。大阪韓国文化院の開院20周年を記念し、K-Classic Concert という名のプライム・フィルハーモニック管弦楽団（指揮者、張 允聖（チャンユンソン））が公演しました。

大阪文化院が、金大中－小渕韓日共同パートナーシップ宣言20周年を機に設立されたので、共同宣言20周年記念コンサートと呼ぶこともできます。

韓国オーケストラの公演は大阪地域ではほとんど行われていませんでした。大阪地域の報道機関、文化関係の代表者、在日同胞、日本人など１千人を超える観客が参加し、盛況裏に公演が行われました。芸術を通じた韓日交流のよい機会でした。

公演が終わり、日本人観客も私に「すばらしい公演だった」「やはり韓国の芸術はパワーがある」と賛辞を表しました。音楽は門外漢の私も、公演を鑑賞した１人としてお世辞だけではないと感じました。

韓日の結び付きが古代から多方面に及んでいる関西地域は、韓国の芸術や文化に対する興味の幅も広いように思います。今回、レベルの高い韓国の本格的な芸術団が訪れ、花火が打ち上げられたような印象を受けました。多くの人が日常的に楽しむ大衆文化がさらに活性化するためにも、韓国の洗練された感性と美意識を示す古典芸能や本格的な芸術交流が活発にならなければならない、と思いました。

065 A Korean Diplomat in Japan September 3, 2018

本当にありがたいことに、長年の知人である日本人の先輩、いや先輩というより兄（ 韓国語独特の親しみを込めた呼称 ）が、大きなプレゼントをしてくれました。

大阪総領事として赴任後、私が Facebook で伝えている「大阪通信」と題した記事を、専用ブログ（https://ohtak.com/）にし、一目瞭然にしてくれました。編集も整い、記事にタイトルまで付け、さらに日本語の翻訳文まで読めるようにしたのです。

ブログのタイトルは英語で “A Korean diplomat in Japan”、サブタイトルは日本語で「日韓友好のいしずえは関西にあり」としてくれました。在任中にやり遂げたいと、私が機会あるごとに強調している言葉で、まさに我が意を得たりです。

英語のタイトルは明治初期に日本に勤務した英国の外交官 Ernest Satow が書いた本 “A diplomat in Japan” から取ったもので、光栄この上もありません。

日本人の兄が作ってくれた専用ブログまでできたので、私の発信はそれ自体「韓日友好協力事業」になったわけです。このように気遣ってくれる日本人がいるので、より質の高い文章を書かなければ、という義務感を感じます。ブログを作ってくれた人の名前を公開するかどうか聞いていないので、匿名のままにしておきます。

このブログを大いにご愛用ください。日本語訳は韓国語記事のしばらく後に掲載されます。

066 さまざまな自然災害に襲われた大阪 September 4, 2018

ことし、大阪は本当にさまざまな自然災害に襲われています。赴任して間もない私を驚かせた６月18日の大地震、７－８月に数週間も続いた大雨、そして40度前後の猛暑です。

９月に入って暑さが少し峠を越したと思ったら、４日は終日25年ぶりに襲来した超大型台風で大阪全域が騒然としました。

オフィスのテレビで一日中被害状況を把握しながら、現地の在日同胞と韓国人旅行者に情報を発信するのに夢中で過ごしました。雨より風が怖いと思いました。秒速50メートルにもなる風に煽られ、市内で車が横転し、大木が根こそぎ倒れることが一度や二度ではなく起こりました。公共交通機関の鉄道はもちろん、船舶と飛行機もほとんどすべて欠航しました。

総領事館も被害が出ないように前日から徹底して備えましたが、強風に窓ガラスが２枚割れる被害を受けました。人的被害がなかったのが不幸中の幸いでした。

台風の進行速度が速く、夕方には圏外に抜けましたが、関西国際空港が浸水し、タンカーが連絡橋に衝突して橋が機能停止に陥ったことが、特に韓国人観光客にとっては打撃でした。

このような状況に備え、大阪総領事館緊急体制をフル稼動し、交通情報の提供などを行っています。一日も早く航空機が運航を再開し、観光客などの不便が極小化することを切に願います。

067 韓日の観光１千万人時代、量から質への転換を　September 9, 2018

韓日の観光史、韓日の人的交流史において、2018年が画期的な年になることは間違いありません。1965年の日韓国交正常化当時、両国を往来した人の数は僅か約１万人でしたが、2018年は１千万人を超えることが確実視されています。

2017年は945万人が往来しました。来日した韓国人が714万人、韓国を訪れた日本人は231万人でした。2018年は双方の訪問者が増えており、日本人の増加率がより高くなっています。

両国の人的交流が増える背景に、近い・安い・短時日で往来できるという利点があります。ことしの増加要因としては、さらに南北首脳会談と米朝サミットを通じた韓半島における平和ムード醸成、安倍晋三首相と文在寅(ムンジェイン)大統領の相互訪問など、トップレベルの交流再開の効果が大きいと考えられます。

二国間で１年に１千万人もの人が往き来するというのは、本当にたいへんなことです。おそらく、海を挟んだ国の間では他に例がないでしょう。ただ、韓日の人的交流には二つの残念な点があります。一つは、二国間の不均衡が大きいこと、もう一つは質より量の交流に重点を置いているということです。大阪に赴任する前から、私はこういう問題意識を持っていました。

韓国観光公社の大阪支社と大阪韓国文化院は、ことし「韓日の人的交流１千万人時代の課題」というテーマでシンポジウムを開催することにしました。純粋に「観光」という次元から過去の交流を振り返り、どうしたら双方向で均衡のある、質の高い持続可能な交流を行うことができるか模索するのがシンポジウムの開催目的です。

９月７日、そのシンポジウムが開催されました。大阪を席巻した台風の被害がまだ消えない時点だったため、残念ながら、事前に参加を予定していた人が多数欠席となりました。そんななか、日本側の発表者３人の発表ほか提案は、シンポジウムの所期の目的に合致するすばらしい内容でした。

1. 日本の観光客を韓国に引き付けるため、ソウル・釜山・済州の三極集中から脱却を
2. 韓国に興味関心の高い日本人の20代－30代に注目を
3. 消費型よりも体験型の旅行商品開発を
4. 世代が一緒に旅行できる旅行商品開発を

いずれも首肯すべき意見であり提案です。

私は冒頭の祝辞で「韓日の人的交流１千万時代を迎え、今回のシンポジウムが両国関係を量から質に変える転換点になってほしい」と述べました。シンポ

ジウムで交わされた話どおりに実践すれば、「量から質」へと転換する可能性は十分にあるという気がしています。

068 渦中の人より確かな外部専門家の観察眼：ダイワハウスを訪問

September 15, 2018

9月13日（木）午前、大阪市に本社を置く大和ハウス工業株式会社を訪問しました。4月に赴任してから、担当地域の主要企業を訪ね、経済協力などについて模索している作業の一環です。

ダイワハウスは住宅建設資材を工場で事前に製作し、建設現場で組み立てるプレハブ（prefabricated）住宅業界の先駆者です。1959年に発売したプレハブ住宅「ミゼットハウス」の大ヒットで急成長し、2017年現在、戸建て住宅供給で日本2位の座を占めています。今や住宅建設と賃貸販売だけにとどまらず、都市開発、環境、エネルギー、医療介護、ロボット販売まで事業分野を拡大しています。

訪問日が、韓国で住宅価格の暴騰が大きな社会問題となっている時と重なったこともあり、芳井敬一社長にお会いするや、私はいきなり韓国の住宅価格の問題について社長のお考えを尋ねました。

唐突な質問にもかかわらず、芳井社長はいかにも韓国の状況を熟知しているといわんばかりに、「日本、韓国、いずれも問題の本質は同じです。投機バブルです」という要旨の回答を、いささかの淀みもなく返してくださったのです。

さらに、30年前の日本の経験から見ると、政府が迅速かつ積極的に対応すべきだと話されました。今、日本でも東京や京都など大都市の数ヵ所で住宅価格が高騰していますが、これらの場所も数年後に土地価格が維持されるかどうか難しいだろうという話もされました。

同じ日の午後、偶然にも韓国政府は不動産投機の抑制策を発表しました。この対策が芳井社長の言われた迅速で積極的な対策になるかどうか、時間が経てばわかるでしょう。渦中の人より外部の専門家の観察眼のほうがより正確ではないかと、私は考えました。

芳井社長は、プレハブ住宅の韓国進出には否定的な判断を下したそうです。コンクリートのように厚い壁と重厚長大型の住宅を好む、韓国人の住まいに対する意識や住宅文化は、薄くて軽いのに同じような価格帯のプレハブ住宅は受け入れないだろうと判断されたとのことです。

家屋はコストや効率に劣らず、それぞれの国や地域の文化・歴史と深くつながっているということを改めて思いました。

069 正使として参加した朝鮮通信使の再現行列　September 16, 2018

日本は昨日（15日）から三連休です。月曜日が「敬老の日」の休日だからです。総領事館も現地の休日に合わせて休業します。

ただ、同胞の関連行事は平日より休日に多く集中しているため、コリアン事業を主な業務の一つとする総領事館の職員は休日返上で仕事することがあります。他の国の外交官に聞いても、総領事館の事情は各国とも似たようなもののようです。

三連休の中日の16日、民団京都本部主催の2018コリアフェスティバルが開催され、参加しました。その中心行事は朝鮮通信使を再現した行列であり、私は朝鮮通信使の正使に扮して参加しました。

再現行列は京都市国際交流会館を出発し、平安神宮を経て周回するルートで行われ、1時間程度の行程でした。幸いなことに、雨の予報は外れ、雨中の行列とはなりませんでしたが、気温が30度以上になり、参加者は少したいへんでした。

京都民団が主催する朝鮮通信使の再現行事は今年で4回目ですが、民団は今後も毎年開催する予定だそうです。行列を再現しながら先頭で農楽隊の演奏を行い、当時の服装を身に付けた通信使と随行員、そして市民も後に続きます。周囲の人たちも珍しそうに立ち止まって写真を撮っていました。

外国人排斥とナショナリズムを主張する右翼団体の車両が、一時、行列に付きまとって妨害しました。このような行為は、むしろ通信使の行事が注目されるまでに発展した反証だと、私は考えました。

再現行列が無事に終わり、会場に用意されたステージで国書の交換式を行い

民族学校伝統芸術部によるパレード

パレードのあと行われた国書交換式

ました。国書のなかで私は「金大中－小渕共同パートナーシップ宣言20周年を迎える意義深い年に正使として参加でき誠に光栄です」とし、「今日のイベントが『第２の朝鮮通信使』『第２の金大中－小渕宣言』につながってほしいと思います」と述べました。

韓日双方の過去の歴史を振り返りながら、よりよい未来を構築する努力が必要だと、改めて考えさせられた行事でした。

070 日本最古の継続している大学、龍谷大学　　September 19, 2018

９月18日（火)、継続している大学としては日本最古の大学である京都の龍谷大学を訪問しました。参考までに、継続性は別にして、日本最古の大学は弘法大師・空海（774－835）が作った綜藝種智院（828年）に淵源を持つ京都の種智院大学だそうです。

龍谷大学は、深草・大宮（いずれも京都)、瀬田（滋賀県）の３つのキャンパスに文学､法学､経済､農学など９つの学部を擁する大規模な仏教系大学です。1639年に浄土真宗本願寺派の本山である西本願寺の僧侶養成機関としてスタートしました。韓国の東國大學校（1906年設立､私学）のような大学でしょうか。

龍谷大学は、韓国関連の貴重な資料を所蔵していることでも有名です。安重根義士（1879－1910）の遺品の書や写真など88点を所有しています。これらは、2009年、安義士義挙100周年を迎え、安重根義士記念館の特別展に貸与されました。朝鮮時代（1392－1910）に作成された東洋最古の世界地図「混一疆理歴代国都之図」の模写本（原本は不在）も、同学の図書館に所蔵されています。

西本願寺の門主だった大谷光瑞氏（1876－1948）が1900年代初めに探検隊（大谷探検隊）を率いてシルクロードを探訪し、多くの仏教遺物を収集しました。これらの遺物は現在、韓国の国立中央博物館、中国の旅順博物館、龍谷大学、東京大学など３ヵ国の機関に分散しています。

仏教美術専攻で、2005年のアフガン仏教遺跡学術大隊長も務めた入澤崇学長は、日中韓三ヵ国に分散している大谷探検隊の遺物を一ヵ所に集めて展示できたら、という意欲を強くお持ちです。そして仏教と関連の深い韓国や日本などの国々が研究ネットワークを形成し、共同の仏教研究をしたいとお考えです。

このようなネットワークを通じて地域の連帯を約束し、国連が提示した持続可能な開発目標（SDGs：Sustainable Development Goals）を民間が率先して実行できないだろうか、とも考えています。学長のスーツの襟には持続可能な開発目標を象徴するバッジが付いていました。

071 奈良の奈良女子大学と東京のお茶の水女子大学　September 20, 2018

９月20日（木）、奈良県にある奈良女子大学を訪問しました。赴任以来、大阪総領事館管轄内にある大学を訪ね、総長・学長らと挨拶をしているなか、この大学の評判を聞いて訪ねることにしたのです。

奈良女子大学は、東京のお茶の水女子大学と同じく、日本で唯一ならぬ唯二の国立女子大学です。1908年に奈良女子高等師範学校として出発し、2019年５月１日に創立100周年を迎えるそうです。当時、東京女子高等師範学校とともに、日本だけでなく、東アジア地域で、女性が通うことができた最高の教育機関だったといいます。

なぜ、奈良女子大学のような有名大学が生まれたのかが気になりました。今岡春樹学長の説明を聞くと、その過程は劇的でした。当時、当局が関東と関西に一校ずつ高校教師を輩出する女性の高等師範を置くことにしました。ところが、関西地域では京都と奈良が競争し、奈良が１票差で勝って奈良女子高等師範学校が設立されたというのです。

この学校は、マッカーサー軍政時代の1949年に、各県に１つずつ教員養成課程を含む国立大学を建てる方針に基づいて奈良女子大学に変わることになります。東京女子高等師範学校は、お茶の水女子大学に変わりました。このような理由で、奈良県では、他の都道府県にある男女共学の国立総合大学がないそうです。

この学校は、このような特性のため、最初から日本帝国の全域（中国、満州、台湾、朝鮮を含む）から優秀な人材が集まって来ました。今もこのような伝統が息づいており、北海道から沖縄まで、あまねく48都道府県の学生が通っているそうです。

もちろん日帝植民地時代には韓国人留学生も多数師範学校に通いました。今岡学長は、今年８月に韓国の同徳女子大学総長になったキム･ミョンエ教授が、奈良女子大学が博士課程を開設した後に学位を取った初めての外国人だったと誇らしげに紹介しました。

しかし、この大学も人口減少と構造調整のため悩んでいます。2022年には奈良教育大学と法人統合をし、１法人２大学体制で運営する計画です。このような形式の大学統合は、韓国にはありませんが、成り行きをよく見守る必要がありそうです。

この大学訪問で意義深かったのは、高等教育の活発な交流こそ一時的な政治対立に打ち勝て、揺るぎない韓日友好関係を構築することができると、意見が一致したことです。奈良は、文化的、歴史的に古代から韓国との絆が深く続いているからこそ、お互い共感しやすいと感じました。

072　朝鮮陶磁の名品を所蔵する大阪市立東洋陶磁美術館

September 26, 2018

9月24日は韓国のお盆で、韓国では振替休日も含め26日まで秋夕(チュソク)の5連休です。でも、在外公館は現地のカレンダーに基づいて仕事するので、韓国の連休の恩恵に浴すことができません。ただし、現地の休日のほか、韓国の休日の三一節（3月1日)、光復節（8月15日)、開天節（10月3日)、ハングルの日（10月9日）は韓国のカレンダーに合わせて休館します。

今年は、日本で休日の秋分の日（9月23日）が日曜日と重なり、24日（月）が振替休日になりました。この偶然の一致により、日本でも韓国のチュソク当日を含め、3連休を満喫しました。

24日、日本より2日多い韓国の休日をうらやみながら、自宅近くにある大阪市立東洋陶磁美術館に行きました。9月1日から11月25日まで高麗建国1100年記念「高麗青磁：ヒスイのきらめき」特別展を催しており、この機会を逃すまいと足を運んだのです。

世界的にも質の高い朝鮮陶磁器を所蔵する美術館ならではの展示品が待っていました。展示室の前には、今回の特別展を紹介した出川哲朗美術館長と裵基(ベギ)同(ドン)韓国国立中央博物館長の祝辞をそれぞれ､日・韓・英語で掲示していました。予想していたより来訪者も多いように思いました。

今回の特別展は、美術館のコレクションだけでなく、東京の国立博物館、奈良の大和文華館と寧楽美術館ほか、個人コレクションを含め、日本国内にある高麗青磁の「総動員」ともいうべき展示でした。ちなみに、展覧会のポスターに載っている高麗青磁は大和文華館所蔵の重要文化財です。

高麗青磁特別展の懸垂幕を掲げた美術館

出品された250点余りの高麗青磁を鑑賞し、感嘆の念を禁じ得ませんでした。特別展のほか、常設展示されている朝鮮時代の磁器、中国と日本の磁器も見ることができます。高麗青磁とほかの磁器を比較しながら見られる絶好の機会です。

この美術館には、韓国の日本代表部時代（1949年1月－1965年12月）に外交官を務めた李秉昌（イ ビョンチャン）氏（1915－2005）が1999年に寄贈した高麗と朝鮮の磁器など300点余りからなる李秉昌コレクションがあります。美術館の3階にある同コレクションの入り口には彼の胸像が置かれています。この美術館は、どんな強い地震にも耐えられる免震設備、自然光を生かした照明設計、陶磁器を360度の角度から見られるようにしたデジタル鑑賞施設なども自慢です。

李秉昌胸像

昨年、関西空港経由で日本を訪れた韓国人は計241万人で、ほとんどが観光客です。観光客数が増え、観光のトレンドが景勝地と食のツアーから文化へと向かっている現在、東洋陶磁美術館も、さらに重要な場所として浮上するものと思われます。

073　1ヵ月の間に2度の「非常に強い」台風　　October 1, 2018

1日の朝起きると、台風一過、世界がまったく一変していました。

昨夜、眠りに落ちるまで、外は強い雨風が吹き荒れ、テレビは終日、日本全国をつないで「非常に強い」台風24号の進路と状況を伝えていました。大阪では、台風が名古屋方面に向かって去った夜11時過ぎから風が強くなりました。強風が窓を激しく打ち続け、緊張のなかでようやく眠りにつきました。ところが、朝目を覚ますと、どうしたことでしょう、晴れわたった空に太陽が輝いているではありませんか。

昨日とは打って変わった天気を見ながら、自然はかくも無慈悲ながら泰然としている、という深い感慨に襲われました。こういう自然と対抗するよりは自然に合わせるべきではないか、とも考えました。

日本人の多くは、深刻な自然災害に遭遇したとき、政府の責任を追及するより、黙って被害を受け入れる傾向が強いように思います。厳しい自然の無慈悲な攻勢のなかで長年月かけて学習された「順応DNA」が彼らの細胞に組み込まれているのではないか。そんな推測もしました。

日本の気象用語で「非常に強い」クラスの台風が1ヵ月の間に2度も相ついだのは、1992年に記録を始めて以来初めてだそうです。先月初めに関西空港の閉鎖をもたらした台風21号と今回の台風24号のことです。

幸いなことに、今回の台風は大阪には前回ほど大きな被害をもたらさないで過ぎ去りました。進路が太平洋側に偏ったうえ、関西空港が台風予定日にあらかじめ滑走路を閉鎖するなど、当局が先手を打って対応した効果が大きかったと思われます。

総領事館も台風が来る前の予防的な注意を促す情報を頻繁に出しました。台風の当日が日曜日だったにもかかわらず、大半の館員が出勤し、24時間の非常勤務体制で対応しました。幸いなことに韓国人旅行者と在日同胞の被害はまだ報告されていません。予防措置のためか、当日の電話も予想したほど多くはありませんでした。

日本に赴任して半年足らずの間に体験した災害を、韓国の国民を保護する立場から感じたのは、第一に予防対策が重要だということです。第二に状況を予想より深刻に受け止めて想定し、鋭敏に対応することが大事だということです。それでも外国で不測の事態に直面している韓国の国民一人一人の視点で見ると、まだまだ不十分な点が多いだろうと思います。

その間隙を埋めるべく、在外公館が公館なりに、従来の対応の不備と不十分さを反省し努力するのは当然のことです。他方、災害が頻発する地域に旅行する人は、その地域に関する情報を事前に十分把握し、「自分の安全は自分が守る」意識を持つ必要があると思います。

台風24号が去ってすぐ、追いかけるように25号が沖縄方面に向かっているというニュースが報じられました。接近する前に消滅するか、他の地域に進路変更してくれないか……そんなふうに思うのは利己的に過ぎるでしょうか。

074 自然科学分野でノーベル賞受賞者を輩出し続ける日本　October 2, 2018

ノーベル賞の発表時期が始まり、1日の夕方、最初に発表されたノーベル生理学医学賞の共同受賞者に日本の学者が含まれていました。細胞の免疫システムを利用して、がんの治療方法を開発した本庶佑（ほんじょたすく）京都大学特別教授がその人です。

日本人としてノーベル賞を受賞するのは、24番目（物理9、化学7、生理学医学5、文学2、平和1）ですから、さほど驚くことでもないようですが、日本全体が歓迎ムードに溢れています。ノーベル賞の権威がそれだけ大きいということでしょう。

とりわけ、関西での展開には熱いものがあります。受賞者が京都大学の教授であり、本庶教授の研究成果を治療薬（オプジーボ、Opdivo）として生産している製薬会社が、大阪に本社を置く小野薬品ということを知れば、この地域の人々が興奮するのも理解できます。

免疫システムに基づくがんの治療方法の開発は、感染症に対するペニシリン発見に匹敵するという専門家たちの評価が出ているのを見ると、本当に偉大な業績のようです。従来、がんは手術、放射線、抗がん剤の３つの方法で治療してきましたが、免疫治療という新しい治療法が加えられただけでなく、がん征服の可能性まで開いたということです。

このような優れた成果も成果ですが、私の関心は、ノーベル賞のなかでも自然科学分野で受賞者を輩出し続ける日本の底力にあります。本庶教授は受賞者として発表された直後の記者会見で次のように述べました。

「賞というものは賞を授与する団体が独自の基準で定めるものである。この賞を受けようとして長く待っていたとか、そういう考えはない」「（モットーは）好奇心、そして物事を簡単に信じない。確信するまでやる、頭で考えて納得するまでやる」「重要なのは知りたいと思うことだ。不思議だと思うことを重視する、教科書に出ていることをそのまま信じないで、疑ってみる。最後まであきらめない」

本庶教授のこれらの言葉に「日本の底力」の答えがあるように思います。さらに付け加えるとすれば、こういう探究心が発揮されることを可能にする、長い年月を待ち支援してくれるシステムの存在です。

韓国はこういう基本的な基盤の違いは見ずに、経済の「圧縮成長」のようにいくつか重要な分野と場所を選定して資金を集中的に投資すれば、すぐノーベル賞を獲得できると考えているように見えます。韓国人が日本の大学を訪ね、「日本は韓国より英語の実力も低いのに、どうやってノーベル賞をたくさん取れるのか」と話したこともあるそうで、かなり失礼な話です。

他方、大阪に赴任以来、周辺の大学を訪問し、学長に会っていますが、多くの方が「何年か経つと、日本からノーベル賞受賞者が出るのは難しくなるだろう」と愚痴をこぼします。最近、日本の大学でも効率と成果を重視する風潮が支配的になり、時間を要するのに成果が不確実な基礎分野を軽視し始めたからだそうです。韓国のアカデミズムはどうなのか、言わずもがなですが。

075　開天節に日本の若者によるK-POPカバーダンス公演　October 4, 2018

10月３日は、韓国の開天節4350周年（日本の建国記念に類似した記念日）でした。在外公館は、通常１年に１回、駐在国の関係者と在留コリアンを招待して、大規模なレセプションを開催します。天候や現地の社会文化情勢などを考慮して日にちを選びますが、大阪総領事館は主に開天節にレセプションを開いています。ことしも開天節に合わせてレセプションを開催しました。

K-POP カバーダンスを魅せている日本の若者達

赴任して以来、多くの国々や団体が主催する行事に招待され参加しましたが、主催者として大勢のゲストを招く行事は今回が初めてでした。かなり前から神経を使い準備してきました。個人的には大規模行事のホストデビューですが、公館と国の実力と品位を体現する重要な事業だからです。

数次に及ぶ事前の準備会議で、退屈なスピーチ時間は可能な限り削減し、南北和解ムードと韓日協力のメッセージを明確に発信して、行事の流れが途切れないように集中力を高めることに力点を置きました。結果として、行事は比較的意図どおりに行われたと自負しています。

食事と会話の時間を確保するため、祝辞と公演、乾杯の辞を30分以内に終えるように工夫し、参加者が十分に交流し談笑を楽しめるように配慮しました。レセプションの開始前には平壌首脳会談のビデオ上映と主催者側の祝辞を通じて、韓半島の情勢変化を強調し、日本の若者たちが構成する K-POP カバーダンスチームを２チーム（現地のアマチュア）呼んで、次世代中心の友好信号を発信しました。評価は分かれるでしょうが、個人的には、このダンス公演が今回のハイライトだと考えて準備しました。

同胞だけでなく、プレス・学界・地方自治体・文化関係者など、さまざまな分野の日本人が他の行事より多く参加し、全体の空気がここ数年の行事のなかで最も明るかったという声も、複数の日本人参加者から寄せられました。全体的に好転している韓日関係を反映していると思われます。

行事の開始前から終了まで、ほぼ４時間に６−７百人のゲストを接遇した一日でした。この日の行事を通じてようやく「一人前」の公館長になったという、ささやかな達成感を得ることができました。

076　ドイツと韓国が隔年で10月3日に催すレセプション

October 6, 2018

10月5日（金）にはドイツ総領事館が主催する「ドイツ統一記念日レセプション」に出席しました。本来、ドイツ統一記念日は10月３日なのですが、なぜ５日に開催するのか不思議に思う人も多いでしょう。

実は、他でもない、韓国との関係ゆえなのです。韓国も10月３日に建国を祝うレセプションを催すことが多いため、世界各地で両者の行事が重なります。そこで、多くの国においてドイツと韓国の公館が協議し、両者が隔年で10月３日に催すことで調整しているのです。大阪の場合、昨年はドイツが10月３日に催し、韓国は２日にしました。駐在国の招待客が分散されるのを避けるための紳士協定です。

公館長として新人の私は、特別な事情がない限り、外国の祝日レセプションに漏れなく参加しています。初心者として、個人的に学ぶ点が多いからです。どのように接遇するのか、演説で何を強調し、招待客がどんなときに反応するかなどをすべて見ることができます。公館としても、他の公館の良い点と招待客の反応を注視して応用する必要があるのです。

相手の行事に顔を出せば、相手も当然こちらの行事に参加します。こういう機会に、新しい人と出会う楽しさも大いにあります。既知の人がその人の知人を紹介してくれるため、人脈が少しずつ広がるのです。

かなり努力して会いたかった人に、こういう場を通じて簡単に接触できることもあります。偶然、予期しない人に出会うこともあります。この日も、あるご夫人に何組かの同僚夫婦の写真を頼まれて撮ったところ、後で、私が韓国総領事だと知り、困惑した彼らとしばらく話を交わしました。

ドイツ統一記念行事の様子

ドイツのレセプションでは、各テーブルに置かれた小さな連邦旗、入り口に展示されたユネスコ文化遺産に登録されたドイツ各地の写真パネル、乾杯の発声人と総領事夫妻が壇上に上がって一緒に発声したことなどに注目しました。また、お二人とも話が長かったものの、スピーカーを主催者と乾杯の発声人の二人だけに抑えたことも注目されました。

もう一つは、レセプションの駐在国の国歌演奏のことです。ほとんどの国は自国と駐在国の国家を斉唱するか演奏します。ところが、ドイツの場合は国歌斉唱なしに管弦楽団が両国の国歌を演奏しただけでした。韓国総領事館は会場に韓日両国の国旗を掲揚しますが、両国の国歌を斉唱せず、演奏もしません。

韓国と日本の複雑微妙な関係のために、韓国だけこうなのかと思っていたところ、中国総領事館も同じでした。9月28日に国慶節の記念レセプションが催されましたが、日中両国いずれの国歌の斉唱も演奏もありませんでした。

077 二つの講演：歴史から現代へ、現代から歴史へ　October 10, 2018

10月9日夜と10日午前に講演をしました。外交官の主な仕事の一つに、在任国の人々や本国からの訪問者を対象に講演やスピーチを行うことがあります。ただ、今回のように連日行うのは珍しいことです。

講演やスピーチを比較的頻繁に行うので、淡々とこなしているように思われるでしょうが、そんなことはありません。スピーチや講演を準備する段階では、いつも大いに悩まされます。対象に応じて、同じテーマでも表現や強調する内容・ポイントが異なるからです。聞き手が退屈せずに当方の伝えたいメッセージを確実に伝えるため、全体の流れをいかに組み立てるか、構成するのにかなり神経を使うのです。

9日の講演対象は、大阪府議会の日韓親善議員連盟の所属議員、10日は修学旅行で大阪を訪問中の韓国の高校生でした。議員が依頼してきたテーマは「韓国と大阪の友好増進」、高校生のそれは「グローバル・リーダーシップ」でした。

大阪府議会は保守系の大阪維新の会、自民党、公明党所属が絶対多数を占めています。また、在日同胞が多く住む大阪の人々は友人やビジネス、学校、食品、文化など韓国関連の話題を一つか二つ必ず持っています。それで、議員に対しては、百済・新羅時代（紀元前1世紀－7世紀）から現代までの交流の歴史と事例を挙げ、長い歳月をかけて蓄積された大阪の歴史的資産を生かし、韓日友好の牽引役になっていただきたい、というメッセージを送りました。

韓国の学生たちや、大阪を訪れる韓国人の若い観光客には、韓国のK-POPや食べ物を楽しむ日本の若者たちの姿を伝えるようにしています。今回の高校生に対しては、相手を理解するため、単に見学するのではなく、一歩奥に入って相手の文化や歴史、生活を知ることが重要だ、と強調しました。

二つの講演を終えたあと、振り返って考えてみると、全体として同じ内容を順序を変えて話した格好になっていました。大阪府の議員たちには歴史的な関係から始めて現代の話を展開し、韓国の高校生には現代から過去に遡って話をしたからです。

議員には、過去の歴史から始めて現在に至るほうが話の展開がスムーズになる、という考えを持っていました。高校生には、特に何の考えもなく話し始め、自然と現代から過去に流れていきました。

どのように話を展開するにせよ、重要なことは、聴衆が話し手の言葉にどれだけ呼応してくれるかです。私の限られた経験では、準備段階で伝えたいメッセージ、キーワードや話の順序、事例などについて悩めば悩んだ分だけ共鳴効果が大きくなるように思います。

とはいえ、毎回話し終わると、不足感が残ることが少なくありません。ギリシャ神話のシーシュポスの岩のように、どんなに苦労して岩を押し上げても、最後は谷底に落ちてしまうのです。

078 「新聞も出すデジタルメディア」になったNYT　　October 13, 2018

新聞、放送の危機は、日本でも韓国と同じ状況のようです。大阪に赴任してから面談した報道機関の幹部たちも、口をそろえて「若者が紙新聞を読んでいない」「広告収入が減り、経営が困難だ」と嘆きます。実は、伝統的メディアの危機は韓日だけでなく、世界的な現象なのです。

新聞記者出身のため、どうしてもメディア関連のニュースや話題に関心が高いのですが、12日付『朝日新聞』に『ニューヨーク・タイムズ』(NYT) の発行人、アーサー・グレッグ・サルツバーガー氏* (Arthur Gregg Sulzberger 1980－) の全面インタビュー記事が掲載され、さっそく読みました。

全体が興味深く、とりわけ、以下のテーマが注目されます。それはメディアを脅かす「危険な力」とされた次の三点です。

1. 広告収入で支えてきたビジネスモデルの変化 (紙媒体からデジタルへ)
2. メディアに対する信頼の低下 (科学・大学・司法機関など、さまざまな制度に対する信頼も揺らいでいる)
3. Facebook、Google などの巨大プラットフォームの登場 (報道機関と読者の間に介在するようになった)

ニューヨークタイムズは、デジタル展開をする新聞社なのか、新聞も出すデジタルメディアなのか、という質問に対しては、「すでに、新聞も出すデジタルメディアになったと思う」と、明快に答えています。

組織改変中の編集局の方向については、「何を変えてはいけないのか、守らなければならない価値観は何なのか」が重要だとし、次のように述べました。私はこの点が重要だと思います、「独立した立場から公平、正確に行う独創的で現場主義、専門性の高いジャーナリズムだと考えました。すべての核心はここにあるのです」

また、Facebook などのプラットフォームは、ジャーナリズムを第一に考えていないので、そこに将来をかけるのは危険だと言いつつ、新しい読者と視聴者を開拓するために協力する必要があると述べています。いわば、韓国における洋務運動時代の「中體西用」方式です。

メディアの信頼低下だけでなく、メディアの二極化と、それを助長する権力の問題も指摘しています。韓国のメディア関係者も傾聴に値する話だと思われます。

＊ AG とよばれる。1980 年生まれ。米ロードアイランド・オレゴン州の地方新聞社で記者として勤務後、2009 年にニューヨーク・タイムズ社に入社。2018 年、一族から 6 人目の発行人に就任した。[朝日新聞の記事より引用]

079 韓日の政治学者京都で会議：価値観の共有よりテーマの共有

October 14, 2018

2018 年は「韓日共同宣言－21 世紀に向けた新たな韓日パートナーシップ」（金大中・小渕共同宣言）が発表されて20周年になる年です。共同宣言は1998年10月８日に発表されています。

この宣言において、日本は韓国に対し初めて過去の植民地支配に関する反省と謝罪を行いました。そして、韓国は戦後の日本が国際社会の発展に貢献したことを評価しました。その土台の上に立って、両国が将来のために協力を強化していくことを宣言した歴史的な文書です。

ここ数年、韓日関係が歴史認識をめぐる対立で悪化していたことは否めません。そんな状況のなか、朝鮮半島をめぐる情勢の急変に伴い、両国が協力する必要性が増大している現在、宣言の歴史的な意義と価値が改めて注目されていると思われます。

共同宣言20周年を機に、韓日の友好協力関係を再構築しようという両国の政府ほか、政界・学界・市民社会などにおける動きが、ことし下半期に入って活発になっています。去る９日、安倍晋三首相も東京で開かれた記念シンポジウムに参加し、チーズトッポッキとK-POPを取り上げて「第3の韓流ブーム」に言及しました。

12日、大阪総領事館も京都の立命館大学において、韓国政治学会（会長：ソウル大学政治外交学部の金義英（キムウィヨン）教授）と日本政治学会（理事長：早稲田大学政治経済学部の齋藤純一教授）と合同で記念学術会議を開催しました。

「急変する東アジア情勢と新しい日韓関係」をテーマに約5時間、急変する東アジア情勢を分析し（セッション1）、共同宣言以後における韓日関係を評価して（セッション2）、価値観や課題の共有を通じて新しい韓日関係を模索する（セッション3：ラウンドテーブル）意欲的な試みでした。

北東アジア情勢を見る観点などに関して、韓日の違いも浮彫りになり、大変有意義な議論と考察が交差する場になったと思われます。最大の意義は、日本のなかで韓国と最も縁の深い関西地域において質の高い韓日の知的交流が行われたことです。従来、関西地域は、韓国に対する関心の深さに比べ、韓日の知的交流の流れから疎外されてきたといっても過言ではないからです。

そんな知的な渇望があったからでしょうか、聴衆の集中力は感嘆に値するものでした。また、両国を代表する政治学者たちの集まりである二つの政治学会が組織的に結束して会議を開催した意味も大きいと思われます。このような営みが継続され、将来定例化する可能性もみえてきました。

韓日関係の専門家だけでなく、米国・中国・欧州などの地域政治、政治思想、政治理論など、さまざまな分野の専門家が参加したことも有意義だったと思います。グローバル時代において韓日関係の諸問題を解決するためには、二国間関係だけに固執していてはならないからです。

なお、会議の運営について、多くの学者が概念的に同意するのがむずかしい「価値観の共有」より、意見を集めやすい実際的な「テーマの共有」を中心に協力を模索するよう提案した経緯があります。現実的な提案であったと思います。

このような作業が地道に積み重ねられることで、韓日友好に貢献する可能性が大きい関西地域が、韓日友好の先端的な発信基地として覚醒し、両国の関係をリードする一翼を担うことを願ってやみません。

080 供給者（官）本位から消費者（民）本位のサイトへ　October 19, 2018

紙と電波が主たる伝達手段だった伝統メディアの時代がたそがれを迎え、インターネット、モバイル、ソーシャルネットワーキング・サービス（SNS）がメディアの新たな担い手として浮上しています。情報通信技術の発達がもたらしたメディア世界と社会の大きな変化です。一言で言えば、伝統メディアの時代からニューメディアの時代への移行です。

この変化の波は、メディア世界だけのものではありません。在外国民の保護と支援など、対国民サービスを主要な業務のひとつとする在外公館にあっても同じ変化が進行しています。インターネット時代が到来したからといって、すぐ紙の新聞がなくなることはなく、face-to-face の話や電話による業務がなくなるわけではありませんが、インターネットと SNS を通じた国民との接触とやり取りの割合が日増しに大きくなっています。

大阪総領事館もこのような流れを経験し意識して、最近ウェブサイトを大幅に改善しました。SNS についても Facebook のほか、Twitter を新たに開設しました。改善の基本方向は、「供給者（官）本位」から「消費者（民）本位」のサイトへの移行です。http://overseas.mofa.go.kr/jp-osaka-ja/index.do

その一つとして、災害時の備えなどの情報をはじめ、総領事館が発信する情報をまとめて「総領事館ニュース」としてトップページ冒頭に配置し、これまでサイト冒頭にあった「総領事館紹介」ページは右端に移りました。運営上も国民に役立つ情報発信を強化するなど、より国民に親しまれるサイトになるように努めます。今後ともできる範囲内で改善に努めてまいりますので、ご利用ください。

081 京都には尹東柱詩碑が三つある

October 20, 2018

京都には尹東柱（ユンドンジュ）の詩碑が三つあります。彼が通学した同志社大学のキャンパス、彼の下宿があった現在の京都芸術大学前、大学の友人と彼が最後にハイキングに行った宇治市志津川の三ヵ所です。

京都芸術大学前にある二つ目となる尹東柱詩碑

同志社大学には没後50年経った1995年、京都芸術大の前には2006年、志津川には2017年に建てられています。なぜか、初めの碑を建立してから11年ごとに二つ目三つ目の碑が建てられています。

初めの二つの詩碑に刻まれた詩

宇治市志津川の三つ目となる 尹東柱詩碑

は、不滅の代表作「序詩」です。

三つ目の碑には、「川を渡って森へ　峠を越えて村へ」で始まって終わる「新しい道」が刻まれています。

10月20日午後３時、宇治市志津川で「詩人尹東柱：記憶と和解の碑」の建立１周年行事が開かれ、私も参加しました。詩碑建立委員会のメンバーと韓日の市民約70人が集いました。献花とあいさつ、「新しい道」朗読、アリラン斉唱など30分程度の式でした。アリランは詩人最後のハイキングとなった志津川の川辺で、友人の求めに応じて彼が歌ったといいます。

私はあいさつで次のように述べました。他の二つの碑には「序詩」が刻まれ、ここの碑には「新しい道」が刻まれている…私は、その意味を、韓日両国が葛藤と対立の「小川と峠」を越え、和解と協力の「森と村」へ行こうという意味に解釈したいと思います。

尹東柱は27歳の若さで大日本帝国の治安維持法の犠牲となりました。しかし、彼が撒いた平和と自然を愛する詩、その精神は韓国だけでなく日本にも息づいていることを、このような行事を通して確認できます。これこそ文学の力ではないでしょうか。

詩人尹東柱の記憶と和解の碑は、宇治駅から歩いて40分ほど、韓国の観光客も多く訪れる宇治平等院から20分ほどの距離です。京都に旅行する人は、同志社大・京都芸術大・志津川という尹東柱の詩碑巡礼コースを辿ることも有意義かと思います。同志社大学の詩碑には１年に１万人を超える韓国人が訪れ、名所になっているそうです。

082　在日同胞との関係づくりこそ日本の多文化社会への第一歩

October 21, 2018

10月中旬、関西地域の天気は文句なくすばらしい。晴天で最高気温が22－23度、野外行事には絶好の日が続いています。10月初めまで目を離せなかった台風予報がはるか昔のことのように感じられます。

天気のせいか、最近は週末ごとに行事が重なっています。20日（土）は、大阪総領事館と民団大阪地方本部共催の「韓日友好親善多文化共生フェスティバル」がありました。21日（日）には、ことし45回を迎える堺市の堺まつりがありました。どちらも在日同胞が重要な役割を果たしています。私はいずれにも参加しました。

大阪民団主催、多文化共生フェスティバル

大阪の多文化共生フェスティバルは「在日同胞の首都」と呼ばれる大阪らしく、千人以上入る会場が同胞ほかで満員になりました。大阪地域出身の日本の議員たちも10人ほど参加しました。午後５時から３時間、韓日の青少年たちと来阪中の韓国国楽チームがフュージョンミュージカル「ファンタスティック」を共演しました。なかでも、大阪の民族学校の建国中高等学校の伝統芸術部によるサムルノリなど伝統遊戯の公演は観客を圧倒しました。会場に来た日本の知人たちも皆、その迫力あふれる演技に賛辞を惜しみませんでした。

堺まつりのハイライトは、堺の歴史を時代別に区分して繰り広げられる行列です。このなかで最も長い編成で迫力があったのは、朝鮮通信使と伝統舞踊やテコンドーなどで構成された韓国チームでした。行列のルートに面したベトナム総領事館の前に設置された観覧席にいた私は、韓国チームの行列を見たとき、思わず立ち上がって拍手と歓声を送りました。竹山修身市長も、在日韓国人の協力で祭りがスムーズに行われたと述べていました。

堺まつりの朝鮮通信使行列再現

日本社会のマイノリティのなかでは多数派である在日同胞の存在は、韓国だけでなく日本にとっても非常に重要です。韓国にとっては韓日をつなぐ強固な架橋

堺まつりでテコンドーパレード

であり、日本にとってはさらに、在日同胞と良好な関係をつくることは、日本が多文化共生社会として成功するための試金石であり、その第一歩だからです。

083 政治に先んじて横になり、政治より先に立ち上がる経済活動

October 22, 2018

10月22日には「韓国－関西経済フォーラム」を開催しました。大阪総領事館が主催する最も重要な経済関連事業であり、通産省の近畿経済産業局、KOTRA（大韓貿易投資振興公社）大阪貿易館、大阪府、大阪産業振興機構と共同開催しています。また大阪の三大経済団体の関西経済連合会、関西経済同友会、大阪商工会議所とJETROの大阪本部が後援しています。

ことし10回目を迎えるフォーラムに、韓日の企業と経済団体の関係者200人余りが参加しました。韓日における最近の政治的な対立にもかかわらず、この集まりとプラットフォームが10年続いて発展していることに、主催側の者の一人として深く感心せずにはおれません。

フォーラムのプログラムは、講演と韓日の企業による相手国への進出事例の発表、交流会で構成されています。今年の講演は激変する韓半島の情勢の変化について、ジェトロ・アジア経済研究所の韓国経済専門家である安倍誠氏を招待し「変化する南北情勢と日韓経済協力の新展開」というテーマで講演していただきました。安倍氏は「日本は拉致問題の解決と核廃棄などの前提条件解決が不可欠とする立場だが、韓日の連帯の可能性を含め、事前に準備する必要がある」と述べました。

事例発表では、韓国から釜山 - 大阪貨物、旅客路線を運航するパンスターグループ（株）の金泫謙（キムヒョンギョム）会長と、日本から美容院の椅子と「ヘッドスパ」という美容健康事業を展開するタカラベルモント（株）の中川潔グローバル企画室長が発表をしました。

冒頭の挨拶で、私は「第10回フォーラムが韓日共同宣言20周年の年に開催されることに深い意義を感じる」とし「韓半島の和解ムードに伴い韓日の経済協力は選択ではなく必須科目になる」と述べました。

風が吹く前に横になり、風より先に立ち上がる雑草という言葉がありますが、政治に先んじて横になり、政治より先に立ち上がるしなやかさを持つものこそ経済活動ではないか、という気がしました。

084 文在寅政権の平和構想と韓日関係について講演 October 26, 2018

10月25日（木）は、それぞれ東京と大阪を中心に活動する日本の二つの言論人グループの招聘を受け、「文在寅（ムンジェイン）政権の平和構想と韓日関係」というテーマで講演しました。80年代、90年代のソウル特派員経験者を中心に構成された東京の「朝鮮半島問題を考えるジャーナリスト懇話会」と大阪の「自由ジャーナリストクラブ」が共同招聘グループです。

「自由ジャーナリストクラブ」は、1987年に右翼勢力と推定される暴漢によって朝日新聞阪神支局の記者が殺害された事件の後、1988年に同地域出身の言論人が言論の自由を守ろうという趣旨で作った団体です。いずれのグループも会員のほとんどは新聞・放送記者出身ですが、ソウル特派員や知韓派が中心的な役割を果たしています。

大阪韓国文化院で開かれたこの日の講演会には、二つのグループの会員20人余りのほか、日本人と在日同胞の一般市民も50人ほど参加しました。韓国の事情を熟知している言論人を前にして講演することを意識し、準備段階から大いに緊張しました。

講演を通じて私は、文大統領の構想は「韓半島で再び戦争が起こることは是が非でも防がなければならない」という大原則のもと、米国や日本など周辺国との協力関係を強化し、韓半島問題の当事者としてリードしながら、北東アジアにおける多国間平和体制の構築と、平和的なプロセスを通じた南北統一を実現することにあるとしました。

そして、韓日関係は歴史認識を含む簡単に解決できない問題が爆発しないよう適切に管理しつつ、北朝鮮問題など緊急の課題について協力関係を強化する必要があると強調しました。

講演は1時間程度でしたが、質疑応答は2時間ほど続きました。質問のテーマも、終戦宣言を含む対北朝鮮問題、慰安婦問題、民族教育問題など、さまざまな分野に及びました。微妙なテーマに関する質問もありましたが、避けることなく、誠意をもって回答するように努めました。質問者が満足する回答だったかどうか不明ですが、誠実に対応したつもりです。

終戦宣言については、日本と中国の国交正常化（1972年）と平和条約締結（1978

年）、日本とソ連（ロシア）の関係正常化（1956年の日ソ共同宣言）以降の平和条約締結をめぐる状況を取り上げ、米朝間における終戦宣言が先行することは、歴史的に見ても奇妙なことではないと主張しました。

特に、文大統領が終戦宣言に伴う駐韓米軍の撤収などはないという点をしっかり守りながら、終戦宣言は終局的な平和体制に移行していく過程の誘い水であると強調している点を説明しました。

慰安婦問題に対する韓国政府の基本方針は、韓国が日本に対して追加的な外交措置を要求していないこと、2015年12月28日の韓日外相合意で慰安婦問題が解決されなかったことが二本の柱であると述べました。また、民族教育は、過去の在日コリアンのアイデンティティを保つことに加え、日本における多文化社会実現のためにも重要な課題であると答えました。

日本の言論人たちの鋭い質問を浴びたせいか、他の集まりよりも数倍疲れたように思います。しかし、彼らが持っている発信力の大きさを考慮すると、実施しないよりはしたほうがよかったのではないか、と自分で自分を慰めました。

085 新羅・高麗の宝物に日本という外国の地で接する　October 27, 2018

10月27日、奈良の東大寺境内にある正倉院の宝物を一部開示する正倉院展が奈良国立博物館で開幕しました。11月12日まで無休で開催されます。私は26日の開幕式とプレビューに招待され参加しました。

正倉院展は約９千点の宝物から毎年数十点を選び、短期間一般公開する行事です。一度出品された宝物は10年以上公開されないのが原則で、一生に一度しか見られないものも多いそうです。

今回初めて公開される10点の宝物を含め、56点が展示されています。出品物のなかには新羅の伽耶琴（新羅琴）や白銅製の剪子（灯明の芯切りばさみ）、真鍮製の器とそれを包んでいた紙などがあり、新羅時代（前57－935）の生活を垣間見たような気がしました。新羅時代の宝物に日本という外国の地で接したことが、私のなかに嬉しさと驚きとともに、切々とした感情を呼び起こしました。

聖武天皇（701－756）と光明皇后（701－760）がご愛用されたという玳瑁螺鈿八角箱、献上品を保管していた沈香木画箱などの宝物が、今回の展示会の代表的な展示品として紹介されていました。

何よりも驚くのは建立から1300年近く経っている正倉院（741－750年建立と推定）という木造の倉庫に、数多くの貴重な宝物が完全な形で保管されてきたという事実です。単に戦争がなかったというだけでは説明できない、奇跡としか言いようのないことです。そのお蔭で多くの人が宝物を目にする贅沢を享受できるのです。

正倉院展は毎年秋に僅か17日だけ開かれるので、海外や日本の各地から集まってくる見物客で人だかりができるそうです。1946年から開かれ、東京で開かれた３回を除き、すべて奈良国立博物館で開かれてきました。ことしで70回を数えます。

この日せっかく奈良まで行ったので、同じ奈良で高麗建国1100年特別展を開催中の二つの美術館も訪問しました。1978年に大規模な高麗仏画展を開いて世界に衝撃を与えた大和文華館では「高麗－金属工芸の輝きと信仰」展を開催しています。10月６日に始まり、11月11日に終わります。高麗青磁だけでなく、高麗の金属工芸がかくもすばらしかったのか、と今さらながら実感しました。午前中早い時間に行ったにもかかわらず、見物客が多かったのも驚きでした。

東大寺の横にある小さな寧楽美術館でも10月１日から来年２月24日まで「翡色と象嵌の高麗青磁・李朝の粉青沙器」特別展を開催しています。規模は小さいながらも非常に充実した展示です。この美術館は、とくに海外に評判のようで、日本人よりも外国人の訪問客が多いといいます。

一日の時間を細分して三ヵ所を巡り、精一杯心と眼を保養し浄化したつもりですが、私自身の受容能力に限界を感じた一日でもありました。

086 アリランファンタジー、大阪生まれの安藤忠雄氏とコシノジュンコ氏

October 28, 2018

10月27日（土）と28日（日）の二日間、世界トップクラスの文化と人々との出会いを堪能しました。

土曜日の夜、大阪文化院の開院20周年を記念して、国立国楽管弦楽団の招請公演が大阪最高の演奏ホール、シンフォニーホールで開かれました。「アリランファンタジー」と題した公演は、ホールを埋め尽くした在日同胞と日本人に韓国国楽の醍醐味を存分に見せてくれました。アリラン幻想曲からパンソリのサチョルガ（四節歌）とシムチョンガ（沈清歌）、新船遊びまで、公演すべてが観客を魅惑し熱烈な反応を呼びました。まさに世界最高峰の演奏と公演でした。

日曜日の昼は、日本が生んだ世界的な建築家、安藤忠雄氏の講演会に行きました。韓国大阪青年会議所など関西地域の在日同胞青年団体が毎年親睦と和合

のために「ハンマウム（一つの思い）行事」を行っています。7回目のことしは、大阪生まれの安藤忠雄氏を招待し、大阪民団の会場で講演会を開催しました。私はその祝辞のために参加し、講演を聞きました。

安藤忠雄氏は、何枚かのスライド画像を映し出したまま、巨匠らしく形式にとらわれずに、自らの考えを1時間自在に展開しました。個性、創造性、持続性、情熱、自然、コミュニティ、将来の世代。これらがキーワードだったと思います。ご自分のことを例に挙げ､定められた枠組みのなかで仕事をするより、自分だけにできることをすることが重要である、という点を強調されていたと思います。

日曜日の夕方は、大阪府庁舎で開かれた、大阪が生んだ世界的なデザイナー、コシノジュンコ氏のファッションショーに行きました。100年の歴史を持つ大阪府庁舎の階段を舞台に催されたファッションショーは、階段が持つ垂直性を活かしたからでしょうか、彼女の持ち味がより立体的に表現されていたように感じました。海外活動が多く、日本でファッションショーをしたのは30年ぶりだという彼女は、ショーの前にレセプション会場で会った私に「はるか昔に韓国で二回ファッションショーをしたことがあります」と、韓国との縁を話してくれました。

大阪府庁舎で開かれたコシノジュンコ氏のファッションショー

二日間三ヵ所で世界一流の人士たちの演奏と公演、講演やショーを通じて感じたのは「やはり世界一流は違う。みなそうなるだけの理由がある」ということでした。

087　脱権威・脱官僚主義で世襲経営の世界的企業：村田製作所

October 30, 2018

10月29日、関西地域の主要企業訪問の一環として、基礎素材に関する世界的な企業､京都長岡京にある株式会社村田製作所を訪問しました。村田製作所は、電気を保存し、必要に応じて安定的に回路に供給する機能を持つ積層セラミックコンデンサ（MLCC：multi-layered ceramic capacitor）でグローバルNo. 1を誇る基礎素材の強者です。韓国では、サムスン電子、LG電子、現代自動車を主たる顧客としています。

創業者村田昭氏の三男である村田恒夫代表取締役会長兼社長は、素材分野において世界最大の企業の会長というイメージとはほど遠い、非常に謙虚で地味な風貌の方で、会社の経営とビジネス手法について丁寧に説明してくれました。

ロビーに展示された積層セラミックコンデンサ材料

同社は、日本の大企業のなかでも特に技術者に対して開発と販売に関する権限を積極的に委譲し、社内における上下間コミュニケーションに優れた会社として有名です。村田会長は「顧客に対し迅速に対応しなければならない積層セラミックコンデンサなどでは、技術・営業担当者に積極的に権限と責任を委譲しています。投資などの主要な戦略はハイレベルで決定する二種類の方式をとっています」と説明しました。また、いつでも経営者と従業員が自由にコミュニケートできる空気を作るため、両者が会社の哲学（経営理念）を共有し、社内教育を充実させることが重要だと述べました。

同社は、日本でも珍しい世襲経営会社です。にもかかわらず、経営者と従業員間のコミュニケーション、現場への権限委譲など、脱権威主義、脱官僚主義の経営をしていることをうらやましく思いました。韓国の二世・三世企業は学ぶことが多い会社ではないかと思います。

韓国、中国などからの留学生の入社者も毎年増やしているそうです。京都郊外の静かな場所に位置していますが、実力と会社のふんい気は世界最高であり、日本企業への就職に興味ある若い人たちに、ぜひ積極的に推薦したい会社の一つです。

088　世界津波の日に合わせて開かれた高校生サミット in 和歌山

November 1, 2018

10月31日と11月１日、１泊２日の日程で和歌山市に行ってきました。国連が定めた「世界津波の日（11月５日）」に合わせて開かれた「2018高校生サミット in 和歌山」に招待され参加したのです。

世界津波の日高校生サミットは、ことし３回目だそうです。日本から170人、外国から47ヵ国300人余りが参加した高校生による国際会議です。韓国からも仁川大建高等学校の生徒４人と引率の先生が参加しました。私は参加した韓国の高校生を励まし、このサミットの事実上の牽引役である二階俊博自民党幹事長などの要人とあいさつを交わしました。サミットの主催者である和歌山県の関係者らと親交を深めるよい機会にもなりました。

高校生サミットはことしで３回を数え、今回は最も参加国数が多いそうです。第１回は高知県、第２回は昨年沖縄で開かれました。第４回の開催地は北海道が有力だといわれています。すべて日本なのは、日本が主導した国際会議であり、運営資金が必要なためと思われます。ただ、'tsunami' という言葉が世界に通用する普通名詞になるほど、日本と津波、日本と自然災害は切っても切れない関係にあり、防災の分野において日本が世界のトップにあることを考えると、しばらく日本がこのサミットをリードするのは当然のことかと思います。

11月５日が「世界津波の日」(World Tsunami Awareness Day) として定められたのは次のような事情からです。1854年12月23日と24日に和歌山県有田郡広川村に連続して大地震が発生し、24日に大津波（最大 16.1m）が押し寄せました。このとき、この村の実業家、濱口儀兵衛（梧陵、1820－85）は津波を察し、収穫を終えたばかりの彼の田んぼの稲束に火をつけ、住民を高台に誘導して多くの人の命を救ったといいます。彼はまた、地震後に当時最大規模の堤防造りに尽力し、88 年後の 1942年に再び大地震が来たとき、津波の被害を防いだそうです。この話を背景に国連は2015年、和歌山県出身の二階議員ほかの提案を受け、二回目の地震が起きた日の旧暦11月５日を新暦にして記念日としたのです。国連指定の記念日になるには魅力ある話が必要ですし、そういう事例を発掘して提示することが非常に重要だと思います。

世界の多くの若い人たちが集まってこのような会議をしても、災害がぱたっと減ることはないでしょう。でも、彼らが一人でも多く一日も早く、自然災害とその予防について悩むことがあれば、いささかなりともより安全な世界になるのではないでしょうか。

二日間の日程の合間をぬって、和歌山市の名所の和歌山城をしばし見学しました。

089 文大統領の自伝『運命』の翻訳出版がもたらした邂逅

November 4, 2018

去る10月４日、文在寅（ムンジェイン）大統領の自伝『運命』が日本で翻訳出版されました。日本の代表的な人文学術出版社、岩波書店が出版しました。原著が2011年に発行され、１年前に中国で翻訳出版されたことを考えると、遅きに失した感は否めません。日本が最も韓国に近い隣国であり、出版大国であることからもそう思います。

最近、この本に関連して三度の邂逅がありました。一度目は10月25日、前・現職の日本の言論人を対象に「文在寅政権の平和構想と韓日関係」について大阪で講演した時です。東京から来た元ソウル特派員の一人が私に本を見せ、「とてもいい内容だ。日本の一般市民は文大統領をよく知らないから誤解も多い。多くの人に読んでほしい」と話していました。

二度目は10月末に日本の記者と会い、贈り物としてこの本をいただいた時です。韓国語は読んだろうが、日本で出版された韓国の大統領の本なので差し上げたいということだったので、気安くいただきました。本の帯に姜尚中（カンサンジュン）東京大学名誉教授の「見果てぬ夢を叶えようとする運命の人、文在寅」という文と並んで、北朝鮮に拉致され日本に帰ってきた蓮池薫新潟産業大学准教授の文が書かれています。同准教授は「彼の人生に韓国激動の現代史が凝縮されている」としています。北朝鮮に拉致された日本人の一人である蓮池氏の言う「韓国激動の現代史」とは果たして何でしょうか。

偶然というのは時間を置いて別々に起こることも、一時に集中して起こることもあるようです。11月３日付『朝日新聞』の書評欄に、この翻訳書の書評が大きく掲載されました。これが私のいう三度目の邂逅です。齋藤純一早稲田大学教授（政治学）は、書評の末尾に「ムン大統領はいま、北朝鮮との信頼関係を築こうとイニシアチブを発揮しているが、『人が先』という初発の動機づけは実効的な政策として実を結ぶだろうか」とし、「任期後に書き継がれるであろう続編を待ちたい」と述べています。

この本が好調な売れ行きをみせ、日本の人々に必ずしも親近感を持たれていない文大統領の考えと政策を知る一助になることを期待してやみません。

090　四天王寺ワッソの祭りに祝辞を送らなかった安倍首相

November 5, 2018

11月４日、大阪の韓日民間人が運営する祭りのなかで最も大きい規模を誇る「四天王寺ワッソ」が難波宮跡で開かれました。

1990年、大阪に住む在日同胞を中心に始まったこの祭りはすでに27回を数えます。毎年欠かさず開催されていれば、ことしで29回になりますが、2001年と02年の２回はスポンサーの経済的な事情で開催できませんでした。

2003年に主催者側の組織を整備して再開してから今まで脈々と続いていま

四天王寺ワッソに参加した日本の学生ら（左）と
神話の時代を演出する市民仮装パレード

す。2003年以後の最大の特徴は、韓日の首脳がこの祭りに祝辞を送っていることでしょう。韓日関係に逆風が吹いても、あるいは波が立っても変わらずに続いてきました。

昨年に続き、文在寅大統領はことしも民間交流の重要性を強調するメッセージを送り、私が代読しました。しかし、安倍晋三首相は、ことしメッセージを送って来ませんでした。10月30日に韓国大法院（最高裁）が強制動員労働者（徴用工）に関する判決を出したことと直接関係しているとは考えたくはありません。ただ、安倍首相のメッセージを代読する予定だった日本の関西担当大使も参加しませんでした。

少しさみしい気がしますが、韓国の大統領のメッセージだけが発表されました。主催者側から参加者に対し特に事情の説明もなかったので、毎年の参加者はことしは少し変だと思ったのではないでしょうか。

当日の天気は最高でしたし、祭りはいつもと変わらずスムーズに盛大に行われました。今回の祭りのテーマは「つないでいく、続いていく」でした。多少の困難があっても、このような民間交流を続けて行こうという意味で、私は解釈しました。今回の祭りでは、江戸時代の朝鮮専門の外交官、雨森芳洲（あめのもりほうしゅう）（1668－1755）の「誠信外交」をテーマにしたと思われるミニドラマが公演され、好評を博しました。

芳洲翁の著『交隣提醒』に次の文章があります。「朝鮮交接の儀は第一に人情事勢を知り候事肝要にて候、互いに欺かず争わず真実を以て交わり候を誠信とは申し候」

当初、この祭りの行列の参加者は主に在日同胞でした。今ではその約70％

が日本人になったと、主催者側の関係者が説明してくれました。それだけ現地社会に溶け込んだ祭りになったということでしょう。

韓日の間にいくつか困難な問題があったとしても、このようなイベントがさらに活性化され、揺るぎない友好と協力の関係を作っていくことができれば、と思います。

091 京都のほか福岡・岡山・鹿児島にもある耳塚 November 7, 2018

11月７日、京都の耳塚で慰霊祭が行われました。韓国の*社団法人キョレオル活動国民運動本部が2007年に始めたものです。

キョレオル活動国民運動本部の朴聖基（パクソンギ）理事長など関係者10人余りをはじめ、京都と大阪の民団幹部と同胞、日本人市民など150人余りが参加しました。大阪総領事館からも私を含めて３人が参加しました。

もう立冬だというのに夏の陽気を思わせる日差しが肌を刺すほどでした。野外で１時間半かけて行われた慰霊祭は、終始厳かな雰囲気のなかで執り行われました。追悼の辞で私は「過去1600年の韓日関係のなかでも、この耳塚ほど悲しく辛い歴史の象徴はありません。私たちが今日このような歴史を追悼するのは、同じ悲劇が二度と起きないようにするためであり、韓日双方の歴史の病の部分を克服し、力を合わせて友好と協力のために進もうではありませんか」と述べました。

この耳塚には壬辰倭乱（1592－98年、壬辰・丁酉倭乱、日本では文禄・慶長の役）の時、日本の侵略軍が戦果を誇示するかのように朝鮮から持ち帰った約12万の人々の耳や鼻が埋まっています、と隣席の朴理事長が説明してくれました。京都だけでなく、福岡、岡山、鹿児島にも、このような墓があるといいます。当時の人口を考慮すれば、想像を絶する悲劇です。

毎年11月に耳塚で行われる慰霊祭の様子

この耳塚の位置もまったく奇妙なところにあります。壬辰倭乱を起こした張本人の豊臣秀吉を祀っている豊国神社から見て下方、左側の低いところに位置しているのです。また、耳塚の墳墓の上には大きな石5個を積んだ塔が置かれています。朴理事長は、秀吉を祀った神社が王座だとすれば臣下が跪くところに耳塚があり、塚の上に大きな石をのせて怨霊が抜け出せないようにしていると話しました。

慰霊祭が行われているあいだ、私は心が重くなるのを感じました。このように多くの人々が日本で怨霊になったまま埋葬されていることに心を痛め、最近の韓国大法院（最高裁）の元強制動員労働者（徴用工）に関する判決が引き起こした日本国内の異常な空気が過去の辛い歴史を呼んでいたからです。

過去の歴史の病の部分を教訓に、このような悲劇が二度と繰り返されないようにするためにも、この耳塚の記憶と追悼はずっと続ける必要があると思います。

＊英文名：Koreaness Awakening Movement Union、法人によるキョレオルの説明：(1) キョレオルとは我が民族悠久の伝統精神文化に息づく魂であり意識であり脈である。(2)キョレオル活動運動とは民族意識を回復し守り創造する汎国民運動である。(3) キョレオル活動国民運動とは道徳性の回復・生命愛・自然保護・平和守護を徳目とし我が民族の平和統一完遂と世界平和具現をめざす運動である。

092　創立70周年を祝った和歌山県と奈良県の民団地方本部

November 11, 2018

11月10日（土）と11日（日）、在日本大韓民国民団（民団）の和歌山県地方本部と奈良県地方本部が、それぞれ創立70周年を祝い記念行事を開催しました。69周年でもなく71周年でもない、70周年という節目に深い意味があると思います。私もお祝いするため二日続けてそれぞれの行事に参加しました。

大阪総領事館が管轄する大阪府・京都府・滋賀県・奈良県・和歌山県のなかで、和歌山県と奈良県は在日同胞の数が少ない地域です。そのため、在日同胞集住地域の大阪府や京都府に比べ、人的物的に劣悪な環境にあることは否めません。そのような環境にあって70年ものあいだ、在日同胞を中心に活動を継続してきたことがすごい。だからこそ、盛大に祝うに値するのです。

それぞれの行事の祝辞において私は、70年のあいだ、日本社会の差別のなかにありながら、日本の人々が無視できない堂々たる存在として同胞の地位を固められたすべての民団関係者の労苦に拍手喝采を送るとともに、現在の急激な世代交代期において民団がもう一度中心的な役割を果たしてくださるようにお願いしました。

和歌山県の行事では、韓国語スピーチ大会も行われました。また、韓国のポップオペラの公演チーム“ラルーチェ”が韓国と日本の歌を織りまぜて歌い、大いに会場を盛り上げました。衰退ムードのなかで肩を落としていた民団幹部と同胞も久しぶりに力づけられ喜んでいました。

韓国民謡を歌う和歌山婦人会会員ら

奈良県の行事には、大阪の民族学校の金剛学園の舞踊団と白頭学院の民俗ノリチームが出演し、すばらしい祝賀公演を披露しました。前者が韓国の優雅な趣を表現したとすれば、後者はエネルギッシュな演技で観客を魅了しました。また、奈良には兵庫県の民団団長を含め、近畿地方２府４県の民団団長がみな参加し、民団の団結した姿を見せてくれました。

いかなる団体も10年ごとの節目の年を重視します。その節目を契機にそれまでの10年を振り返り、次の10年を設計する動機が得られるからです。このような意味において、二つの民団の創立70周年はそれぞれの組織の新たな10年の出発点でもあります。

奈良県民団の行事では、朴一（パクイル）大阪市立大学教授が「民団70年の成果と課題」と題して記念講演を行いました。今後の民団の課題として同氏は、次世代の育成、民族学校の維持強化、地方参政権の獲得、多様化する若い世代の結婚、帰化と二重国籍に関する悩みなどを提示しました。民団がこのようなさまざまな課題を克服し、これまでの70年よりもさらに成熟し発展した組織になることを心より祈ります。

093　第４回大阪韓国映画祭で来阪したファン・ジョンミン

November 17, 2018

11月17日（土）、韓国の人気映画俳優ファン・ジョンミン氏と昼食を共にする光栄を得ました。ことし第４回を迎えた大阪韓国映画祭（11/16－11/18）の特別企画「俳優ファン・ジョンミン特別展とトークショー」に出演のため来日してくださったことに感謝する意味で昼食の席を用意したのです。

大阪韓国映画祭は、韓国映画を関西地域の人々に知っていただくために大阪韓国文化院が意欲的に実施している毎年恒例の行事です。韓国映画の上映と監督または俳優によるトークショーで構成されています。まだ映画祭と呼ぶレベルに達していないかもしれませんが、地元の反応もよく、徐々に定着しつつあります。

ことしは日本における未公開作品を中心に企画しました。『辺山(ビョンサン)』『大観覧車(あなたの宇宙は大丈夫ですか)』『ヒマラヤ、地上８千米の絆』『新しき世界』『ベテラン』『タクシー運転手』が上映作品に選ばれました。17日にファン・ジョンミンさん主演の『ヒマラヤ』『新しき世界』『ベテラン』を連続上映したあと、彼のトークショーを開催しました。

午後に別の行事があり、トークショーを見られない私は、ランチを共にすることで感謝の思いを伝えたのです。スクリーンでしか会ったことのないファン・ジョンミン氏はとても気さくで地味な感じがしました。本人によれば、恥ずかしがり屋で、インタビューやファンの応対などは苦手のようです。今回は、数年前、ロンドンの韓国文化院が主催した映画祭のいい印象が残っていたので、参加を受諾したそうです。

日本でもよく知られた人気俳優なので大阪に何度も来ていると思いましたが、今回が初めてというので驚きました。古代から韓国と縁が深い関西の地で、ファン・ジョンミン氏だけでなく、日本のファンも相手をより深く理解する機会になればと思います。また、このような出会いとコミュニケーションが歴史的な葛藤で摩擦を生じがちな韓日関係を少しでも改善することに貢献できればと思います。

今回の映画祭が開催される劇場の客席数は350席ですが、申込者の数は5000人を超えたといいます。やはり、文化の力はすごいものです。

094　総領事館１階ホールで教師と生徒の協働アートショー開催

November 18, 2018

11月17日土曜日も終日、文化行事で多忙でした。映画俳優のファン・ジョンミン氏とランチを終えるとすぐ総領事館に向かいました。

第１回「2018教師と生徒の協働アートショー」の開幕式に出席するためです。大阪総領事館の所管地域内にある民族学校と民族学級の生徒が個人または合同で制作した作品を公館１階の講堂に展示することにしたのです。協働（韓国語原文：師弟同行）としたのは、教師と生徒が協働して制作するという意味を込めています。

この日の展示会には白頭学院・金剛学園・京都国際学園の三つの民族学校（いずれも小・中・高校あり）と大阪府の公立学校に設置された民族学級に通う生徒の作品500点余りが出品されました。小学生から高校生までの個人作品や共同作品が､絵画や工芸品まで広く展示されました。生徒や教師、同胞など約百人が参加して開幕式を行いました。

総領事館の夢ギャラリーで開かれたアートショー開幕式

この展示会を企画したきっかけは、総領事館建て替えのため一時移転中の公館の１階会議室をどう活用するかという問題でした。臨時公館における美術品の配置、整理を助言するために出張で来阪した韓国本省のソン・スンヒェ文化交流協力課長（現大田市立美術館長）が、民族学校の生徒の作品展示というアイデアを提案したことから始まったのです。

大阪総領事館の所管地域には、日本にある韓国系の民族学校４校のうち３校が集まっています。また、1948年の阪神教育闘争が示すように、民族教育に対する熱意が強い地域でもあります。このような背景のため、今も大阪地域の公立小中学校に通う韓国ルーツの生徒３千人が学校内に設置された民族学級で週に数時間ずつ韓国の歴史や文化、言葉を学んでいます。

こういう点を考えると、教師と生徒の協働アートショーは単なる美術品の展覧会以上の意味を含んでいます。民族学校と総領事館、地域社会と総領事館を身近につなぐ架橋の意味を持っているのです。とりわけ、今後、在日同胞社会をリードしていく若い芽と総領事館がアートという目に見える媒体を介して出会うルートが設けられたことが最大の意味だと思います。

教師と生徒の協働アートショーはその一歩を踏み出しましたが、今後の拡大が期待されます。今回の展示会は2019年６月末まで続け、生徒が作品を自由に交換できるようにするつもりです。

総領事館１階の会議室を、今回の展示会をきっかけに「夢ギャラリー」と名付けました。今後、このスペースが在日同胞の子どもたちの夢を育て、総領事館と同胞社会がより身近に出会う場所になれば、と思います。始まりはとるに足りないものですが、時間が経つにつれ、壮大な成果につながるよう、同胞社会とともに努力していきたいと考えています。

095　海外初の済州四・三犠牲者慰霊碑の除幕式　November 18, 2018

11月18日（日）午後、大阪市天王寺区にある統国寺において済州四・三犠牲者慰霊碑の除幕式が執り行われました。大阪地域に住む済州島出身の同胞を中心とする在日本済州四・三犠牲者慰霊碑建立実行委員会が主催しました。

日本地域に済州四・三犠牲者慰霊碑が建てられたのは、これが最初だといいます。日帝時代（1910－45）から済州島の出身者が多く住む大阪地域の特性によるものと思われます。

1922年から済州・大阪航路が開設されました。この時期は日本が急激に工業を発達させた時期と重なり、大阪に済州出身者がひときわ多く住むようになったといいます。

済州四・三を通じて生命の脅威を感じた人々が、密航などで既に大阪に定着していた親戚や知人に身を寄せることも多かったといいます。このような歴史的事情で大阪と済州、大阪と済州四・三は非常に深いつながりを持っています。

南北分断後の理念対立のなかで、韓国では済州四・三が「共産暴動」と規定され、口に出すことさえタブー視された時期が長い間続きました。日本における事情はさらにひどいものでした。事件から40年経った1988年にようやく東京で初の追悼集会が開かれ、その10年後、大阪でも初の慰霊祭が開かれています。

大阪市統国寺に建てられた
日本初の済州四・三慰霊碑

今回の慰霊碑建立は済州四・三から70年を迎え、済州出身の同胞が多く住む大阪に、済州島の悲劇を忘れずに記憶する記念碑を建てようという趣旨で進められました。3.6mの高さの追悼碑の基部に、事件当時の済州島の178里すべてから採取した石を配し、済州島とのつながりを強調したのが特色です。済州四・三犠牲者遺族会の呉光現（オグァンヒョン）会長は「済州全域の石を収集して持ってくるのが最も大変だった…この慰霊碑は、おそらく国外で建てられる最初で最後の慰霊碑ではないか」と、感慨深げに話しました。

この日の行事には、大阪に住む在日同胞のほか、済州とソウル、東京からも済州四・三の関連団体の関係者が多数参加しました。私も大阪総領事の資格で参加し、司会者から来賓の紹介を受け挨拶しました。あまりに遅くなったとはいえ、世の中が少しずつ変化していることを、参加者一同が感じたように思います。

帰途、生野区の在日韓国キリスト教会館で開催中の済州四・三関連の展示会に立ち寄り、しばし見学しました。

096 関西地域の民族教育関係者の研修会　November 25, 2018

11月23日（金）、日本は勤労感謝の日で祝日なので、23日から３連休でした。連休中に関西地域の民族学校（建国学校、金剛学園、京都国際学園）と民族学級の担任教師をはじめ、民族教育関係者の研修会が１泊２日で開催され、私も参加しました。

関西地域の韓国にゆかりのある歴史遺跡の探訪、朝鮮通信使に関する講義など、充実した日程でした。１日目の23日は、京都府宇治市のウトロ地区と江戸時代（1603－1868）に朝鮮と誠信外交を提唱した雨森芳洲（あめのもりほうしゅう）の故郷にある芳洲庵を見学し、夕方は宿泊先で特別講義を聞きました。

２日目は、第二次大戦が終わった後、韓国に帰国する途次に船が爆発して沈没し、549人が犠牲となった浮島丸爆沈事件の現場と朝鮮人強制労働者などが人間以下の条件で働いていた丹波マンガン記念館を見学しました。移動中のバス車内でも映画『朴烈』ほかをビデオ上映するなど、研修ムードが大いに盛り上がっていました。

丹波マンガン記念館のほかは行ったことがある私は最初から合流せず、福井県の敦賀にある宿泊施設に直行しました。宿泊施設に到着したのは、「朝鮮通信使の生き字引」ともいうべき仲尾宏京都芸術大学客員教授が「朝鮮通信使の歴史から学ぶ日韓関係の展望」の講義をちょうど開始するところでした。

仲尾教授は壬辰倭乱（1592－98、日本では文禄慶長の役）直後、大規模な外交文化使節団を双方が送り合った歴史から教訓を得て、現在の韓日間の諸問題を解決していく必要があるという話をされました。

「民族教育はなぜ重要なのか」というテーマの講演を依頼された私は、次の５つの点で民族教育が重要であると話しました。

丹波マンガン記念館の強制動員朝鮮人労働者像

1. 在日同胞社会の拠点
2. 在日同胞社会と韓国をつなぐ臍帯
3. 韓国と日本の架け橋
4. 多文化共生をリードする世界市民の育成
5. 世代交代期に入った在日同胞の次世代の育成

故国に帰る準備と日本社会の差別に対抗するという次元で始まった民族教育が、現在の時代変化に合わせ、日本社会に定着して生きる多文化共生に力を入れなければならないのではないかとも述べました。夜には、乾杯の辞に託して各自の考えを話す有益な時間を持ちました。

24日は朝食後、舞鶴の浮島丸爆沈現場から遠くない殉難碑が建てられたところで、地元の市民が構成する追悼会の人々が海を見ながら当時の状況と追悼会の活動などについて話してくれました。閉山されたマンガン鉱山を利用して造られた京都市京北町にある丹波マンガン記念館も訪問しました。

館長を務めている在日同胞２世の李龍植（イ ヨンシク）氏は「ここが日本で唯一の強制動員記念館であり、日本政府の支援を一銭も受けず、家族の力だけで強制労働の現場を記念館として運営している」と話しました。今回の訪問でここだけが初めてでしたが、施設をしばし見物するだけで、私たちの祖先たちが人間以下の条件に置かれていたことを実感させられました。

全体を通じて密で濃い内容の１泊２日の研修でしたが、参加者には韓日の歴史のなかの在日同胞の生きざまを学ぶ貴重な機会になったと思います。

097　世宗研究所と韓国国際交流財団が主催した韓日関係シンポジウム

November 28, 2018

11月26日の午後、大阪で世宗研究所と韓国国際交流財団が共同主催する「大阪韓日関係シンポジウム」が開かれました。10月末の韓国大法院（最高裁）における強制動員労働者（徴用工）判決と11月中旬の和解治癒財団の解散以降における韓日の緊張ムードのためか、在日同胞だけでなく、日本人も少なからず参加しました。終始、聴衆の集中度が非常に高いようにみえました。

第１部で、文在寅（ムンジェイン）政権初期に青瓦台安保室第２次長を務めた金基正（キム ギ ジョン）延世大教授が「南北関係の変化と北東アジアの平和」と題して講演を行い、続いて関連の討論が行われました。第２部では、全パネリストが韓日協力のあり方をめぐって議論を交わしました。

南北が主導し、首脳たちがリードし、経済的利益を中心にして動くパラダイム転換という視点について韓半島情勢を解説した金教授の講演は大いに注目を浴びました。ただ、第２部における討論の焦点は、自ずと最近の韓日関係を反映し、どのように両国関係を改善していくかに絞り込まれていきました。

特に、強制動員労働者に関する判決の衝撃が甚大で、容易には解決できないとする悲観論、対立調整と協力拡大論、時間が経てば解決されるとする楽観論など、さまざまな意見が出されました。

この困難な時期に、何が正解とは言い難い難題について、多くの韓日市民の前で討論すること自体、そして中座する聴衆がいなかったということだけでも、有意義なシンポジウムだったと思います。第１部の司会だった世宗研究所の白(ペク)鍾天(ジョンチョン)理事長は最後に、まさに民間外交の現場を見るようだったと評しました。

私も祝辞のなかで、韓国政府は大法院の判決を尊重し、韓日関係の悪化を防ぐという二つの原則のもとに対策を講じていることを明かしました。そして事実に基づかないまま日本国内で噴出している大法院判決に対する批判の間違いを指摘しました。

今回の判決が政権交代の影響だとする主張に対し、今回の判決は李明博(イミョンバク)大統領時代の2012年に出された大法院１部の判決の再確認だとして、1965年の韓日請求権協定を否定するものだとする主張に対しては、（大法院判決は）韓日請求権協定を認めた基盤の上で適用範囲を判断したものだと述べた李洛淵(イナギョン)首相の発言を伝えました。

098 民族教育の意味をあらためて熟考した一日　November 30, 2018

11月最後の日30日、在日同胞が集住する大阪市生野区御幸森小学校の民族学級開設30周年記念式典が開かれました。式典に続いて民族学級の生徒の学芸発表会もありました。

厳しい条件のなかで、韓国の文化、韓国の言葉、韓国の歴史を教え学ぶ民族教育関係者を激励する意味で、私は式典に出席しました。来賓の紹介や祝辞もなく、純粋に学校関係者を中心に行われている行事ですが、韓国総領事の参加が些少なりとも力になればと思い、喜んで席を共にしました。

御幸森小学校は全校生 100 人余りのうち70％程度が韓国にルーツを持っており、韓国や朝鮮籍の学生は10人程度だといいます。このような特性のため、学

御幸森小学校の民族学級開設30周年行事

年ごとに１クラスずつ民族学級を設置しており、ここで生徒たちは１週間に１回ずつ、韓国のことを学びます。民族学級の授業だけを担当する常勤教員もいます。

常勤教員もなく時間講師だけで運営している他の学校の民族学級に比べ恵まれていますが、最初からそうだったわけではありません。30年前に民族学級を開設した時は、子どもに韓国のことを教えてくれることを望む保護者たちがお金を集め、民族学級の講師の給料を支援することから始めたといいます。この学校で20年間民族学級を担当してきたホン・オゴン先生は民族学級開設のために努力した10年を加えると、30周年ではなく40周年というのが正しい、と感慨深げに目がしらを押さえました。

こうしたことが親の民族教育の拡充要求運動に支えられ、常勤教員を置く民族学級へと成長したのです。そして、民族学級の活性化などが評価され、2012年にはユネスコスクールとして認められました。ユネスコスクールとはユネスコの理想を実現するために、平和と国際連帯を実践する学校のことをいいます。

教員たちがサプライズショーとして演出したアリランの歌に合わせたサムルノリなどの後に、生徒たちの発表会が続きました。次の約束のため、私は発表会の冒頭部分だけ見て出なければなりませんでした。最初の発表は2、3、5、6年の生徒によるサムルノリと扇の舞、演劇などを織り交ぜたものでしたが、涙が出るほど感動的な発表でした。果たして韓国の生徒たちが同じ程度にできるかという気さえしました。

物おじすることなく思いっきり韓国文化を誇示する生徒たちの姿を後にし、残念ながら、校門を出なければなりませんでした。民族教育の意味をあらためて熟考した一日でした。私が見られなかった発表も、おそらく感動的なものだったに違いありません。一を見て十を知るといいますから。

099 なぜ民族教育が大事なのか

December 2, 2018

11月23－24日、大阪地域の民族教育を担う教員と関係者が集まって研修会を開催しました。その主催者から「なぜ民族教育が大事なのか」というテーマで講演の依頼を受けました。

重いテーマですが、以前から日本と関係のある仕事をしながら抱いてきた考えと、去る４月、大阪に赴任してから関西地域の民族教育の現場を訪ね、関係者に接して感じたことをもとに私なりの考えをまとめてみました。

理解不足や補完すべき点が多々あると思いますが、日本において在日同胞の民族教育に対する関心が高まるきっかけになればと思い、以下、管見を述べることとします。

樹々が紅葉に染まった季節にこのように美しい場所で民族学級の先生をはじめ、民族教育関係者が一堂に集まって研修されることを心よりお祝い申しあげます。このような意義深い研修会に参加することを、私自身たいへんうれしく思います。

去る８月、ここからさほど遠くない滋賀県琵琶湖畔で開催された第55回在日本韓国人教育者大会で同じ趣旨の講演をしました。私は在日同胞社会の発展、みなさんの母国である韓国の発展、また日本と世界の平和のためにも、民族教育の活性化が非常に大事だと考えています。

現在、韓国政府が把握している関西地域の民族教育関係者は約４千人です。大阪の白頭学院と金剛学園、京都国際学園の三つの民族学校に約８百人の生徒と 150 人の教員がいます。また、大阪府の公立学校に設置されている民族学級では韓国にルーツを持つ約３千人の小中学生が 55 人の先生から韓国語、韓国の文化、韓国の歴史を学んでいます。いくつかの地方自治体で行われているサマーキャンプや夏季学校などを含めると、その数はさらに多くなると思います。

では、民族教育はなぜ大事なのでしょうか、私なりの思いを語りたいと思います。以下「民族教育」は日本における在日同胞を対象とする学校教育を意味します。

第一に、民族学校と民族学級を含む民族教育は、文字どおり在日同胞社会、在日同胞コミュニティの中心にあるからです。民族学校や民族学級の生徒が韓国について学ぶだけではなく、ご両親を含め、在日同胞社会ネットの中心であるからです。ここで生徒たちが学べば、その家庭や地域社会に自然と広がっていきます。湖に石を投げると、波紋がしだいに広がっていくように、生徒の直後に家庭があり、その背後に在日同胞社会があります。

第二に、民族教育は韓国と在日社会をつなぐ臍帯です。生徒たちはここで韓国の言葉や文化、歴史を学びます。それが、前述したように、在日社会に拡散されていきます。ですから、私たちは母国と物理的・地理的に離れていても韓国とつながり、韓国人というアイデンティティを共有することができます。

第三に、民族教育は韓国と日本をつなぐ架橋でもあります。日本中の民族教育は、存在論的に韓国と日本を共に考慮する教育になるしかありません。実際そうなっています。過去には、母国に帰ることを前提に、韓国について学ばなければならないとする時代もありました。現在では、韓国文化を守りながら、日本でどのように適合して生きるかが中心にならざるを得ないと思います。現在の民族教育は、日本のなかで暮らしながら、韓国について学び、韓国文化を大事にしながら日本で生きる同胞を育てることに重点を置くべきだと思います。実際そうなっています。このような教育を通じ、韓国と日本が切っても切れない関係を結ぶことに貢献しています。

第四に、民族教育は韓国と日本の二国間関係だけでなく、国際社会に貢献できる人材を育てる役割を果たしていると考えます。そうすることで、民族教育の意義がさらに大きくなるだろうと思います。現代はグローバル時代です。グローバルな基準と考えを持たないと活躍できない時代が展開されています。初めから韓日という異質な要素の共存について教え学ぶ民族教育は多文化·共生·共存を基本価値とするグローバル時代の人材を育てるのに最もふさわしい場だと思います。

最後に、民族教育はしだいに縮小され、矮小化されていく在日同胞社会を強化し、有効化できる基盤を作る土台を提供していると思います。いくら在日同胞社会が縮小されても、韓国としっかり連帯した次世代が続いて輩出されますし、在日同胞社会は堅固に維持され、発展していきます。このような意味における民族教育が存在する限り、どんな困難に遭遇しても、在日同胞社会が揺らぐことなくつながれていくことを確信しています。

このように重要な意義を持つ民族教育がいま危機に瀕しているといわれます。逆説的な言い方になりますが、危機は危機と捉えることによって初めて、その危機から脱することができます。イタリアの哲学者アントニオ・グラムシ（Antonio Gramsci 1891－1937）に「知性の悲観、意志の楽観」という言葉があります。「状況を悲観的に捉え楽観的に行動する」という意味に私は解釈しています。

民族教育の危機を突破するには、何よりも情勢を冷静かつ正確に見る観察眼が必要です。私は民族教育が生き残ることを越え、さらに活性化するために、これまでの民族教育の成功と失敗を振り返り、新たな方向を模索しなければならないと考えています。

これまで１世２世の人たちを中心に展開されてきた民族教育は、日本社会の弾圧と差別、痛みから同胞を守るための、いわば生存次元における避けようのない選択でした。生存するために、在日同胞は確固としたルーツ意識を持って団結しなければなりませんでした。民族教育もそのような状況を色濃く反映しています。

いま、当時とは状況が大きく異なります。在日同胞は、祖国に帰って定着するのではなく、日本社会に残って成功する道を選ぶしかない環境に置かれています。日本社会の差別的な環境も在日同胞の努力と、人権と共生を強調する国際社会の影響を受け、しだいに改善されてきました。

現在、日本の国会で激しい論争となっている出入国管理法の改正論議にも見られるように、今日の日本社会は外国人労働者を受け入れなければ持ちこたえるのが厳しい時代になりました。韓国だけでなく日本も多文化共生を選択ではなく、必須にしなければならない状況になっているのです。このようなトレンドをふまえ、在日同胞の民族教育も従来の抑圧と差別に対抗することに加え、多文化・共生を強調すべき時代になったと、私は考えています。差別を克服するだけではなく、多文化共生との二本立てで民族教育の歩みを進めなければならないと思うのです。

在日同胞は日本社会における代表的な少数派（マイノリティ）です。最近、日本には、フィリピン、ネパール、スリランカなどから来訪する人々が増えています。このような状況を考えると、在日同胞は歴史的にも人口数においても「マイノリティの長兄」the majority of minorities（少数派のなかの多数派）です。だから、マイノリティの権利を代弁してリードする長兄の役割を果たすべきだと考えます。従来より以上に、他の外国人と連帯する必要があるのです。一国主義ではなく複数国・国際主義が求められます。

マイノリティと共存共栄しなければ日本社会も支え難いという現実があることを考え、マイノリティとして生存に一層尽力しなければならないと思うのです。この点、みなさんが実践している民族教育こそが、日本社会が多文化・共生社会として成功するかどうかを左右する鍵だと考えています。日本社会もこのことを認めるべきでしょう。マイノリティの代表的な存在である在日同胞の民族教育を受容できない社会が、どうしてベトナム、ネパール、スリランカなどの新しいマイノリティと共生できるでしょうか。

在日同胞社会と日本社会が民族教育の重要性を共有し、ともに複文化主義に立つとき、日本は多文化・複文化社会に向けて進むことができます。このような経験とビジョンは、日本の共生だけではなく、韓国、東アジア、そして世界との共生のための好モデルを提供できるはずです。

在日同胞のみなさん、さらに広くさらに遠くを見て、世の中を、そして世界を変える民族教育を作っていこうではありませんか。

いま大阪総領事館では、民族学校と民族学級の生徒の作品を１階の会議室に展示し「教師と生徒の協働（原文は師弟同行）アートショー」と呼んでいます。総領事館が同胞社会とより身近になるために企画された展示会です。より多くの人々に民族教育のための同胞の努力を知らせる機会となるものと期待しています。総領事館を民族教育の体験学習の場としてもご活用ください。民族教育の旅程に大阪総領事館はいつも同行し、スタッフはみなさんと協働していきます。

今回の研修会では、ウトロ地区、雨森芳洲館、浮島丸殉難碑、丹波マンガン記念館をたどる道も組まれています。歴史には病んだ歴史も健やかな歴史もあります。歴史を探訪する意味はそれを教訓にして、明るい未来を設計していくことにあると思います。

今回の研修がそのような道へと進む起点になることを期待しています。最後に、プロイセンの宰相ビスマルク（Otto von Bismarck 1815－1898）の言葉を引用し、講演を終わります。「愚者は経験から学び、賢者は歴史から学ぶ」

100　渡来人・行基・雨森芳洲・朝鮮通信使・滋賀県民団70周年

December 3, 2018

12月初の週末１日と２日、滋賀県に出張しました。２日に開かれる滋賀県の民団創立70周年記念式に出席する機会に、前日に現地入りし、韓半島と深い縁のある二つの寺院、金剛輪寺と百済（ひゃくさい）寺を訪ねました。

江戸時代を通じて12回に及んだ朝鮮通信使のうち10回が滋賀県を経由しており、宿泊先の施設などに通信使一行の痕跡が多く残っています。通信使が通行した街道を表示する「朝鮮人街道」の標石があり、当時の古道もあちこちにそのまま残っています。通信使と関連が深い雨森芳洲翁の出身地ということもあり、地域と通信使との縁も深いのです。

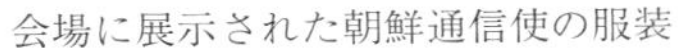

会場に展示された朝鮮通信使の服装

記念式典でチャングを叩く婦人会会員ら

翁が生まれた長浜市高月町には雨森芳洲庵があります。昨年末、通信使の記録がユネスコ記録遺産に登録され、芳洲庵に保存されている書籍や記録などの多数が遺産に登録されています。

民団の記念式会場の入り口には、長浜市と通信使に関するドキュメンタリーふうの展示パネルが置かれていました。市が作成したものです。こういう歴史的事実を初めて知るかのように、在日同胞の多くが行事の合間に見入っていました。日本の最短首相の記録を持つ滋賀県出身の宇野宗佑（1922－98）家に伝わる通信使の詩文も展示され、注目されていました。

滋賀民団は通信使をはじめ、古代から韓半島と交流が盛んだった地域の特性を生かしながら、民間交流を活性化していくことを宣誓しました。この日の行事には、大法院の強制動員労働者（徴用工）判決で韓日関係が困難な状況にあるなか、三日月大造滋賀県知事ほか有力者も多く参加し、民団70周年を祝っていただきました。

前日の12月１日、百済またはそれ以前から韓半島と関連が深い百済寺と金剛輪寺を訪ね、ご住職から韓半島と寺院にまつわる話を聞きました。日本では百済という漢字をクダラと読みますが、漢字音そのままのヒャクサイと読んでいることからも、百済（ペクチェ）と縁の深いことがわかります。金剛輪寺は百済系の僧侶である行基（668－749）が創建した寺院ですが、以前からこの地域に影響力を持っていた渡来人秦（はた）氏の祈祷の場であったと伝えられているとの説明を受けました。

滋賀県は、京都や奈良ほどには韓国によく知られていませんが、古代に東海（日本海）を渡ってきた韓半島の渡来人たちが文化を伝播し、朝鮮時代（1392－1910）には朝鮮通信使の主要経路として、韓半島との縁が深く、また広いところです。そんな歴史的事実をあらためて知らされた1泊2日でした。

101 大阪の各国総領事一行、静岡県の招聘で静岡を訪問 December 6, 2018

12月4日、静岡県が主催する大阪領事団招待事業で静岡県を訪問しました。静岡県の海外広報事業であり、ことしで4年目になります。イタリア、インド、インドネシア、中国、パナマ、モンゴルの総領事ほかと一緒に参加しました。

はじめに「東海道五十三次」で有名な浮世絵師・歌川広重の作品ほかを集めた静岡市東海道広重美術館を訪問しました。浮世絵は江戸時代（1603－1868）に隆盛した木版画で、絵師・彫師・摺師たちが分業して制作しました。

続いて、昨年末にオープンした富士山世界遺産センターを見学しました。世界的な建築家である坂茂（ばんしげる）（1957－）氏の設計により、富士山が最もよく見える場所に建てられたそうです。当日は残念ながら天気がすぐれず、本物の富士山は見られませんでしたが、センター内に展示された写真や動画などを通じてさまざまな富士山を見ることができました。

センターの建物は富士山を逆さにした形で、センター前の池に本来の富士山の形が映るのをユニークに思いました。1日に1500人程度の来客があり、ほぼ京都国立博物館や奈良国立博物館レベルの入場者だそうです。

続いて、静岡県地震防災センターに行き、津波の恐ろしさと対処方法を示すビデオを見て、地震のシミュレーション体験をしました。

静岡県庁で川勝平太知事のお話を聞いた後、夜大阪に帰ってきました。知事の説明によると、静岡県は人口（370万人）と総生産規模がニュージーランドに似ているそうです。東京と大阪に独立国のように静岡県の事務所「ふじのくに領事館」を置き、国籍や人種に関係なく共生することを県の方針にしているとも述べていました。「ふじのくに」と呼ぶのは、精神的な独立を強調するためだそうです。画一的な政策や事業にしがみついている韓国の自治体にとってよい参考になると思われます。

102 ノーベル賞受賞者との縁で有名な小野薬品工業 December 7, 2018

4月に赴任して以来、所管地域の主要企業を訪問しています。6月の三洋化成工業を皮切りに、パナソニック、日本電産、京セラ、オムロン、村田製作所、大和ハウス工業など、さまざまな会社を訪問しました。そして、12月7日、ことし最後の日程として、小野薬品工業の本社を訪問しました。

小野薬品工業は、2018年のノーベル生理学医学賞を受賞した本庶佑京都大学特別教授の研究をもとに、免疫システムを利用したがん治療薬「オプジーボ」を開発し、販売している会社です。大阪総領事館の臨時オフィスから徒歩５分程度の至近距離にある会社だということを、今回の訪問を準備するなかで初めて知りました。そこで、相良暁社長にお会いするとすぐ「隣人として、このように世界的な話題になる会社が現れたことをお祝いします」とあいさつしました。

江戸時代から薬種問屋街で、現在も薬品関連企業が軒を連ねる道修町（どしょうまち）において、小野薬品工業の前身は300年前（1717年）に薬剤商としてスタートし、1947年に製薬会社に転換しました。現在は3500人程度の従業員が勤務する、日本では中規模の製薬会社です。日本の大規模な製薬会社の社員数は７千人以上に上るそうです。同社は韓国にも50人規模の販売会社を運営しています。

小野薬品工業の優れたところは、中規模の会社でありながら、大企業にとっても難しい、長期に及ぶ投資を通じてオプジーボのような画期的な新薬を開発したことにあります。もちろん、関西地域には京都大学や大阪大学など、基礎医学研究が充実した大学が多く集まっており、新薬を開発する環境が整っているといえます。それでも、中規模の会社が新薬開発に手を出すのはリスクが大きいと言わなければなりません。相良社長は「新たな領域に挑戦する社風と研究欲、これを支え新たな市場を開拓しようとする経営陣の決断が、このような結果をもたらしたのです」と述べました。

同社長はまた、韓国法人の本社にも韓国人のほかさまざまな国の人材がいるといい、韓国の若者たちは思いが熱く、国際舞台で仕事する進取の気性が強いようだと評価しました。また、韓国の製薬業については全体として日本の業務より劣るものの、複数のバイオ分野で革新的な新薬を出すなど、大きく発展していると分析しました。

103　韓日の文化差：国立民族学博物館　　December 21, 2018

先週ソウルで開かれた在外公館長会議に出席して戻って来ました。それで、気持ちの上でも時間的にも忙しく過ごしています。韓日の間には、物理的な時差はないのですが、明らかに文化的な差「文化時差」ともいうべきものがあることを感じます。

そんななか、大阪でのルーティン業務に復帰した初日の20日、吹田市にある国立民族学博物館を訪問しました。ずっと続けてきた業務ですが、しばらくの空白のせいか不馴れな感じがします。

国立民族学博物館に展示されている韓国のお面

国立民族学博物館は、1970年に大阪万博が開かれた場所（現在は自然文化園）に位置しています。博物館のすぐ近くに大阪万博のシンボル「太陽の塔」が立っています。1977年に開館した博物館は、民族博物館として世界最大規模だといいます。この博物館の施設は大学院教育の機能も備えており、文化人類学などの博士を輩出しているそうで、これも世界で唯一だそうです。

吉田憲司館長ほかにお会いし、博物館の説明を聞き、文化を通じた交流の活性化と友好増進のために協力しようと話しました。もちろん、参加者全員が文化に対する理解が交流の基本であるということを共有しました。

吉田館長との面談を終えて韓国文化の専門家である太田心平博士の案内で、東アジア館の韓国文化と日本文化の展示だけを見学しました。今回は時間がなく、短縮した部分的な見学にとどまりましたが、次はぜひ全体を見たいと思います。

展示館はオセアニアを皮きりに、東に向かって世界を一周した後、最後に日本に到達するようになっています。全体を見るのに約4時間かかるそうです。展示物の構成もよく、日本特有の繊細さを加えた家屋などのミニ展示物も実に精巧にできています。

104 2018年の仕事納め

December 28, 2018

12月28日（金）は2018年の仕事納めの日です。韓国の年越しは元日だけが休日です。日本でも韓国と同じように、公式の休日は1月1日だけなのですが、その前後、土日を含んで一週間ほど休むことが慣例になっています。それで、日本地域の韓国公館もこれに合わせて仕事納め・始めをします。

大阪総領事館も12月28日が仕事納めで、新年1月4日が仕事始めです。12月28日の午後には、1階の講堂で飲み物やお菓子、フルーツなどでささやかな仕事納めをしました。一部の職員は外部の活動や窓口業務があるため、全職員が一堂に会すことはできませんでしたが、お互いを励まし一年を終える有意義な行事だったと思います。

仕事納めをした講堂は、11月17日から始まった民族学校・民族学級生徒による美術作品を展示しているので、一層意義深かったと思います。私たちは、この展示会を準備する過程で、この場所を「夢ギャラリー」と名付けました。いま振り返っても妙案だったと思います。この展示会は、これまで在日同胞や韓国国民が疎遠に感じていたであろう総領事館を、互いに行き交う親しみあるスペースに変えようとする企画の産物です。

特に、在日社会の未来を担う若い青少年同胞と行き交う場所という点では、夢ギャラリーという名称はとても適切だと思います。また、さらに低姿勢で親切に国民に奉仕する公館になろうという私たちの運営方針を象徴するスペースだとも思います。

大阪総領事館の職員は、きょうの仕事納めにおいて、2018年に関西地域を襲った数々の災害に際してよく協力して克服したように、来年も「奉仕する」総領事館になるようさらに努力する決意を新たにしました。

来年も多くのご激励とご支援をお願いし、大阪総領事館を代表して年越しのご挨拶とさせていただきます。「みなさん、一年を有終の美でしめくくり、よい新年をお迎えください」

105 原発ゼロ論者に変わった小泉純一郎元首相 January 2, 2019

小泉純一郎元首相のニックネームは「変人」です。韓国式にいえば、「変わり者」くらいでしょうか。

私が『ハンギョレ新聞』の東京特派員を務めた時期（2001－04年）は、小泉政権の期間（2001－06年）でした。特派員の期間中、彼が唯一人の首相でしたから、彼が主語の記事もたくさん書きました。二回の平壌訪問と韓日共同ワールドカップ開催、その「劇場政治」は未だに記憶に新しいものです。

首相を辞めて10年以上経つにもかかわらず、いまだに彼は 時々メディアに登場します。最近も、彼の弟子ともいえる安倍晋三首相の改憲推進について「できることはしないで、できないことだけしようとしている」と、容赦なく批判したことが報道されました。ここでいう「できること」とは原発ゼロであり、「できないこと」とは改憲です。

小泉元首相は、昨年12月31日にも『朝日新聞』に登場しました。彼の著書『原発ゼロ、やればできる』に関連したインタビュー記事です。首相在任時代には原発推進論者だった彼が、2011年の3･11東日本大震災以降、原発廃止論者になったことは知っていましたが、その具体的な理由が気になっていました。

2014年の東京都知事選挙では、脱原発政策で連帯し、野党系の無所属候補として出馬した細川護熙元首相を応援しています。

インタビューで彼は（首相在任中）経済産業省のいう「原発は安全､低コスト、きれい」ということを信じていたが、すべて嘘だった、といいます。当時、原発が危険だという人もいたが、真剣に聞かずに騙された反省をこめて、日本は原発がなくてもやっていけるということを知らせなければならないと考えた、といいます。

原発が安いという意味は、政府が支援しなければ原発は不可能で、政府が支援せず税金も使わなければ原発のほうが高い、と彼は説明します。原発なしでエネルギーを交換できるか、という質問に対しては、3･11の原発事故から2年原発はまったく稼働しなかったが、停電はなかった、と強調します。

安倍首相にも経済産業省に騙されてはならないと伝えたが、反論せずに苦笑していただけだといい、安倍首相が原発ゼロに打って出れば、すぐムードが一変するのだが、と彼はいいます。このインタビュー記事を読んで、彼の考え方は180度変わっても、変人気質は変わっていないと思いました。

一方、総合雑誌『世界』1月号は、文在寅（ムンジェイン）政府の新古里原発5･6号機の建設をめぐる国民的論議のプロセスを批判的に検討した記事を掲載しており、興味深く読みました。筆者の高野聡氏は、日本が学ぶべき教訓として、国民的論議の結果をそのまま政策に受け入れることで賛否両論を過熱させてしまう問題、「歪曲過熱報道」に備えるメディア対策の必要、歪曲された報道を想定した制度設計の必要、一過性でない継続的な国民的論議の必要を提起しています。日本も、原発政策、憲法改正問題など、社会的対立が大きい政策について「熟議民主主義」を実現する可能性があるとしています。

106　職員だけでの2019年仕事始め　　January 4, 2019

きょうは1月4日、日本の公共機関などが2019年の仕事を開始する日です。大阪総領事館もきょうの午前に仕事始めの行事を催し、ことしの仕事を始めました。

一方、出勤途次の商店街はまだ閑散としています。ことしは4日が金曜日なので、会社や商店街は6日（日）まで休み、7日（月）から始めるところが多いからです。総領事館の窓口を開けると、すぐ申請業務のため人々が集まってきました。昨年12月31日から閉めていたため、これまで待っていた人々です。

午前9時半、窓口業務の職員を除いて、1階の夢ギャラリーに集まり、仕事始めの挨拶を交わしました。昨年までは、職員のほか、在日同胞団体や企業の代表を総領事館に招いて仕事始めの行事を行っていました。でも、ことしは職員同士だけにしました。実用性と内実を重視する韓国政府の方針、公館の一時的移転に伴う狭いスペースなどを考慮して、そう決断したのです。

仕事始めに関係者を大勢招待するのは、権威主義的な慣行ではないか、という気もしていたのです。とはいえ、例年あったことがなくなるのを寂しいと思う人々もいるでしょう。今後は、従来以上に奉仕する姿勢を徹底することで、このような寂しさを埋めなければならないと思います。

仕事始めの挨拶では、次の３点を強調しました。

1. ことし６月末に大阪で催される主要20ヵ国首脳会議を遺漏なく支援する
2. 君臨せず人々に奉仕する、総領事館の姿勢をさらに推進する
3. 韓日の友好関係を構築するため、さらに足で飛び回る

仕事始めの挨拶が終わって、昼食時には近くの韓国食堂に調理を頼んでおいた、トックスープを一緒に食べ、韓国の正月の風習である徳談を交わしました。

午後には大阪府・大阪市・大阪商工会議所・関西経済連合会・関西経済同友会共催の新年会に出席しました。ことし初の対外公式日程です。松井一郎大阪府知事をはじめ、マイクを握ったすべての人々が、2025年の世界博覧会誘致を主な話題にして挨拶しました。

博覧会誘致成功の喜びが関西の政財界を圧倒していることを感じるとともに、関西地域の衰退する経済力を、博覧会を通じて蘇らせてみようという切迫した意気込みも垣間見ました。

内外で行われた二つの仕事始めを通じて、2019年の仕事の準備運動は終了しました。新しい一年と時には闘い、時には歩調を合わせて格闘することだけが残っています。願わくば、その闘技の終わりが笑いであってほしいと思います。

107 『世界』２月号に掲載された慰安婦問題のインタビュー

January 8, 2019

最近発売された総合雑誌『世界』２月号に私のインタビュー記事が掲載されています。タイトルは「慰安婦問題の隘路(あいろ)をどう進むか」で、特集２「戦争の記憶と向き合いつづける」に組み込まれています。

雑誌編集の特性のため、昨年10月31日にインタビューした内容が、２月号（１月上旬発売）に掲載されます。インタビュー前日に韓国大法院（最高裁）の強制動員労働者判決が出ていますので、インタビューは微妙な時期に行われまし

た。文在寅(ムンジェイン)政府の慰安婦政策が日本の人々に正しく理解されていないと考え、インタビューに応じることにしたのです。

「12・28日本軍慰安婦の合意検討TF（タクスフォース）」委員長を務めた者としての責任感もありました。日本の一般市民を対象に、慰安婦問題を捉える現韓国政府の考えを直接伝えることが、この問題に関する日本の市民の理解を深めるのに役立つという考えが何より大きかった、と思います。

7ページにわたる長いインタビューのため、慰安婦問題に関連した論点について、比較的詳細に説明することができました。韓国内でいろいろな経路を通じて明らかにした内容であり、このような分量と深みのあるインタビューは日本では初めてなので、記事が掲載された意義は小さくないと思います。

要旨は次のとおりです。12・28慰安婦の合意は、公開された部分だけ見れば一定の成果があったと見ることもできます。ただし、少女像の移転、挺対協の反発の抑制、国際社会における批判の自制、海外の記念碑に対する韓国政府の支援自制などの非公開部分を含む全体を見れば、被害者中心のアプローチでない合意だったのです。そして、韓日はこの問題を国際社会が培ってきた戦時性女性人権問題の解決策に沿って行う必要があると述べました。

韓日間に存在する歴史問題をめぐる対立は、問題の性格上、いっぺんに簡単に解決できるものではありません。韓日間には歴史的な対立に限らず、北朝鮮の核問題をはじめ、協力すべき重要な問題も山積しています。このような対立が暴走しないようコントロールしながら、相互協力の共通分母を育んでいく方法によって韓日の問題を解決していくのが望ましいという意見を述べました。

108 韓日の政府間対立を民間・地方に拡散してはならない

January 14, 2019

日本地域の総領事館は、1月の前半はさまざまな新年会に出席するため、多忙を極めます。大阪総領事館の担当地域（大阪府・京都府・奈良県・和歌山県・滋賀県）における各民団の新年会も5ヵ所で開かれます。ほぼ同じ時期に各地域の成人式もあり、新年会とは別に開催するところが多いのです。

これらの行事が同時期に集中しているので、総領事館スタッフが地域を分担して参加します。ことしは4月の地方選挙と7月の参議院選挙があるためか、政党の新年会も活発です。私は、同胞が多く住む大阪（12日）・京都（11日）民団の新年会、招待状が届いた公明党大阪本部（9日）と立憲民主党大阪府連合（13日）の新年会に出席しました。

ことしの民団新年会の特徴は、二度の選挙のせいか、日本の各政党の国会議員と地方議員が例年より多く参加したことです。大阪民団の新年会には、韓国から朱昇鎔（チョスンヨン）国会副議長をはじめ、9人の与野党議員らも参加し激励しました。強制労働の大法院判決とレーダー照射問題をめぐる対立で冷ややかなムードになるかと心配しました。ところが、幸いなことに、韓日双方を代表して挨拶する人々の思いは、政府間の対立にもかかわらず、民間レベルの交流協力は揺らいではならない、という流れになっていました。

このような節制ムードが形成された背景には、両国関係をめぐるこれまでの経験を通じて、政府間の対立を民間・地方にまで拡散しても何にもならないという学習効果があるのではないかと思いました。政府間に問題があるのは事実ですが、民間レベルでは昨年1千万人以上が相互往来し、第3の韓流ブームもあって良好なムードにあることを強調し、困難な時こそ、友好・協力のために尽力しなくてはならない、と私は挨拶で述べました。

二つの政党の新年会は、選挙を控え出陣式のようなムードでした。公明党の山口那津男、立憲民主党の枝野幸男のそれぞれの党代表が参加するなか、いずれの大会も二つの選挙に出馬する候補者を壇上に立たせ一人ずつ紹介していました。この地域に強い支持基盤を持つ公明党は約2千人が参加し、その勢力を誇示していました。他方、1年前には事務所すらなかった状態から大阪府連合を作った立憲民主党も、約5百人が会場を埋め尽くす盛況ぶりでした。やはり、記事を通して間接的に接する政治と、現場で目で見る政治は異なって感じられます。

109 問題を持続的に解いていく過程こそ人生であり歴史…

January 21, 2019

最近の難しい韓日関係をみるにつけ、複雑な思いに囚われます。専門家の何名かは「史上最悪」とすら表現していますが、いかなる問題であれ最上級の表現を使う人を私はあまり信用しません。知的怠惰か、政治目的のために動員しやすいことが最上級表現を使う所以だと考えるからです。文世光（ムンセグァン）事件や金大中（キムデジュン）拉致事件があった1970年代半ばと比べて、現在の韓日関係がさらに悪化しているかと問われたとき、彼らは果たして堂々と「悪化している」と答えられるでしょうか。

だからといって、私は現在の韓日関係が悪くないというのではありません。いま、韓日関係は明らかに悪い。ただ、悪い内容と質が過去と異なっているのではないか、といいたいのです。

日本のある学者は、これまで韓日の歴史認識の対立は政治レベルで行われたが、昨年の韓国大法院（最高裁）の「強制労働判決」をきっかけに、法律的なレベルに格上げされた、と言います。私は、この学者の説に同意します。ですから、韓日対立は以前のような政治的妥協で解決するのが難しくなったと見ています。韓日対立がなぜ法的紛争まで発展したかについては、いくつか分析が出ていますが、ここではその詳細は省きます。

最近の韓日対立は以前とは様相が異なるようです。以前は「水面が濁れば下の水も濁る」という言葉のように、政府関係の悪化に伴って一般国民の関係も悪くなるのが普通でした。ところが、最近は政府関係者とメディアが対立の前面に出ているものの、民間レベルではあまりそういうふうには感じられない。周囲の何人かの観察もそのようです。この現象を、私は「官冷民温」と呼びたいと思います。官とメディアは熾烈な殴り合いをしていますが、一般市民は淡々というより一層交流が盛んなのですから。実際、2018年に、政府間対立のさなか、1050万人以上が韓日を往来する１千万人交流時代に入ったのです。

なぜこのような現象が生じるのでしょうか。私の仮説は、1）若者と老人の見方の違い、2）相手国を直接経験した人としていない人の違い、3）専門家集団と一般市民の違いによるというものです。もちろん、他の要因も考えられますし、これら三つの要因が複合していることもあると思います。

１月28日付発行の週刊誌『アエラ』に、ちょうどこのような現象を扱った記事を見つけました。私の仮説をすべて満たす記事ではありませんが、韓日対立の最近の様相を理解するのに役立つ記事です。問題をよく理解しなければ解決法もわかりませんから。

どこの国や地域にも問題はあります。問題はそれを起こすために表れるのではなく、問題があるから表われるのです。問題を持続的に解いていく過程が人生であり歴史だとするならば、私たちはもっと冷静に謙虚にこれらの問題に立ち向かわなければならないのではないでしょうか。

110　関西・伊丹・神戸空港を運営する関西エアポート

January 24, 2019

１月24日（木）、2019年企業訪問の初の日程として、関西地域の玄関・関西国際空港を運営する関西エアポート株式会社を訪問しました。関西エアポートは関西空港、大阪（伊丹）空港、神戸空港を運営する民間企業であり、公社システムで空港を運営する韓国とは業態を異にします。

同社は、日本企業のオリックスとフランスのバンシ・エアポートがそれぞれ40%の株式を持ち合う合弁企業です。社長はオリックス、副社長はバンシ側が引き受け共同経営しています。この日も、山谷佳之社長とエマヌエル・ムノント副社長のお二人との対談ならぬ鼎談となりました。

同社は関西空港がある空港島にあり、空港と大阪地域を接続する橋が昨年9月に台風21号で被った被害から完全には抜け出せていない状態です。まだいくつかの区間が復旧工事中ですが、3月中には工事を完了するそうです。空港との往復に大きな支障はありませんが、昨年の台風の傷跡がまだ残っています。台風の被害がいかに大きかったか、今さらながら理解できます。

この日の会談でも断然多く、昨年の台風が話題に上りました。空港のほうが被害が甚大でしたが、総領事館も空港閉鎖に伴う対応に苦慮したからです。山谷社長は当時のことを教訓とし、多言語による情報発信、外国公館との協力強化などに努めていることを強調されました。また、関西空港の外国人入国者の30%を占める韓国人旅客のためのサービス強化にも力を入れていると述べました。私は、さらに積極的な情報発信と外国人向けサービス強化の必要を指摘しました。

エマヌエル副社長から二つの質問を受けました。一つは、昨年の台風の後、韓国人の入国者が若干減ったが、これは長期的なものか、短期的なものかというものでした。私は、韓国人は災害に非常に鋭敏だが、災害対応システムさえ整えば、長期的に観光客の動向は変わらないだろう、と答えました。

関西空港は、韓国と関西地域をつなぐ最初の、かつ最も重要な接点であるので、より活発に協力することを申し出ました。お二人とも、空港の発展のためにも韓国との関係・協力が重要であることを強調していました。

111 ゲーム・ギャンブルの博士課程がある大阪商業大学　January 30, 2019

1月29日、大阪商業大学を訪問しました。2019年初の大学訪問です。昨年は管轄地域にある大規模な大学を訪ねました。ことしは、主に小規模ながら特徴があり実績を持つ「実力派」大学を訪問する予定です。

大規模な大学はほぼすべて訪問しましたし、韓国の立場からは、このような実力派の大学にこそ学ぶべき点がより多いのではないかと思うからです。

東大阪市にある大阪商業大学は学園グループ谷岡学園が経営する大学です。谷岡学園はこの大学のほか神戸芸術工科大学と高等学校、幼稚園を経営しています。

大阪商業大学はことし創立70周年を迎え、経済学部・総合経営学部・公共学部の３学部、地域政策学研究科を有する学生５千人規模の大学です。驚くべきは、この大学の就職率が過去10年以上継続して、90％を超えていることです。

就職率が高い秘訣について、大学の周辺に多くの中小企業がある点と、これらの企業と大学の人的・地域的な連携があると聞きました。谷岡一郎学長によれば、これらは客観的な条件であり、同学独自の教育理念と教育方法の影響が大きいそうです。

社会調査方法論を専攻された谷岡学長は、すべての学生に対し、データに基づいて現象を説明するための学習を課しているそうです。さらに、こうしたデータに基づく研究が現実と合致しないことを知ることで、学生のチャレンジ精神を育成することに尽力しているそうです。このような教育課程を経て送り出された学生たちが地域の企業に就職することで、大学と企業が共存する地域社会を作ることができるのです。

もちろん、この大学も「人口減少傾向のなかで生き残る」という、韓国の多くの大学が直面している悩みを共有しています。韓国の大学よりも先に、こうした問題に直面し悩んできた経験は、韓国の大学にも多くの示唆を与えるという気がしました。

学園創設者の子孫である谷岡学長はまた、日本のギャンブル研究者のなかで最も有名な学者の一人でもあります。大阪商業大学は、学士から博士課程までゲーム・ギャンブルについて学ぶことができる大学としても知られています。谷岡学長のご夫人も学校法人至学館を運営しており、至学館大学は女子レスリング選手を多く輩出していることで日本でよく知られています。

112　５千人の卒業生輩出を目前にした白頭学院建国高等学校

January 31, 2019

１月31日（金）、大阪の「民族学校」白頭学院建国高等学校の卒業式が行われました。ことしは白頭学院・建国高等学校の第69回の卒業式で、62人が卒業しました。この高等学校がこれまでに輩出した全卒業生は、ことしの卒業生を含め、4824人です。この傾向が続けば、３年後には卒業生が5000人を突破する見込みです。これは決して少なくない数だと思います。

62人の卒業生は、すべて韓国と日本の大学に入学する予定だそうです。日本の国公立大学の入試はまだ終わっていませんが、100％大学進学が眼前にあるということです。
　白頭学院建国学校には、幼稚園から高等学校まであります。今回の卒業生には、幼稚園から通った学生が４人、小学校からの学生が10人いるそうです。これだけ見ても、この学校が1945年の解放前から日本に来て根を下ろした在日同胞（特別永住者、オールドカマー）中心の学校であることがわかります。駐在員の子弟と1980年代以降に定着した永住者（ニューカマー）の子弟が大きな割合を占める東京の韓国学校とは性格を異にします。
　白頭学院をはじめ、関西地域の三民族学校（白頭学院、金剛学園、京都国際学園）の存在は、今後、在日同胞社会の命運を左右する大きな意味を持っている、と私は考えています。
　在日同胞社会は、日本への帰化と国際結婚の増加、少子化の影響により韓国籍を維持する人が毎年大幅に減少しています。このような傾向を止めることは容易ではないでしょう。このような状況にあって、韓国出身という帰属意識を持ち、在日社会をリードして行く次世代のリーダーの重要性がさらに増すものと思われます。そして、まさにそのような役割を担うべく、それを効率的に果たせるのがこれらの民族学校だと考えています。
　卒業式の日、私は祝辞で「日本の中の韓国の学校」という難しい関門を通過した建国学校の卒業生だからこそ、これまでの経験と知識を活かし、韓国・日本、さらには国際社会に貢献する人材になることを期待すると述べました。幼少の頃から、韓国と日本を同時に意識してきた者だからこそ、困難な韓日間の問題を解決する智慧の芽も育んでいるはずだと思うからです。韓国社会の「日本の中の韓国民族教育」に対する関心がさらに高まるよう期待して止みません。

113　『大阪日日新聞』のインタビュー記事　　February 7, 2019

　大阪地域の日刊紙『大阪日日新聞』から、最近の韓日関係と民間交流、韓半島情勢などについてインタビューの要請を受け、１月31日に応じました。その記事が２月７日に掲載されました。
　https://www.nnn.co.jp/dainichi/rensai/voice/190207/20190207049.html
　最近の韓日関係について、私は、戦時強制動員労働者（徴用工）の判決など、政府間の対立が肥大化したことは事実だとしつつ、問題の根本的な原因は、過去の歴史をきちんと決着させないまま、1965年の韓日協定が締結されたことにあるとしました。ですから、感情を前面に出さずに双方とも冷静に解決策を模索しなければならないと述べました。

届いた新聞を広げてみると、記事は５段広告を除く全面サイズの掲載でした。また、サイズより内容が重要とはいえ、顔がでかでかと載っていて、照れくさい気がしました。記事の内容は、私が述べたことをよくまとめてあり、安心しました。

ただし、以前とは違い、政府間は冷めていても、民間交流は温かい「官冷民温」現象も見られることを指摘しました。両国の人的交流が昨年初めて１千万人を突破し、両国とも若年層を中心に韓流・日流ブームが起きていることに注目する必要があるとも述べました。

2025年に大阪で高齢化時代に焦点を当てて開催される国際博覧会は、日本に次いで高齢化社会に向かっている韓国にも多くの示唆を与えるものです。歴史的・文化的に昔から韓国と縁が深い関西地域が韓日友好のメッカとして定着するよう尽力すると付け加えました。

韓半島で最近起こっている平和への動きと関連し、類似の価値と制度を共有する二つの国の協力と連携が必要だとも強調しました。また、記者出身として、両国のマスコミが「当局者の言葉を伝えること」中心の空中戦ではなく、現場の声を反映した報道を多く伝えてほしいという希望も伝えました。

114　サッカーで結ばれた慶北慶山市と京都府城陽市の友情

February 10, 2019

２月９日（土）、京都府城陽市を初めて訪問しました。日本の10円硬貨に刻まれた文化財の平等院鳳凰堂・ウトロ地区・尹東柱の第三の詩碑がある宇治市の南に位置する人口約８万人の小さな市です。

この日、城陽市で日韓親善京都さくらとむくげの会（略して「さくらとむくげの会」）の設立35周年記念式典が開催されました。35周年という節目の意味もありますが、城陽市が大阪総領事館の所管地域であることはもちろん、全国的にも有名な民間交流のモデルということもあり、喜んで参加しました。

城陽市は現在、慶尚北道の慶山市と姉妹都市であり、大邱市サッカー協会、少年少女や女性、大学サッカーなどと交流しています。1982年に京都を訪れた韓国の少年サッカーチームと城陽市チームの親善試合がきっかけで、83年に日韓親善協会が設立され、少年サッカーを中心に交流を拡大してきました。2004年、独島をめぐる対立の余波を受けて一時中断されましたが、民間交流の重要性に共鳴する双方関係者の努力により、今では少年サッカーにとどまらず、さまざまな分野で広く深い交流が行われています。

城陽市のさくらとむくげの会は、このような功労を認められ、2017年に日本の皇族出身で、日韓交流にご尽力された高円宮殿下を称えるために設立された高円宮記念日韓交流基金から賞を受けました。この受賞をきっかけに城陽市の少年サッカーチームは、この勲章とサクラとムクゲを胸章にしたユニフォームを着ています。この日の記念式にも少年サッカーチームのメンバーがそのユニフォームを着て壇上に上がり、「故郷の春」「希望の国へ」など韓国の歌を歌いました。高円宮記念日韓交流基金の須々木智行事務局長も参加し、祝辞を述べました。韓国からも、サッカー交流に当初から関わってきたキム・ソンヨル大邱広域市のサッカー協会長ら2人が参加しました。

「さくらとむくげの会」35周年式典

韓日双方の来賓が異口同音に指摘したのは、最近の政治・歴史認識問題のため政府間関係がよくないこういう時こそ民間交流をさらに熱心に推進しようということでした。2005年から10年に会長を務めた古瀬善啓名誉会長は、交流が中断していた当時の市長、今道仙次市長の提唱する“people to people”“心と心の交流”が重要であり、交流再開に大きな力になったと、当時のことを思い起こしていました。昨今の状況にふさわしい言葉であり考えだと思います。

大阪総領事館の所管地域では城陽市のほか、岸和田市（大阪府）、守山市と野洲市（滋賀県）が活発に民間交流を行っています。これら地域では、団体の代表者と市議会議員など地域の指導層が積極的に参加しています。そのもとで、スポーツ交流などの強力な接着剤があり、全力で交流を率いる献身的な活動家がいることが共通しています。

115　「韓半島情勢の展望と韓日関係」をテーマに講演会開催

February 12, 2019

２月11日は、日本の建国記念の日で休日でした。３連休の最終日だった11日、大阪市内のホテルで「韓半島情勢の展望と韓日関係」と題して講演会を開催しました。連休なので出席者が少ないのではないかと心配をしましたが、200席が満席になりました。

このように高い関心を集めたことは、二つの理由があると思います。まず、講演者が素晴らしいです。北朝鮮の非核化を含め韓半島情勢の講演に文正仁大統領統一外交安保特補を、韓日関係の講演には外交部東北亜局長出身の趙世暎国立外交院長を招聘しました。二つ目の理由は、適時性だと思います。2月27日、28日ベトナムのハノイにて第2次北米首脳会談を控えており、それに関する関心が一番高い時期だと言えるでしょう。また韓日関係の方も、戦時中強制動員労働者に関する判決、レーダー照射問題に関する葛藤がある中で、韓国政府の考えを聞きたいと思われる方も多かったと思います。

出席者の中で、とりわけ報道機関の記者が多かったのもそのためだと思います。このような重みのあるテーマの講演を、東京ではなく大阪で開催したことも、出席者の関心を引き寄せたと思います。大阪人は、大阪が東京に負けない都市だと思っているようですが、実際は、日本も東京一極集中という現象が目立ちます。そのため、東京に負けない程の情報獲得及び発信に関する渇望も多いようです。公共外交 (Public Diplomacy) が相手国の市民を対象にする情報提供や親近感作りを目指すものだとすれば、このような隙間を活用することは大事だと思います。

1部の講演では、文正仁特補が南北関係と北米関係が2018年にかなり進展し、特に南北関係の緊張は、誰もが感じるほど緩和されたことを説明しました。南北に比べ北米は停滞状況にありますが、これは非核化や体制保障をめぐる北米の間でアプローチ方法に差があるからだと語りました。また最近の北米の動きを見ると、ハノイで意味のある成果がでるだろうと「慎重な楽観論」を示しました。

趙世暎院長は、1965年韓日協定体制を支えてきたのは、反共連帯と経済協力でしたが、これは冷戦終結と韓国の経済発展により揺れ始めたと評価しました。また、中国の発展は、65年体制を弱化させる要因になり、このような複合的な原因のため強制労働判決をめぐる葛藤も簡単に抑制することは難しいと語り、韓半島及び北東アジアの平和という柱を補強し、葛藤はできる限り抑制し、協力を強化していくことが大事だと意見を述べました。

講演も素晴らしかったのですが、出席者からの質問も非常に内容の濃いもので、非常に充実した行事になりました。このような講演会を主催する時や、出席して感じるのは、在日同胞や日本人は、真面目な姿勢で耳を傾けているということです。このような雰囲気は羨ましく、見習うべきだと思います。

116　校庭に高句麗碑が建っている大阪経済法科大学　February 13, 2019

大阪経済法科大学は韓国人が学校法人理事長を務める、日本でただ一つの私立大学だと思われます。1971年に設立されたこの大学は当初、経済学部と法学部のみでしたので、大学名も経法大学です。

現在は経済学部・法学部のほか、国際学部・経営学部（今年新設）と大学院経済学研究科を置いています。学生数は3000人ほどの、日本では小規模な大学です。

２月12日、八尾市の生駒山麓に位置する大学を訪問し、田畑理一学長にお会いしました。田畑学長は、ロシア経済を専攻した経済学者です。前職の大阪市立大学で韓国の全南大学と大阪市立大学の交流を全面的なものにするのに尽力されたそうです。その縁で韓国に関する知識と愛情が深い方です。

この大学は、海外留学生が全体の17%、500人程度だそうです。留学生の出身国も中国・韓国・ベトナム・中央アジア諸国を含めて10ヵ国になるそうです。留学生の中退がほとんどない秘訣を尋ねると、学校と縁がある人の紹介でやって来る学生が多く、学生を叱っても大丈夫な学生と大学との強力な人間関係を作るのに神経を使うとのことでした。

大阪経済法科大学にある広開土王碑模型

崇実大学、慶尚大学、梨花女子大学、韓国学中央研究院などとも活発な交流をしています。大学のスポーツ分野では、テコンドーが有名だそうです。キャンパスに広開土王碑のレプリカが建てられているのが注意を引きました。多くの学生と教授は日本人ですが、随所に韓国の香りが息づいているのを感じました。

117　３日連続で尹東柱詩人追悼行事に出席　February 16, 2019

詩人の尹東柱（ユンドンジュ）（1917－45）は収監されていた日本の福岡刑務所で1945年２月16日に獄死しました。詩人の命日前後に毎年、京都で追悼行事が行われています。詩人が通った同志社大学キャンパスでは彼の命日前の土曜日に追悼行事を催し、彼の下宿先（現在は京都芸術大学キャンパス前）では命日に追悼会を催しています。

ことしは命日が土曜のため、同志社大学は16日に追悼会を催し、京都芸術大学は土曜が休みのため、前日の15日に催しました。

このような事情から、二日続けて京都で尹東柱追悼会が開かれ、私はいずれも参加しました。また、14日には三一運動百周年を記念し、大阪総領事館と韓国散文作家協会が共同で「尹東柱と茨木のり子の出会い」を讃える行事を大阪で開催しました。詩人の茨木のり子氏（1926－2006）は大阪生まれです。彼女が尹東柱について書いた文章が、今も日本の高校の現代文の教科書に載っています。

主催者として、私もこの行事に参加しました。三日連続で尹東柱にまつわる行事に参加したのです。これらの行事を通じて、尹詩人についてよく知っているつもりでいながら知らなかった多くのことを集中講義で学びました。また、韓日双方を代表する尹東柱の研究者、専門家の講演と話を通じて尹詩人にまつわる、日本における多くの事実を新たに知ることができました。

日本の高校現代文の検定教科書（筑摩書房）に尹東柱の「序詩」を含む茨木のり子氏の文章が1990年から掲載された経緯（当時、筑摩書房の編集者だった野上龍彦氏の同志社大における16日の講演）を知り、同志社大の創設者、新島襄の記念像さえ一体もない同志社大に2005年､尹東柱の詩碑が建てられた裏話、同志社大のチャペル前に建てられた詩碑が、韓半島のある西を向き、詩碑の北側にツツジ、南側にムクゲを植えたということも関係者から聞くことができました。

14日には、詩人尹東柱を日本の教科書に紹介した詩人としてのみ知っていた茨木氏が日本で最も反戦平和に徹した秀でた詩人だったことを知りました。また、70－80年代の厳しい時代に二人の兄上が韓国の刑務所に収監されていた徐（ソ）京植（キョンシク）（1951－）東京経済大学教授が茨木氏の詩と邂逅し、それを通じて詩人に会った話は、涙なしには聞けない歴史のひとこまでした。

三つの行事を通じて痛感したことは、早世した薄幸な詩人の人生と詩が今も生き続け、韓日の市民連帯の強い絆となっているということです。そして、後世の人々が何をなすべきか、警鐘を鳴らし続けているという事実です。

私は三つの行事それぞれで挨拶をしました。三一運動百周年の年に開催される尹東柱の追悼行事は格別意義深いと述べました。そして、韓日関係が良くないときだからこそ、三一運動と尹東柱に共通する平和・非暴力・人道主義を活かし、韓日友好のために尽力するよう呼びかけました。

118　日本人生徒の方がはるかに多い京都国際高等学校　　February 17, 2019

京都国際学園京都国際中学高等学校の第54回卒業式が開かれました。京都国際学園は京都にあるただ一つの韓国系民族学校で、中学校と高等学校の課程があります。

この学校は、京都でも以前から在日同胞が多く住む東九条に近いところ、観光地では紅葉の名所として知られる東福寺周辺の丘陵にあります。日本人が多く訪ねる伏見稲荷(ふしみいなり)神社も学校の近くにあります。

京都国際の特徴は、大阪の民族系学校である白頭学院や金剛学園より日本国籍の生徒の割合が多いことです。京都国際高等学校の卒業生はことし41名で、名前だけでみると、日本名29人、韓国名12人です。名前から国籍や血すじを判断できないことが在日の特殊さですが、日本国籍の生徒が多いことは事実です。

また、京都国際は京都府で優勝をねらえるほど野球チームが強く、野球をしたい日本人生徒の入学が増えているそうです。K-POPなどの韓国文化に魅力を感じる日本人生徒の入学希望も多いといいます。この傾向がことしの新入生募集にも反映し、中高いずれも例年より入学者数が大幅に増えています。

日本人生徒の増加と、韓国語や韓国の歴史・文化などを教える民族学校の特性をいかに調和していくかが今後の課題でしょう。卒業式に出席して、教師や生徒、そして保護者や学園理事がとても明るいことを感じました。このような校風ならば、どんな課題もうまく乗り越えるだろうという気がします。

祝辞のなかで私は、韓国と日本を共に感じ学んだ経験と知識を活用し、日本と韓国にとどまることなく、広く世界に貢献する人材になるよう呼びかけました。

119 訪ねていく市・区役所方式の対民間サービス February 22, 2019

２月22日、大阪総領事館は海外の同胞を対象に新たなサービスを披露しました。すでに行われていることに事後対応するのではなく、事前に同胞の必要を理解し、事前に対応する方式です。総領事館内ではなく、彼らのいる現場に訪ねていって行う現場中心の方式です。韓国ではソウル市の朴元淳(パクウォンスン)市長が最初に立ち上げ、いまや全国に広がった「訪ねていく市・区役所」方式の対民間サービスを海外公館でも試みようという趣旨です。

この日の午後、大阪民団の会議室で大阪総領事館の改築担当領事と家族関係担当領事が、同胞100人を相手に説明会を開催しました。大阪にある民族系学校の白頭学院と金剛学園の関係者も出席し、学校紹介の時間を設けました。

総領事館の改築に関する説明を行ったのは大阪の同胞社会と総領事館ビルの

緊密なつながりがあったからです。現在、改築のために解体されている旧館は1974年に在日韓国同胞の募金により大阪の中心街、御堂筋の真ん中に建てられたものです。このような経緯のため、新館の建設予定と進捗状況に関する同胞の関心はとても大きいのです。建設工事の進捗状況は総領事館のサイトに３週間ごとに知らせています。これとは別に、同胞に対し直接説明するのが礼儀だと考え、説明会の冒頭に総領事館の改築状況についてお話しすることにしたのです。

なお、在日同胞の総領事館相談サービスで最も多い相談は、財産相続、兵役、国籍などの実生活に密接したことがらです。最近、在日同胞社会は一・二世から三・四世へと本格的に交代する時期にあり、これらの分野に対する関心が大きいのは当然です。そこで、家族関係や国籍担当の領事が直接説明することにしたのです。

民族学校は困難な状況にあって、数十年じっと耐え、民族のアイデンティティを守りつつ、日本社会に適合して暮らしながら、韓日双方に貢献する人材を育成しています。ただ、現実として生徒数が減り続ける困難な状況にあります。このように大きな役割を果たしている民族学校を活性化する近道は、同胞自身が民族学校の必要性と重要性を理解し、成果を知って支援することです。このように考え、民族学校の説明会をこの機会に行うことにしました。

今回、説明会の参加者個々に評価を尋ねることはしませんでした。ただ、彼らの集中度と熱気あふれる表情から一定の満足感をうかがうことができました。このような説明会が一回のデモにとどまることなく、「仕(つか)える総領事館」を象徴する恒例行事になるよう求められているように思いました。

120 京都の「チョゴリときもの」フォーラムで小倉紀蔵教授と対談

February 23, 2019

京都市にある公益財団法人京都市国際交流協会が主催する毎年恒例の「チョゴリときもの」というフォーラムがあります。日本に暮らしながら、自らの考えや意見を言う機会がなかった在日同胞一世と二世の話を聞く場として、1993年に始まったといいます。第20回を迎えた2013年から在日同胞や韓日関係に関連する人を招待し、対談形式にしてシーズン２を実施しています。 第26回のことしは、急変する韓半島情勢を考慮して、「激動する韓半島をめぐって：東アジアの過去・現在・未来」をテーマに２月23日と３月２日、連続フォーラムを開催します。

光栄なことに、私は23日のフォーラムの対談ゲストとして招待を受け参加しました。対談のテーマは「韓国のムン政権がもたらしたもの」、対談の進行は小倉紀蔵京都大学教授でした。小倉教授はソウル大学哲学科博士課程で韓国哲学を学び、『韓国は一個の哲学である』『朝鮮思想全史』などを著わした「知韓派」です。参加者は60人程度で、約半分が在日同胞、残りの半分が日本人だったように思います。

韓日関係が強制動員労働者（徴用工）の大法院判決をはじめ、さまざまなことで悪化している時期でもあり、たいへん負担を感じるフォーラムでした。とはいえ、このように困難なときにこそ直接市民と会って韓国側の話を伝えることに意味があると考え、対談に応じました。

開催日が近づくにつれ、私の発言一言が波紋を呼ぶかもしれない微妙な状況だからか、緊張し、どうして応じてしまったのか後悔する気持ちも生じました。フォーラム会場の京都市国際交流会館は南禅寺付近の風光明媚なところにあり春の陽気がただよう天気でしたが、それさえも緊張をほどくには不十分でした。対談は初めジャーナリスト出身で外交官になった背景など、個人的な滑らかなテーマで始まりました。でも、すぐに文在寅（ムンジェイン）大統領は反日なのか、三一節百周年で韓日関係はより困難になることはないのか等、徐々に難易度が高いテーマに移りました。もちろん、慰安婦問題、強制動員判決、北朝鮮の核問題をはじめとする韓半島問題と日本の役割、双方のマスコミの問題、同胞の役割など、ホットな問題も話題になりました。対談も対談ながら、質疑応答の時間には、厳しいことで有名な京都人らしく困惑する質問がさらに多く噴出しました。

私はいかなる質問も避けることなく、限界のなかで最善を尽くして回答する姿勢に徹しました。現在の韓国政府を反日・親北と見る日本の見方は間違っている、強制動員の判決をめぐる対立は植民地支配の性格規定を回避したまま結ばれた1965年の韓日協定の矛盾が明らかになったため解決が容易でない、韓半島の平和定着に日本の役割が重要であり、今後さらに大きくなる、などの意見を明らかにしました。

また、現在、韓日は困難な関係にあるが、共通する要素と価値観を共有しているので、長期的には関係がよくなるし、また、そうなるように互いに努力したい、とも述べました。同胞には、韓日関係の悪化により困難にさらされていることを申し訳なく思うが、これまでの不屈の精神により、日本社会の困難を克服してきたように、今回も力を合わせ、現今の困難を克服していきたい、と訴えるしかありませんでした。

緊張の３時間に及ぶフォーラムを終えて、回避することなく応じてよかった、という気持に包まれました。

121 日本で迎えた「三一運動から百年」 March 2, 2019

ことしは三一運動（1919年）から百年になります。韓国（当時は朝鮮）で三一運動が起きる前、東京にいた韓国人留学生が2.8独立宣言を発表します。これが起爆剤となり、三一万歳運動を経て４月11日に上海で韓国臨時政府が樹立されます。このような歴史的経緯をもつ三一運動の百周年を迎える在日同胞には格別な思いがあると思います。

三一運動に先立つ2.8独立宣言は東京を中心に進められました。そのため、他の地域は深い関係がないと思われがちですが、大阪総領事館の所管地域にも三一運動の意味を振り返る機会と催しがありました。

２月14日、大阪総領事館と韓国散文作家協会の共催で、尹東柱および彼とその詩を日本に紹介するのに尽力した日本の詩人、茨木のり子の二人を追悼する行事を開催しました。大阪韓国文化院では、尹東柱の詩のハングル書芸展を開催しました。尹東柱は三一運動に関与していませんが、非暴力と平和共存を訴えた三一運動の精神は、尹東柱の生と詩精神に通じるものがあると思います。

例年、三一節には大阪総領事館の所管する２府３県（大阪・京都府、滋賀・奈良・和歌山県）において民団主催の記念式典を催しています。ことしは総領事館の領事全員が各地域を分担して全地域に赴きました。韓国政府が三一運動百周年を意義深く考えていることを、体と行動で伝えたかったのです。

各地の民団も、映画『密偵』を上映し（大阪）、講演会（京都・奈良・滋賀・和歌山）を催すなど 、例年とは違う工夫をこらしました。私は大阪民団の式典に出席し、以下のことに注目しました。従来とは異なり、表彰台を壇上に置かず参加者と同じレベルに設けていました。三一運動に限らず、脱権威主義、国民と協働する文在寅政府の政策が在日の社会にも定着しつつあることを実感しました。

式典の開始前には、民団が自主製作した三一運動百周年の韓日関係史ビデオが上映されました。年月とともに歴史を忘れてしまう後続世代を教育するための自主努力だといえます。第三者の専門家が作る優れた制作物よりも、民団が自ら作る素朴な制作物のほうが貴重だと思いました。

韓日の政治的対立を心配する在日同胞の声も多数聞きました。ことしの大統領スピーチでも、彼らは韓日関係に特に鋭く反応していました。最近の対立ムードのなかでスピーチがないことも心配されましたが、フタをあけてみると、今回のスピーチに日本批判はなく、未来志向の協力を強調する内容がほとんどでした。彼らの表情と言葉に安堵（あんど）し歓迎するムードを感じました。特に「過去の歴史は変えられないが、未来の歴史は変えることができる」という一節が同胞の胸に響いたようです。

122 「最近の対立は一瞬」と大阪教育大学学長　　March 12, 2019

大阪には総合的な教師養成機関、国立大学法人の大阪教育大学があります。韓国の教育大学が主に小学校の教員を養成するのに対し、日本では幼稚園から高校の教員までを養成します。

大阪教育大学は学部の教員養成課程のほか、教育心理学・健康安全科学等を専攻する一般課程も設けています。附属学校だけでも幼稚園・小・中・高を含め11校あります。

大阪市からみて奈良県寄りにある柏原市の山すそに主キャンパスがあり、大阪市内の天王寺にもキャンパスがあります。12日、私は大阪教育大学の柏原キャンパスを訪問しました。ちょうど後期入試の日だったので、出入りの手続きが少し面倒でした。キャンパス内を車で進みながら、上り坂を登る学生は大変だろうなと思いました。登って振り返ると、正門から山の上のキャンパスまで長いエスカレーターがあるのに気づきました。

この大学は学生と教授等を含め５千人規模の大きな教育大学で、卒業生の約60％が教職に就くといいます。教職は労働時間が長い重労働のため、教職以外の仕事に就く卒業生も多いそうです。東京・大阪等の大都市にある教育大学にこの傾向が強いようです。

栗林澄夫学長によれば、大阪教育大学は韓国のソウル教育大学、梨花女子大学、全州教育大学、忠南大学、公州大学、清州教育大学、大邱教育大学、大邱韓医大学等と学生交換交流を実施しており、多文化共生時代に備えるためにも、今後は近隣の韓国と交流を盛んにしたいとのことです。

学長はまた、柏原地域は植民地時代（1910－45）に強制動員された韓国人が多く住んでいた地域で、人権運動も活発だったと述べました。古代に朝鮮半島からの渡来人が最初に到着し、大和川沿いに奈良に移動した地域でもあるそうです。

こういう経緯を思い起こして韓日の長い交流の歴史を見るならば、最近の対立など一瞬のことで、相互理解と交流が重要であると、学長は強調されました。

韓日関係がよくないため、肩の荷が重いときにこのような言葉を聞くと、心底から温まるような気がします。

この大学には二つの特色があります。一つは全国共通の利用施設、学校危機メンタルサポートセンターを運営していることです。2001年に同大学附属池田小学校では、凶器を持った襲撃犯が生徒８人の殺害を含む23人を殺傷する事件が発生しました。この事件を契機に同センターを建設したのです。

もう一つは、学生間のいじめや不登校等の問題に対処するための連合教職大学院を運営していることです。この大学院には関西大学と近畿大学が共に参加しています。

123　日本に自然災害の恐怖があるように戦争の恐怖がある韓国

March 14, 2019

東京には日本記者クラブ（JNPC）があり、大阪には関西プレスクラブ（KPC: Kansai Press Club）があります。JNPC は全国組織で、新聞・放送・通信社や記者などが参加する会員制の非営利団体です。

KPC も JNPC と似ていますが、会員を関西地域に拠点を置く報道機関と企業や大学等に限定しています。JNPC とは別の独立した団体であり、関西からの情報発信強化をめざしています。いずれの団体も、ニュース性のある人物を招待して講演会を催すことを主な事業にしています。

関西プレスクラブの依頼を受け、３月13日「文在寅政府と韓半島の平和政策」というテーマで講演を行いました。このような講演は準備も必要なため、ふつう１ヵ月以上前に日程を決めます。私も１ヵ月以上前に要請を受けましたが、その時点で２月末のハノイ米朝会談開催も決定されていました。進展した合意に至ることが確実視されていたので、喜んで、軽い気持ちで要請を受けました。

ところが、講演会を前に事態が急反転しました。ハノイ会談は期待された合意に至らずに会談を終えたのです。このため、講演内容を当初の考えから大きく修正しなければなりませんでした。精神的な負担も大きくならざるを得ませんでした。

悩んだ末に、韓半島におけるこれまでの状況と、文在寅政権が推進する韓半島政策の内容とその背景、ハノイ会談以後の展望と日本の役割等について解説することにして準備しました。多くの国々のなかで、特に日本は韓半島の平和の流れに対し冷たい視線を送っているように思われます。このような時こそ、より積極的に韓半島で起きている変化を知らせる意味が大きいと考えたからで

郵便はがき

料金受取人払郵便

天王寺局
承 認
261

差出有効期間
2022年11月15日
まで

（有効期間中 切手不要）

5438790

（受取人）
大阪市天王寺区逢阪二の三の二

東方出版 愛読者係 行

〒

●ご住所

ふりがな
●ご氏名

TEL

FAX

●購入申込書（小社へ直接ご注文の場合は送料が必要です）

書名	本体価格	部数

ご指定書店名	取次
住所	

愛読者カード

●ご購読ありがとうございます。このハガキにご記入いただきました個人情報は、ご愛読者名簿として長く保存し、またご注文品の配送、確認のための連絡、小社の出版案内のために使用し、他の目的のための利用はいたしません。

●お買上いただいた書籍名

●お買上書店名

県　　　郡
市　　　書店

●お買い求めの動機（○をおつけください）

1. 新聞・雑誌広告（　　　　）　2. 新聞・雑誌記事（　　　　）

3. 内容見本を見て　4. 書店で見て

5. ネットで見て（　　　　）　6. 人にすすめられて

7. 執筆者に関心があるから　8. タイトルに関心があるから

9. その他（　　　　）

●ご自身のことを少し教えてください

◉ご職業　　年齢　　歳　　男・女

◉ご購読の新聞・雑誌名

◉メールアドレス（Eメールによる新刊案内をご希望の方はご記入ください）

通信欄（本書に関するご意見、ご感想、今後出版してほしいテーマ、著者名など）

す。最近、韓日関係は歴史問題をめぐって困難な時期にあります。だからこそ、日本の市民や言論人等と活発にコミュニケートする必要があるとも考えました。

講演では、日本にあまり知られていない韓国政府の考え方、大統領の哲学、政策の背景に重点を置くことにしました。例えば、日本に地震や台風などの自然災害に対する恐怖が大きいとすれば、韓国には日本の災害に相当するものとして戦争の恐怖があることを知ってほしいと考えたのです。民主主義と市場経済という共通の価値観と制度を共有する韓国と日本の協力が、韓半島の平和構築プロセスに非常に重要であることも強調しました。

約50分の講演後に設けられた質疑応答の時間、質問は予想どおり韓日関係に集中しました。私は「現在の韓日関係は天気でいえば、雪が降っている状態ですが、いつしか雪がやむ時期が必ずやって来ます」と話しました。また、基本的な歴史認識の違いがある歴史問題は容易に解決できない、互いをよく知り、協力しやすい経済・文化・人的交流をさらに強化しながら改善を図っていくことが望ましい、という意見を述べました。

プレスクラブの講演のせいか、複数の地方紙や放送局が講演内容を記事にしました。

124 朝日新聞大阪本社で藤井代表と談論風発 March 26, 2019

日本の新聞で最も長い歴史を誇る朝日新聞は、1879（明治12）年に大阪で発祥しました。ですから、ことし1月に行われた創刊140周年記念行事も、東京ではなく、大阪の中之島にある朝日新聞大阪本社で行われました。

朝日新聞大阪本社ビルは、フェスティバルシティと呼ばれる中之島フェスティバルタワー東地区にあります。四つ橋筋の道路を挟んだフェスティバルタワー西地区にはコンラッドホテル、香雪美術館ほかの文化施設、ショップやレストランなどが入っています。

二つの建物は、地上で道路を挟んでいますが、地下で通じている一つのビルタウンです。大阪のランドマークの一つ、このツインビルの所有者が朝日新聞社なのです。このビルを見ても、朝日新聞社の財力基盤の堅固さがうかがえます。

朝日新聞社の出入口は13階にあります。9階が役員室、12階から10階に編集局などを配しています。13階の出入口前には、朝日新聞の歴史を象徴する二つのものがあります。一つは創刊号を印刷した手動の印刷機であり、もう一

朝日新聞創刊号の印刷機

つは現存する最古の木板でできた新聞社の扁額です。これらの展示物を見ても、朝日新聞社がいかに長い歴史を持っているか端的に理解できます。

3月26日の訪問は、私にとって赴任直後に訪問して以来二度目の訪問になります。最初は赴任後一ヵ月も経たない時だったので戸惑いましたが、1年ほど過ぎた今、あれこれ見えなかったものが見えてきました。ふと、詩人ナテジュの詩「草花」を思い出しました。「つぶさに見てこそ美しい。長い間見てこそ愛らしい。おまえもそうだ」（「草花」ナテジュ）

今回の訪問は、前回の訪問後すぐに代表が交代したのに互いに時間の調整がつかずにいたところ、ようやく時間がとれて実現したものです。藤井龍也代表は非常に喜んで迎えてくださいました。私が新聞社出身のせいか、自由なふんい気のなかで、最近の韓日関係、米朝関係、文化交流、大阪地方選挙などの話題について、しばし談論風発となりました。

125 韓国の大阪総領事として初めて生野区役所を訪問 March 28, 2019

大阪市には行政区域として24の区がありますが、大阪市の区は東京都や韓国のそれとは法的地位が異なります。区役所の長（区長）は選挙で選ばれず、大阪市長が任命します。大阪市の区には議会もありません。

24区の一つ、生野区には植民地時代（1910－45）から在日同胞が集住しています。そのコリアタウン（旧朝鮮市場）は、平日でも韓国の文化やフードを楽しむ日本の若者たちでにぎわっています。政治的に韓日関係が悪いときでも、コリアタウンにはそれをまったく感じさせない熱気があります。

生野区の人口は現在約13万人、韓国籍・朝鮮籍の在日同胞は約２万２千人です。中国・ベトナム国籍者を含め、約２万８千人が外国人です。以前は住民の約４分の１が在日同胞でした。最近は帰化などによって割合が低下していますが、大阪の他の地域に比べ、在日が圧倒的に多い地域です。

３月27日に生野区役所を訪ね、山口照美区長にお会いしました。韓国の大阪総領事が生野区長を表敬訪問したのは今回が初めてだそうです。民間出身の山口区長は公募で選ばれ、2017年４月から現職についています。

生野区は歴史的・伝統的に同胞の集住地域なので、互いに協力し、ここを韓日協力と多文化共生の発信地にしていくよう、私は山口区長に提案しました。また、多くの同胞子弟の民族教育に格別の関心を傾けるようお願いしました。同席した呉龍浩民団大阪本部団長も、在日に対する福祉・教育・商業活動ほかの生活支援に尽力してほしい旨を要請しました。

山口区長は、生野区が大阪市で外国人の居住率が最も高い地域であることを強調し、積極的に協力する旨を明らかにしました。

126 済州四・三の71周年慰霊祭

April 3, 2019

４月に入っても寒い日が続き、ここ数日の最高気温は11－12度です。風も吹き、冬に戻ったようにも感じます。大阪の気象庁が開花宣言した３月27日から１週間過ぎたというのに寒い天候のため、あえて花見に出かける気も起こりません。開いた桜の花もまた冬のコートのなかに入ってしまうのでは、と思われるほどです。

こういう春の天候を韓国では「春来不思春（春が来たのに春らしくない)」といいます。日本にもよく似た表現があるようで､日本語の「花曇り」「花冷え」は桜が咲くころの寒い天候をいうようです。

４月３日の大阪の天気がまさに「春来不思春」であり「花曇り」でした。そんなうら寂しい天気のなか、大阪天王寺区にある統国寺で済州四・三の71周年慰霊祭が催されました。昨年11月、この寺に日本初の四・三犠牲者慰霊碑が建立されました。

大阪総領事館からも私を含め職員10人がこの地で初めて開かれる慰霊祭に出席しました。犠牲者のご家族、この地の市民で構成された慰霊祭実行委員会の関係者、民団・総連関係者を含め約50人が集まりました。統国寺の僧侶による読経に続き、順に焼香と参拝が約１時間とり行われました。

慰霊碑の前で記念写真

済州を除き、大阪が四・三事件と最も関係が深いせいか、済州KBSも韓国から取材に来ていました。慰霊祭が終わった後、インタビューの要請があり応じました。総領事館の職員が初の慰霊祭に参加した意義と、総領事館としての四・三事件の被害者に対する支援策などについて尋ねられました。私は「総領事館だけでなく、被害者、市民、民団、総連関係者がみな集まって慰霊祭を催し、いささかなりとも犠牲者とご家族の慰めになったかと思う」とし、「韓国政府の方針に沿いながら、この地の市民、ご遺族と意見を交わし、役立つ案を検討したい」と述べました。

慰霊祭を終え、遅々としていても歴史が一歩一歩前進しているのを感じました。

127 滋賀県甲賀市の信楽町にある MIHO MUSEUM　　April 5, 2019

４月４日（木）、滋賀県甲賀市、信楽町の山中にある MIHO MUSEUM に行ってきました。信楽は関西地方で陶芸村としてよく知られています。

MIHO MUSEUM は二つのことで有名です。第一に、ミュージアムの設計者が世界的に著名な建築家の中国系アメリカ人 I. M. ペイ（1917－2019）だということです。ペイは、フランスのルーヴル美術館のガラスピラミッドや米国ワシントン D.C. にあるナショナルギャラリー東館を設計しています。MIHO MUSEUM も三角構造のガラス屋根など、彼の建築の特徴をよく表現しています。このミュージアムの設計テーマは中国の桃源郷といわれ、曲線状のトンネルを通り抜けてミュージアムに至る構造になっており、桃源郷に行くような感覚を味わうことができます。

第二は、古代から現代まで、西洋から東洋まで膨大な遺物を所蔵していることです。ギリシャ、ローマ、エジプト、中近東、ガンダーラ、中国などの美術品2000点以上を保有しています。常設展示館は南館にあり、エジプト、西アジア、ギリシャ、ローマ、南アジア、中国、ペルシャの部屋に分けて展示しています。特に紀元前13世紀のエジプト第19王朝時のホルス像が有名といわれますが、私にはすべての展示品が物珍しく映りました。

MIHO MUSEUM ホールから外の景色を望む

訪問したときの特別展は、京都の名刹・大徳寺龍光院所蔵の遺物展でした。ふだんは非公開の茶道関連の宝物が多く出展されているせいか、茶道などに関心の高い日本人客が列をなしていました。特に、日本で国宝に指定されたものが三点しかないという黒の曜変（ようへん）天目茶碗（13世紀、宋）が出品され、たいへんな人気でした。

MIHO MUSEUMは、合計30万坪の敷地と展示館の床面積5800坪ほどの規模です。険しい山地に、桃源郷をテーマにこのような建築物を創ること自体が芸術だと思います。このミュージアムは、宗教団体の神慈秀明会を設立した小山美秀子（1910－2003）が1997年11月に開館しています。

128 韓日情勢に関係なく韓国修学・研修旅行を行う智辯学園

April 10, 2019

奈良県と和歌山県に小・中・高等学校を有する学校法人の智辯学園は、韓国との関係が強いことでよく知られています。1975年以後、韓日関係がよいときも悪いときも、学園の高校生は、韓国への修学·研修旅行に参加しています。

2017年からは、北朝鮮のミサイル発射など、韓半島の安全に対する保護者の懸念もあり、希望者だけが参加する研修旅行に変更しました。研修旅行の参加者は17年が20数人、18年が40数人でした。19年（7月予定）は希望者が70数人に達したそうです。学園の藤田清司理事長は、研修旅行に参加した生徒の感動が後輩に伝わることで参加希望者が急増していると説明しています。

ちょうど桜が見ごろの4月9日、智辯学園の理事長室がある智辯学園和歌山を訪問しました。韓国との関係を考えれば、もっと早く訪ねるべきところ、少し遅くなってしまいました。赴任して1年以内に訪問できたので、少しは安堵しています。智辯学園和歌山は海南市の丘陵にあり、途中の坂道に桜がきれいに咲いていました。ここに小・中校生を含め、1400人の生徒が通っているとのことです。

智辯学園が韓国修学旅行を実施するようになったのは、学園の創設者である藤田照清前理事長（現理事長の父）が、日本文化の源流が韓国にあること、日本の韓国植民地支配に謝罪することを生徒に教えるために始めたといいます。前理事長は、40周年の修学旅行のとき重病だったのを押して、酸素呼吸器を付け生徒と共に修学旅行に参加し、修学旅行から帰ったその年に亡くなられたそうです。

現理事長は、日韓間にいくつか問題があったとしても、「政治は政治、交流は交流」だとし、高校生が韓国に行って学ぶことは多いといいます。また、以前の大規模な修学旅行とは違い、小規模の研修旅行を通じて高校生がより濃厚に韓国文化に接する利点もあるといいます。特に、ホームステイの1日は、単なる旅行10日分の効果があるとも述べました。

智辯学園は高校野球の強豪としても知られ、春・夏を合わせ甲子園大会で３回優勝しています。野球の名門のため、全国から生徒が殺到しますが、和歌山県のために誘致し、和歌山の学校であるため、一年生10人の野球選手のうち他の地方からの生徒は２人に厳しく制限しているそうです。これだけ見ても、自校の特性をよく知っている学校ということがわかります。

2018年、智辯学園の野球応援歌に惚れ込み、学園と縁を結んだイチロー選手がプレゼントしたバットやグローブなどが、理事長室に大切に展示されていました。

129 韓国観光公社大阪支社主催のコリアン・ディナーショー

April 15, 2019

大阪の遅咲きの桜も終わりにさしかかった４月14日、日曜日の日中、最後の花見をしたい人に意地悪をするかのように雨が降りました。

同じ日の夕方、韓国観光公社大阪支社の主催で、大阪市内のホテルにてガラ・ディナー「コリアングルメ・ディナーショー」が開催されました。韓国料理に関心の高い40歳代から60歳代を対象に、フランス料理風にアレンジした韓国料理を紹介するイベントでした。

フランスのミシュラン・レストランや一流ホテルで働いた経験のあるシェフ、イ・スンジュン氏が来阪して料理を披露しました。ディナーが始まる前にタレントのソン・オクスクとチョン・ホジンの両氏が登場し、韓国料理をテーマにトークショーを演じました。

春雨としては強い雨が降るなか、100人を超える日本人の中年層が会場を埋め尽くしました。私も雨を押して参加し、視・味・聴覚三昧（ざんまい）を堪能しました。

ディナーが始まるとイ・スンジュン氏が登場し、「春と始まり」をテーマにした料理を一つずつ説明しました。料理を味わいながら、ゲストのソン・オクスク氏による即興インタビューも行われました。

ソン氏は初め「見た目も味もいいのですが、量がちょっと足りないのでは」と物足りないようすでした。でも、最後は「俳優は経験で演技します。今後、貴婦人役を演じるとき、きょうのこの場の雰囲気を思いながら演技します」と大満足げでした。

女優ソン氏の言葉に、この日の行事のすべてが集約されていたとも言えるでしょう。彼女は、日本の韓流ブームの口火を切った「冬のソナタ」で主人公ペ・

ヨンジュン（ヨン様）の母親役を演じ、日本の人々にもとても親しまれています。参加した人々も「韓国料理の新しい側面を知り、本当においしく大満足でした」と異口同音に話していました。韓日関係は国レベルでは難しい局面にありますが、市民レベルでは韓流がさらに多様に深く広がっていることを痛感しました。

ディナーショー前に挨拶をするシェフ

130　大阪での生活も１年、「大阪学」を勉強する　April 21, 2019

昨年４月17日に着任し、大阪での生活も１年を過ぎたことになります。会う人ごとによく大阪の印象を尋ねられます。一般的に大阪人は「情深い」といわれ、同じ関西ながら、京都の人々は排他的で自尊心が高く、早くから欧米に開港した神戸は開放的だといわれます。

このような各地域の特色は長い歴史のなかで形成されたものです。ですから「1年ほどお住みになって、大阪はいかがですか」という問いに接するたびに、困惑させられます。相手の意を察して答えなければならない困惑ではなく、実際に大阪の特性を語るほど経験がないことによる困惑なのです。

大阪のあちこちに足を運んでいたらわかるでしょうが、私の場合、１年の間にいくつかのイベントに出席し、多くの人に会った動線は点と点の移動に過ぎません。そんな部分的な経験なので、一つの都市や地域の性格を自信をもって語ることはできません。

ただ、一つだけ自信を持って言うことができます。交通秩序について、大阪は日本で最も自由な場所のようです。例えば、青信号になる前に横断歩道を渡り始め、赤信号になっても渡ります。特に自転車の暴走はスタント運転を彷彿とさせ、目を離すことができません。無断で車道を横断する人も少なくありません。こんな光景を、毎日車で通勤し、近所を散歩しながら見ています。

大阪人の言動が他の近在地域より早いのも確かなようです。東京に対する対抗意識が身についていることも人に会ってすぐ感じます。

こうして大阪の印象を尋ねられることが多い私は、大阪の特性が大いに気になっています。大谷晃一氏の『大阪学』·『続大阪学』、井上章一氏の『大阪的「おもろいおばはん」は、こうしてつくられた』を入手して読んだのも、大阪の特性を知りたいからです。いずれの書にも、私が知らなかった大阪の話がたくさん登場し、大いに勉強になりました。ただ、筆者によって見る視点も強調する点も異なります。また、時代状況に応じて解釈も違ってくるようです。

ともあれ、大阪生活も１年過ぎたので、今後は私も大阪について多少なりとも語れる見識を持ちたい、と考えています。

131 大阪韓国文化院のリニューアルオープン　May 9, 2019

４月27日から５月６日までの十連休が終わりました。仕事しながらの休みではない、十日連続して休んだのは初めてですし、今後もないだろうと思います。おかげで長い休暇を通じて心身ともに充電でき、7日から仕事を開始しました。休息は必要でよいものの、一度にあまり長く休むと作業を再開するとき負担になることも事実です。

９日午後、大阪韓国文化院のリニューアルオープン行事が行われました。大阪文化院は1998年の金大中・小渕宣言の翌年３月、御堂筋の大阪総領事館内に開設されました。その後、2007年に現在地の中崎町、大阪民団の建物に引っ越しています。

文化はソフトで明るい印象を与えますが、民団のなかの文化院は設備が古いせいか、暗くくすんだ印象を与えるという指摘が多くありました。そこで今回、巨費を投じて明るいムードで韓国文化の特性と現代性を同時に示せるよう大々的な改装を施しました。かつての文化院に行ったことがある人は、新装文化院の入口に入るや「桑田碧海」なった文化院を感じるはずです。

まず、文化院全体のムードが明るくなりました。共同で視聴できる大型フラットパネルモニターとシナジー広告パネル、韓国国立現代美術館の作品を中継で見られるモニターが目立ちます。壁面には韓国の芸術と文化を象徴する陶磁器や工芸品とK-POPスターの画像などを展示しています。

リニューアルオープン行事の当日は在日同胞、芸術・文化・マスコミなどで活躍する日本人約100人が参加し賑わいました。参加者は改装された文化院のムードに圧倒されていました。私は祝辞で「最近、韓日両国は歴史認識問題などで困難な状況にあるが、文化交流はこれまで以上に活発に行われている」とし、「このようなことを見るにつけ文化の力がいかに偉大で重要かを実感している」と述べました。また、「リニューアルしたことをきっかけに大阪文化院が関西地区から日本全国に向けて韓国文化と韓日友好をさらに強く発信する場になるよう努力する」とも述べました。

この日、韓日の美術家が10年以上続けてきた「韓日友好アートフェア」のオープニングも併せて行われ、文化を通じた韓日友好増進ムードを盛り上げました。行事後の交流会では、キムパプ・ナムル・チャプチェ・トック・プルコギなどの韓国料理が参加者を楽しませてくれました。

いくら器(うつわ)がよくてもコンテンツが貧弱だと安っぽく見えるように、カラフルにリニューアルし再始動した文化院にもそれに見合ったコンテンツが大事なことは当然です。よい器が用意されたので、優れたコンテンツで満たすことが一層大事だと思われます。

132 浄土真宗東本願寺派の大谷大学 May 15, 2019

関西には日本の他の地域より仏教系の大学が多いようです。この地域に古刹が多いことと関係が深いと思われます。

京都だけでも、仏教大学、龍谷大学、大谷大学があります。5月15日、私は大谷大学を訪問しました。昨年訪ねた龍谷大学が浄土真宗西本願寺派であるのに対し、大谷大学は東本願寺派の大学です。

この大学は、京都北方の比較的閑静な場所にあります。正門の前方には日本天台宗の本山・延暦寺のある比叡山がそびえています。キャンパスは他の大学に比べ広くありませんが、正門から入ってすぐ、1913年に完成したという尋源館の建物(文化財)が由緒ある学校の歴史を誇示しています。

この大学は1665年に東本願寺の学寮として発足しました。その後、大谷大学と改名し、1922年に宗教・哲学・文学を専攻する文科系カレッジとして新たに出発しました。2018年からは文学部だけでなく社会学部と教育学部の3部体制を整えました。人員は少ないものの、大学院課程も運営しています。学生数は約3千人だそうです。

この大学の建学理念を現代的に解釈したスローガンは“Be Real 寄りそう知性”です。木越康学長は real の二つの意味について説明してくださいました。一つは仏教でいう真理 reality であり、もう一つは現実 reality だそうです。現実と遊離しない知性を育み、人材を輩出するという意味を込めていると思われます。

登録文化財に指定された大谷大学の尋源館

この大学は、韓国との交流に高い関心を持っています。東國大学、東西大学など４大学と交流しています。交流は韓国から日本に来るケースより短期研修などで韓国に行く学生が多いといいます。最近の特徴的な傾向として、韓国について専攻していない学生も韓国語の授業に多く集まっていると、同席した一人の教授が説明してくれました。

木越学長とは、今後、大学・学術知識の交流を活発にすることが韓日関係をよくする近道との考えを共にしました。訪問を終えて出るとき、学長が１階までいらして新たに建てた近代的な建物などを紹介してくれました。次の機会に東本願寺を案内してくださるそうです。日本の仏教史を理解するのに大きな助けになると、大きな期待を寄せています。

133　OK 培貞奨学財団と金剛学園の業務協約　May 16, 2019

５月15日は韓国では「先生の日」と呼ばれます。この日、大阪の韓国系民族学校の金剛学園（趙榮吉（チョヨンギル）理事長）と OK 培貞奨学財団（崔潤（チェユン）理事長）の業務協約式が金剛学園で行われました。金剛学園の優秀な生徒と教師の誘致、韓国語能力の向上、民族意識の涵養事業などを OK 培貞奨学財団が支援する協約です。

在日同胞社会が高齢化と日本への帰化者の増加などでしだいに弱体化している状況にあって喜ばしいことです。総領事館からも私と教育担当領事が出席し、この事業を激励しました。

OK 培貞奨学財団の崔潤理事長は在日同胞３世で、OK 貯蓄銀行などを子会社にもつアフロサービスグループの会長です。韓国内外の学生や生徒に奨学金を提供する事業を精力的に展開し、2015年からは日本の韓国系民族学校５校の生徒を対象に年約６億ウォンの奨学金を提供しているそうです。

学校と民族教育の強化のため総合的な業務協約を結ぶのは、今回の金剛学園が初めての事例だといいます。この協約も、自身が在日同胞で民族教育の重要性を誰よりもよく知る崔理事長の意志により行われたとのことです。

祝辞のなかで私は「今回の協約を機に金剛学園が韓日を熟知する世界最高の人材を育成する揺籃になってほしい」と述べました。金剛学園は OK 培貞奨学財団の支援金を生徒の韓国語能力の養成に尽力する考えだといいます。言語がその言語を有する国の文化や歴史を理解するための最初の窓口という点で優れた試みだと思います。

今回の協約を機に金剛学園が韓国語と日本語、韓国文化と日本文化、韓国の歴史と日本の歴史を併せて世界で最もよく知る生徒たちの揺籃の機関として定着するよう期待を寄せています。在日同胞の未来も韓日関係の未来も、長期的に見れば教育の力に期待しなければならないと考えるからです。

134　チョ・スミと共に、大阪に響いた韓日のハーモニー　May 18, 2019

韓国が生んだ世界的な声楽家チョ・スミ（Sumi Jo）が大阪の地に立ち、大阪 NHK ホールは韓日友好のるつぼと化しました。

6月28－29日の G20 大阪サミットを控え、大阪韓国文化院は5月17日に大阪 NHK ホールで「チョ・スミと共に、大阪に響く韓日ハーモニーのメロディー」を開催しました。韓国の京畿（キョンギ）フィルハーモニー管弦楽団との共演でした。

政治的に凍てついた韓日関係の現状にあって音楽を通して両国のハーモニーを図ろうという趣旨で企画した公演事業です。公演は大成功裡に終わりました。1300席の座席が瞬く間に満席となり、終了時の夜9時半になっても、興奮さめやらぬ聴衆が席を立つのをためらうほどでした。とりわけ、チョ・スミが最後にアンコールで披露した二曲が観客を魅了しました。一曲はピアノ伴奏で日本語メモを見ながら歌う沖縄民謡「花」でした。もう一曲は、「韓日の友好を願う」という英語によるあいさつの後、「ラデツキー行進曲」を歌い、聴衆も手拍子で参加してホール全体が、アイドルグループの公演会場さながら熱く盛り上がりました。

韓国の伝統楽器ヘグム（奚琴）と日本の伝統楽器尺八の共演も感銘深いものでした。近くにいた日本人参加者も本当にすばらしい公演だと異口同音に賞賛していました。

韓日の国家間にいかなる政治的対立があっても、韓日の文化には相通じる「しっかりした基盤」があることを痛感した一夜でした。この夜、韓日市民の連帯と友好ムードを引き出した最大の立役者はカリスマ溢れるチョ・スミとすばらしい演奏を披瀝した京畿フィルと韓日の音楽家たちでした。

世界的な声楽家チョ・スミさんと共に

135　尹東柱が学友と歩いた宇治川沿いの道　May 19, 2019

太平洋戦争の末期、詩人の尹東柱は京都の同志社大学に通っていました。そ

尹東柱詩人最後の散策路を訪れて

して、1943年７月、日本の警察に逮捕されました。逮捕される直前に彼が学友と散策した宇治川べりを歩く行事が５月18日に開催されました。2017年、宇治川と志津川が出会う地点に尹東柱の詩碑「記憶と和解の碑」を建てた詩人尹東柱の記念碑建立委員会が、今回の行事を主催しました。

昨年に続いて、ことし２回目になる行事の開催時期を５月にしたのは、1943年に尹東柱の一行が宇治川でピクニックした時期に合わせたからだそうです。宇治川上流には、戦前にはなかったダムもでき、大きく変貌しましたが、今回は尹東柱たちが行ったであろうルート沿いにコースを取りました。

昨年の第１回の行事には40人参加しましたが、ことしは残念ながら半分程度しか集まりませんでした。日ざしが強いものの、雲のないピクニックびよりの天候でしたから、雨の天気予報の影響だったと考えられます。

数ヵ月前、主催者に参加を約束していた私は、時間に合わせて待ち合わせ場所に行きました。午前10時、京阪宇治駅の広場から出発し、宇治川沿いを上流に遡っていきました。川沿いの商店街を経て少し上がった右手に日本の10円硬貨に刻まれた平等院が見えます。現在、成人は600円の入場料が必要ですが、当時は塀もなく入場していたそうです。

平等院から20分余り登ると、当時尹東柱たちが最後に写真を撮った天ヶ瀬吊り橋に至ります。この写真の吊り橋の綱が尹東柱一行が宇治川に最後のピクニックに来た場所を特定する根拠になったそうです。

ここからさらに10分登ると宇治川を塞いだ天ヶ瀬ダムが表れ、今はダムの真下にある岩で一行がピクニックをし、尹東柱たちがそこでアリランを歌ったといいます。今はダムのためにアクセスできないので、私たちはダムの下を眺めながら歩き、手折った野の花を献花して不足感を慰めました。

最後の地点は詩碑のある場所です。詩碑に刻まれた「新しい道」をはじめ、いくつかの詩を韓国語と日本語で交互に読んで準備した弁当で昼食を取りました。午後に別のスケジュールがあった私は、残念ながら最後まで参加できませんでした。詩人の思い出をたどる宇治川散策行事は、これからも川のように毎年ずっと続くことでしょう。

136 日経関西版のインタビュー記事 May 22, 2019

『日本経済新聞』のインタビュー記事が22日関西版の夕刊に掲載されました。インタビューは5月8日で、掲載まで2週間要しました。

全国版ではなく関西地域版の春の紙面改編で改装されたコーナーの「関西タイムライン未来像」というタイトルです。コーナーができて3回目の掲載です。

インタビューでは、赴任後1年のあいだに感じた関西の印象と最も印象的だったこと、韓日関係の改善案、6月末に大阪で開催される主要20ヵ国首脳会議（G20）が主な話題になりました。

形式より内容を重視し、行動力が高く、開放的な関西人の気質が韓国人と似ているとして、韓国と昔から縁が深いこの地域から率先して友好を発信したいと述べました。最も印象的な場所には、韓日の過去・現在・未来が混在する生野区のコリアタウンを挙げました。

G20首脳会議の際、韓国大統領が21年ぶりに大阪に滞在する機会を生かして、韓日関係を改善してほしいという希望も述べました。 また、韓日の難しい政治状況にあっても、若者を中心に活発に行なわれている交流の重要性を強調しました。

詳細については次のリンクをご参照ください。

https://r.nikkei.com/article/DGXMZO45076710R20C19A5960E00?s=2

137 在日同胞社会の世代交代とアイデンティティ May 23, 2019

在日同胞社会における最大の悩みの一つは世代交代です。一世二世が高齢になって活動力が衰え、諸事情のため若い世代はその溝を埋められずにいます。

一世二世は韓国語もでき、祖国との絆も強いのですが、若い世代は韓国語もあまりできず、祖国との関係も稀薄です。一世二世の祖国指向が強い一方、三世以降は日本社会への定住を指向する場合が多く、日本に帰化する人も増えています。これはごく自然な現象ともいえます。

他方、以前の日本企業の年功序列と終身雇用制のように一世二世が築いてきた同胞団体に若い世代が入り込むのは容易なことではありません。

在日同胞社会が抱える世代交代とアイデンティティに関する悩みを最も痛感している人はまさに三世以降の世代の主流たる青年団体のリーダーだと思われます。

次世代同胞懇談会の様子

20日、関西地域で活動する青年団体の代表を大阪韓国総領事館に招いて、懇談会を開催しました。韓国大阪青年会議所、韓国京都青年会議所、大阪韓国青年商工会、民団大阪青年会、OKTA（世界韓人貿易協会）大阪支会、在日本ハングル学校関西協議会、関西留学生国際交流支援連絡会の代表など20人余りが参加しました。 会場は、民族学校や民族学級に通う在日同胞生徒の絵と工作などを展示する総領事館1階の会議室（夢ギャラリー）にしました。

初の試みであり、互いによく知らない参加者も多く、進行もむずかしいと思われました。実際に開会すると、常々話したかった話題が多かったからでしょうか、冒頭から重いテーマが噴出しました。在日、在日というけれど、在日同胞の範囲はどこまでなのか、在日同胞社会のなかに理念志向を異にする団体があるが、どこまで協力すべきなのか、子弟たちの韓国語教育、国際結婚した子どものアイデンティティなど、一つとして単純な問題はありません。

提起された一つ一つの問題にすぐ回答を見い出すことはできませんが、互いの問題を共有し、家に持ち帰って考える機会となったことに意義があったと述べることしかできない私は苦しくもありました。でも、このような悩みを打ち明けて話せる場が提供されたことは意味があると考えています。自由な意見交換のあと総領事館近くの韓国料理店に移動し、酒杯で親睦を深めました。食事し酒を交わしながら個人的な話をすることで、一層和らいだムードになりました。このような集まりが新しい在日同胞社会のリーダーを輩出する第一歩になることを願い、名残惜しい場を後にしました。

138 駿台観光＆外語ビジネス専門学校の韓国語科が大人気　May 30, 2019

５月28日、じめじめした雨が降るなか、大阪府豊中市にある駿台観光＆外語ビジネス専門学校を訪問しました。

この学校は、予備校を中心に幼稚園から大学まで設ける学校法人駿台学園が運営する専門学校です。駿台予備校は、名門大学に多くの学生を進学させている日本で十指に入る予備校です。韓国で大学入試が厳しかったころの鍾路学院、大成学院のようなところでしょうか。

駿台専門学校は2年制の学校で、エアライン・ホテル・ブライダル・トラベル・鉄道・英語・韓国語科を設けています。学生数は学年ごとに300人、全学で600人です。このなかで韓国語科が特に人気が高いそうです。1年生は全科目の60%に相当する180人、2年生は36%の116人が韓国語科の学生なのです。今年の入学希望者中10人は教室不足で入学できなかったといいます。

この学校の韓国語科が人気を集めたのはそう古くはないそうです。韓国語科の鄭盛旭(ジョンソンウク)部長は「2003年ごろ韓国語科を開設したとき学生はたったの4人」で、2012－13年ごろから急増したと振り返ります。和下田俊一校長も、最近の日韓関係は悪いのに、韓国語を学ぼうとする若者、とりわけ女性の熱気が高いと述べました。

韓日政府間の冷えた関係、日本のメディアの伝統的な韓国批判報道にもかかわらず、民間レベルで起きている韓流の勢いをここでも確認できました。

以前には見られなかったこのような現象がなぜ起きるのでしょうか。この学校の教員は第一にK-POPをあげました。K-POP好きの若年層が自然と韓国語を学ぶ意欲を持ったようで、スマホとSNSの力も大きいといいます。他の人やメディアに依存しないで、自ら直接情報を得るため、一般世論に左右されないで自分の好きなことをするというのです。

韓日の民間交流が活発化し、韓国語を活かした就職がしやすくなり、低価格の航空券が普及して韓国を体験する機会がふえたことも影響しているようだといいます。

もう一つ注目すべきことがあります。以前は学生が韓国語を学ぼうとしても、親を説得するのが難しかったのですが、最近は親が学生の決定を快く受け入れるようなのです。和下田校長は、子に勝てる親のいないことを実感するといいます。なお、韓国語科の学生の約半数が関西、残りの半数が沖縄をはじめ他の地域の出身者だそうです。韓国語を学ぼうとする熱気が特定の地域に限定されていないことを示しています。

韓国語を学ぶ学生の熱気を後にして雨の降る外に出ました。世の中には、既存の考え方や観念の枠組みでは捉えられないことが多々あることを改めて感じます。だからこそ、デスクより現場が重要なのでしょう。

139 G20首脳会議にちなんだ韓国文化公演の第二弾 June 12, 2019

6月28～29日に大阪で開催される主要20ヵ国（G20）首脳会議にちなんで大阪韓国文化院が企画した韓国文化公演の第二弾が12日に開催されました。

国立民俗国楽院コンサートのポスター

大阪韓国文化院と大阪民団が合同で韓国の国立民俗国楽院を招聘し、西梅田のサンケイホール・ブリーゼ（900席）で「千年の響、千年の舞」と題した公演を行いました。G20首脳会議にちなんだ文化公演は、5月17日に開催したオペラ歌手チョ・スミと京畿フィルハーモニー管弦楽団を招いて行った「チョ・スミと共に、大阪に響く韓日ハーモニーのメロディー」に続く第二弾であり、今回が最後の行事です。

前回と同じく今回も大成功でした。器楽合奏のシナウィ（俗楽の一つ、南道の巫楽）から＜パングッ（農楽）と小鼓舞＞まで七つのプログラムが90分、休憩なしに演奏されましたが、時の経つのも忘れて没頭しました。扇の舞と伽倻琴の並唱＜燕の路程記＞、南道民謡＜米搗き打令（京畿道の通俗民謡）＞の演奏中は、観客席から自然と喊声や拍子に合わせた拍手が起こりました。そして、サムルノリ（農楽）の演者の爆発的なエネルギーは会場を圧倒しました。

公演が終わって帰る人々は親指を立てて賞賛し、口々に「最高だ」ともらしていました。会場の半ばほどを埋めた在日同胞の感動したようすがとりわけ印象的でした。

今回の連続公演は、G20大阪首脳会議を控え韓国の高度の文化を韓国と関係が深い関西地域に招聘し、文化交流を通じて韓日友好に貢献しようという意図で企画されたものです。韓日政府間の関係が歴史問題をめぐってあまり良くない状況にあり、双方の市民の心をつなぐ文化交流がこれまで以上に必要なときでもあります。

今回の企画の成功には大きく二つの要因があったと考えられます。一つは韓国で最高レベルの公演団を招いたことです。文化交流が他の分野より相手国に抵抗なくスムーズに届くとはいえ、レベルが高くないとかえって逆効果になることがあるからです。

もう一つは、大阪地域の特性とニーズを反映した公演だったためだと思います。大阪には在日同胞が日本で最も多く住み、古代から韓国との文化交流が濃密な地域です。他方、東京に比べて高度の文化交流事業が法外に少ないのです。

このような事情が韓国から来た高度の公演に熱狂的に反応した背景にある、と私は考えています。

140　データサイエンス学部を有する国立総合大学の滋賀大学

June 13, 2019

６月13日、大阪から120キロ離れた彦根市を訪ねました。片道２時間の予想が、途中の道路工事と交通事故による渋滞がひどく、往復５時間道路上という疲れる旅程でした。

彦根は日本最大の湖、琵琶湖北部の東側にある都市で、江戸時代には江戸（東京）と京都を結ぶ中仙道と東海道が合流する要衝の地でした。江戸幕府の大老として日米修好通商条約（1858）により開国を断行した井伊直弼（1815－60）の出身地でもあります。彼が藩主だった近江彦根藩の城、彦根城が高くそびえています。壬辰倭乱（1592－98、日本では文禄慶長の役）の後、朝鮮通信使が江戸に赴く途中に宿泊した地としても知られています。

彦根訪問は、ここに本部キャンパスを有する滋賀大学が目的でした。日本では都道府県ごとに一つの国立総合大学があり、滋賀大学は滋賀県にある唯一の国立総合大学なのです。

滋賀大学は教育学部・経済学部・データサイエンス学部の３学部と大学院を含む学生４千人程度の大学です。教育学部は県庁所在地の大津市、本部は経済学部とデータサイエンス学部がある彦根市にあるため、遠路はるばる彦根に出かけたのです。この日の滋賀大学訪問で大阪総領事館の所轄区域にある国立総合大学をすべて訪ねたことになります。

位田隆一学長はとても熱心に大学の説明をされ、百数十年の伝統を誇る教育学部と日本最大規模の経済学部よりも、2017年に新規開設したデータサイエンス学部の説明に大半の時間を割きました。

日本の国立大学のなかで情報学と統計学を合わせた学部は初めてであり、全国的な関心を集めているといいます。定員は学年ごとに100人に過ぎませんが、北海道から沖縄まで全国の学生が集まったそうです。まだ学部卒業生は輩出していませんが、ことし修士課程を開設し、博士課程もすぐ開設するといいます。数十の日本有数企業と連携した教育にも力を注いでおり、同学経済学部を卒業して業界で活躍する中堅経済人から多くの支援を受けているそうです。カタカナ表記の学部を有する唯一の国立大学という説明も忘れませんでした。いかにデータサイエンス学部に傾注しているかありありと感じることができました。

滋賀大学は、韓国の啓明・大田大学と交換学生派遣などの交流をしており、データサイエンス分野では最近、崇實大学と交流しているとの説明もありました。将来、データサイエンス学をはじめ、韓国の大学と活発な交流をしたいと位田学長は意欲を見せていました。

141　在日詩人金時鐘氏の渡日70年記念シンポジウム　June 17, 2019

６月16日（日）、在日同胞詩人金時鐘（キム シ ジョン）氏（1929－）の生誕90年と渡日70年を記念する国際シンポジウム「越境する言葉」が開催され、金時鐘氏の招待を受け参加しました。

会場がちょうど家から近い大阪大学の中之島センターだったので、昼食をすましてからゆっくり歩いていきました。午後２時からのシンポジウムだというのに、開始30分前には同氏を敬愛する日本人と在日同胞が会場を埋め尽くしていました。

金時鐘氏は、日本で活躍している在日同胞の詩人のなかで最も広く知られ評価されています。大学で彼の詩を研究して博士号を取得した人や、いま博士論文を執筆中の人もいるといいます。金時鐘氏の評価は、最近、韓国でも高く、数年前から同氏の詩やエッセイなどが活発に韓国語に翻訳され出版されています。

金時鐘氏は、済州四・三事件（1948－54）と切っても切れない縁を持っています。日本に四･三事件と関連した小説家として『火山島』の著者金石範（キムソクポム）氏（1925－）がいるとすれば、詩人として金時鐘氏が挙げられます。四・三事件に関与した同氏は1949年５月26日、済州島から密航船に乗って日本に渡り、６月６日ごろ神戸近くの海岸に到着したそうです。その月をシンポジウム開催日にした

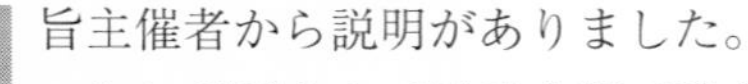
旨主催者から説明がありました。

シンポジウムでは日本語で詩を書く在日同胞詩人金時鐘の詩の世界を「辺境」という視点から多角的にみる試みが行われました。若い在日同胞詩人の丁章（チョンジャン）氏は「金時鐘の詩が私の心の支えだった」とし、「在日韓国人の言葉としての日本語」に注目しました。日本人の日本語ではない、在日の言葉としての日本語で書かれた詩が日本でも韓国・北朝鮮でも独自の優れた詩の世界

自作の詩を朗読する在日詩人金時鐘先生

を形成しているように思う、と述べました。

シンポジウムの最後に金時鐘氏が講演を行い、過去の歴史を無視する日本社会の現実を批判し、自作の詩をいくつか暗誦しました。齢(よわい)90歳にもかかわらず、力強い声で時にウィットを織り交ぜて話す姿に聴衆も拍手で応えました。

シンポジウムの冒頭、私は金時鐘氏に初めてお会いしたときに受け取った『朝鮮と日本に住んで』韓国語版に同氏が「故郷がいつも海の向こうにある者にとって、いつしか海は願望でしかなくなった」という文を書いているが、いつかその願望が海を渡り、故郷に届くことを願うと述べました。

一人の詩人の存在と詩と言葉がいかに世界を刺激し変化させられるかを痛感した行事でした。

142 過去の枠組みでは捉えられない韓日の新潮流 June 21, 2019

6月28～29日、大阪で主要20ヵ国（G20）首脳会議が開催されます。大阪市内は今その準備で忙しくしています。日本全国津々浦々からやって来た警官が道路をふさいで安全点検をしたり、主要施設などをパトロールする姿を目にします。

文在寅(ムンジェイン)大統領もこの会議に出席するため来阪します。2011年、李明博(イミョンバク)元大統領が京都で野田佳彦首相と首脳会談した後、大阪に短時間立ち寄って在日同胞と懇談会を催して以来、8年ぶりの韓国大統領の大阪訪問です。大阪に滞在するのは1998年の故金大中(キムデジュン)大統領以来21年ぶりのことです。

よく知られているように大阪は韓国と縁が深い地域です。日本で在日コリアンが最も多く集住し、韓国人観光客が世界で最も訪ねたいところ、最も多く来訪するところであり、歴史的には古代から韓国との文化交流が盛んなところです。

このような観点からも、今回の文大統領の大阪訪問は意義深いものです。韓日においては政府間の関係が歴史問題などによって冷え切った状態にあり、文大統領の今回の訪問に対する関心が高まっています。

文大統領の大阪訪問を前に、私が1年余り関西地域を回って感じた韓日の新たな潮流について『京郷新聞』に寄稿し、21日付同紙に掲載されました。ご一読いただければ幸いです。

【京郷新聞への呉泰奎(オテギュ)氏の寄稿（翻訳）】2019.6.20

過去の枠組みでは捉えられない韓日の新潮流

最近の韓日関係は「1965年の韓日協定の締結以来最悪」という言説が韓日

の上空を転回しています。昨年10月末の韓国大法院（最高裁）における強制動員労働者に対する日本企業の慰謝料支払い判決をきっかけに、日本の官僚や政治家、学者、メディアが提起し始めた、このような主張が韓国内にも広がっているようです。
政府間の関係だけをみると、最悪とまではいかないにせよ、かなりよくないのは事実です。ただし、政府間を超えた民間や地方自治体にまで視野を広げると、以前とはまったく違った様相が見えてきます。
僅か数年前までは、韓日関係は政府間の関係が冷え込むと、民間交流も地方自治体の交流も中断されることが不文律のようになっていました。ところが、最近は政府間関係が冷えても民間までは冷えずに温かい、「官冷民温」ともいうべき現象が起きています。「韓日関係は最悪論」はこのような潮流を見落としているといえます。
昨年、韓日の人的交流が史上初めて１千万人を超えました。日本から韓国に行った人 295 万人、韓国から日本に来た人 754万人です。過去の枠組みでみれば、大法院判決があった昨年10月末を起点に韓国を訪問する日本人の数が急落するのが常でした。李明博（イ ミョンバク）元大統領が2012年に独島を訪問した翌13年から訪韓日本人数が急落したようにです。しかし、韓国観光公社の統計によれば、訪韓日本人は昨年11 月と 12 月に前年同期比でそれぞれ45%、33.5%増加しました。ことしも５月まで月平均約28%増え続け、３月の訪韓日本人は 375,119 人を数え、月間訪問者数の過去最高を記録しました。
大阪市生野区には 100 年前から在日同胞が集住し、かつては全人口の約４分の１が在日だったといいます。全長600mほどの御幸通りに面したコリアタウン商店街の両側にはキムチ、K-POP スターのグッズ、チーズホットドッグ、トルネードポテト、韓国化粧品を扱う店や韓国料理店が120 店ほど軒を連ねています。曜日に関係なく10代20代の日本の若者が韓国の大衆文化と味覚を楽しもうとして押し寄せ、通行が困難なほどです。商店街が満杯状態となり、トイレの処理能力が追いつかない、と店主たちは悲鳴をあげています。
先月28日、大阪市付近の豊中市にある韓国語教育が盛んな専門学校を訪問しました。この学校は15年前に僅か４人の受講生で韓国語科を開始したそうですが、いまや７つの専攻科目を有する学年定員 300 人に対して、１年生は全体の60%、２年目は40%が韓国語科の学生になっています。ことしは韓国語科の志願者10人ほどが施設収容能力のため入学できなかったほど韓国語の人気が年々高まっているというのです。かつて韓国語を学ぼうとする学生は親を説得するのが難かしかったのに、今はそんな親は稀だと学校の関係者は説明しています。

地方自治体の関係者も異口同音に政府間の関係が悪い時期だからこそ自治体の交流を強化しようと言います。このような現象は、明らかに以前とは質的に異なった韓日交流の新たな潮流です。既存の官僚や政治家、メディアや学者たちには捉えられない水面下で、大衆文化と双方に対する多様な好奇心に根ざし、確たる価値観を持った若者たちが、もはや逆流しようのない双方向の交流を作り出しているのです。その間口があまりに広くて深く多様なため、全貌を把握するのさえ難しい状況にあります。

もちろん「民温だから官冷のままでよい」と言うのではありません。官は、これらの潮流がさらに進展するように支援しなければなりません。今月28～29日に大阪で開催される主要20ヵ国（G20）首脳会議に文在寅（ムンジェイン）大統領が出席します。韓国大統領として8年ぶりに訪問する大阪は、日本で在日同胞が最も多く住む地域であり、韓日交流の歴史が最も古く、韓国人観光客数が最も多いところです。両国政府が韓日交流の中心地・大阪において新潮流に沿った新たな友好協力の里程標を打ち立てることを期待してやみません。

143　二日後に迫ったG20サミット

June 25, 2019

いよいよ二日後に迫ったG20サミット。40日前、総領事館のエレベータと事務室前に掲げた準備作業カウントダウンの表示は、けさD－2になっていました。

D－2のD－dayは主要20ヵ国大阪サミットに参加する文在寅大統領が大阪に到着する日を意味します。

文大統領は6月27日から29日まで2泊3日の予定で大阪に滞在します。到着日の27日には、初の公式行事として在日同胞との懇談会を開催する予定です。

G 20開催をカウントダウン

韓国の大統領の来阪は、

2011年12月の李明博大統領以来８年ぶりです。李大統領（当時）は、野田佳彦首相（当時）と京都で首脳会談に臨んだ後、短時間大阪に立ち寄り、大阪民団本部の建物で開催された在日同胞との懇談会に出席しました。

韓国大統領の大阪滞在は、1998年の金大中大統領以来、実に21年ぶりのことです。

日本全域の約４分の１が住む関西地域の在日同胞にとって、韓国大統領の久々の訪問だからこそ感慨深く、期待も大きいのです。大阪総領事館としても、滅多にない超VIPの歓迎に多忙を極めています。今週から、サミット準備のためソウルと東京から多くの応援スタッフが参加しています。

大統領の久々の大阪訪問にふさわしく、大勢の同胞が参加する懇談会を開催する予定です。大阪の在日同胞を中心に、東京ほかの地域を含めて全400人を招待し、８年前に比べ約二倍の規模です。できる限り同胞社会全体を代表するよう、さまざまな分野で活躍する老若男女をあまねく招待するように努めました。

韓日の政治関係は冷えていても民間交流は温かい「官冷民温」の時期であるだけに、文大統領の今回の訪日には韓国内外で多大な関心が寄せられています。

大阪総領事館の全スタッフは「在日同胞は癒しを受け、韓国政府は支持を受けて、今後の韓日関係の起点」となるような在日同胞懇談会にすべく、最終段階の準備に当たっています。

144　暴雨に始まり曇り空で終わったG20大阪サミット　June 30, 2019

文在寅大統領夫妻を激しい雨のなかで出迎え、曇り空の上天気のなかで見送りました。６月27日から29日、韓国大統領が出席した主要20ヵ国地域（G20）大阪首脳会議は、私にとって暴雨に始まり、曇り空で終わりました。

写真と映像、記事だけで見ていた首脳陣の華麗な外国訪問が、いかに多くの人々の準備と努力、緻密な段取りで運営されているか、まだ２年生の総領事としてありありと実感しました。例えば、首脳たちの到着と出発、出迎えと行事、歓送迎の準備にせわしく動き回る多くの人々が努力する姿は、単に舞台上の俳優のために動き回る舞台裏の人々のようには見えません。大型行事を遺漏なく推進するために汗水流す韓日双方の関係者の尽力と労苦に対し、改めて頭を垂れ感謝したいと思います。

約２ヵ月前から内部で準備してきた行事が終わったいま、疲労感と虚脱感が押し寄せてきます。総領事として在任中になかなか経験できない大型行事を無事に終え、達成感も感じます。

今回の韓国大統領の大阪訪問で総領事館が最も準備に苦心した行事は、27日夕刻に開催された在日同胞との懇談会でした。韓日関係がよくないなか、８年ぶりに開催される行事であり、とりわけ準備に力を注ぎました。

在日同胞懇談会会場に入られる文在寅大統領

できる限り在日同胞社会の全体を代表する各界各層の人々を招き、ハーモニーの場を提示しようと試みました。韓国人としてのプライドと韓日関係の友好の必要性が浮き彫りになるような集いになることを意図しました。

幸い、全体として満足のいく行事になったと確信しています。文大統領は激励の辞で同胞の痛みを癒やし、これまでの貢献を賞賛しました。同胞たちは韓日関係悪化のなかでの困難な生活を訴えながらも、大統領の言葉に大きな拍手で応え支持の意を示しました。白頭学院建国学校の伝統芸術部の迫力あふれる公演は、在日同胞の未来が一枚岩であることを示唆するものだったと思います。

不十分だった点がないわけではありません。文大統領が「いかなる困難にも揺るがない韓日友好関係の構築」を強調したにもかかわらず、安倍晋三首相に無視され、今回の会議では略式会談さえ開催されませんでした。一方で５月から北朝鮮の金正恩委員長に「前提条件なしの対話」を強調しているにもかかわらずです。

仔細に見ると、長い準備にもかかわらず脱落したこともあり、十分にできなかったと自責の念に駆られることもあります。人の営みに100％完璧なことはない、と痛感します。それを自覚しながら完璧を追い求める姿勢が最終的にミスを最小限に抑える方法ではないか、そんなことを悟った、短くも長い２泊３日でした。

145　多様な分野の同胞代表が文大統領夫妻と共にメインテーブルに

July 1, 2019

６月27日夕方、大阪城近くのホテルニューオータニで文在寅大統領と在日同胞との懇談会が開催されました。直前の韓中首脳会談が長引いたため、予定の６時30分より７分遅れて始まりました。

今回の在日同胞懇談会は「在日同胞の首都」と呼ばれるほど在日同胞が多数

大統領同胞懇談会での建国高校伝統芸術部公演

集住する大阪で８年ぶりに開催されることもあり、高い関心を呼びました。韓日の政府関係がよくない状況下、在日同胞たちがどんな発言をし、大統領がどんなメッセージを送るかも大いに注目されました。

結果的に懇談会はとても和やかなムードのなかで行われました。行事中、参加者が大統領夫妻を背景に記念写真を撮ったり、数名が無遠慮に大統領の席に近づいて挨拶を交わそうとするなど、警護員たちが汗をかかされる場面もありました。これらすべてが権威主義的な政権下では想像できない「キャンドル政権」ならではの特徴ではないか、と私は肯定的に捉えています。

今回の懇談会のキーワードは、ハーモニーと未来だと思います。民団幹部を中心に行われた過去の懇談会とは異なり、いま各界で活躍する同胞たちが等しく参加するハーモニーの場となったからです。軍事独裁政権時代に捏造されたスパイ事件で死刑又は無期懲役を宣告された在日韓国良心囚同友会の李哲（イチョル）代表と韓国又石（ウソク）大学の徐勝（ソスン）客員教授が大統領夫妻と共にメインテーブルに配席されたことがすべてを象徴しています。

白頭学院建国学校の伝統芸術部の生徒のきわめて印象的なパフォーマンスは参加者、殊にソウルからの代表団を感動させました。会場の背景に民族学校や民族学級の生徒たちが描いた「大韓民国」という文字をデザイン化した同胞たちの肖像画は、次世代同胞の明るい未来を示していました。

懇談会を支配したもう一つのキーワードはプライドではないかと思います。厳しい環境にあってもルーツを守り、祖国に物心両面の貢献をしてきた在日同胞を支えたのは、まさに韓国出身というプライドだったと思われます。だからこそ「同胞のみなさんが祖国の発展に誇りを持てるように努めます」という文大統領の最後の激励の言葉に一層反響があったのです。

準備段階を通じて懇談会に参加して感じたことを『ソウル新聞』(2019.7.1)に寄稿しました。

146 韓日「歴史葛藤」の中、雨森芳洲庵を再訪　　July 24, 2019

７月23日、滋賀県の長浜市高月町にある雨森自治会を訪ねました。大阪から車で途中休憩なしに２時間かかる遠いところです。

壬辰倭乱の後、徳川幕府と朝鮮王朝の和解親善に尽力した雨森芳洲（1668－1755）は、この町で生まれました。ここに生まれたものの、主な活動は江戸と対馬だったので、住んだ期間はほとんどありません。

それでも、この町の人々は雨森芳洲庵を建て、町が輩出した偉人の意をよく継承しています。この建物には、芳洲翁が同行した朝鮮通信使の記録のほか、翁が著した朝鮮語テキスト、朝鮮通信使関連のミニチュア人形などが展示されています。

「互いに欺かず争わず真実を以て交わり候を誠信とは申し候」という芳洲翁の唱えた「誠信外交」の精神を受け継ぎ、いまも青少年交流などに力を注いでいることが重要だと思います。

芳洲翁は当時の最も優れた朝鮮専門の外交官であり、知識人だったといわれます。韓国語に通じ、その文化にも精通して、朝鮮の官吏や知識人との交流も深かったといいます。壬辰倭乱後、その傷痕を癒し双方の友好親善を深めるため朝鮮が派遣した朝鮮通信使に２度同行しています。

この日、雨森自治会を訪れたのは、昨年の今ごろ訪問したときに町の人々と約束したからです。20年前から韓国の学生が訪れ、高月町の高校生と交流しているので、激励してくれたらありがたいという言葉があり、私も快諾して再訪を約したのです。

溝が深まっている韓日対立のさなか、この日、韓国の学生30数人が訪れ、滋賀県立虎姫高等学校の生徒10数人がハングルで書かれた横断幕を持って彼らを温かく迎えました。

政治問題は政治問題として解決しつつ、他の分野の交流をさらに活発にしようと、私はかねてより主張しています。安倍首相による「一線を越えた経済報復」が民間交流にも悪影響を及ぼしている今の状況はあまりにも複雑です。長期的には政治状況に揺

雨森芳洲庵を訪れた韓国の生徒達

るがない民間交流を活性化すべきであり、青少年交流はとりわけ意義深いものです。

韓日の学生たちに対し、芳洲翁の精神を踏まえながら、今回の交流会が困難な現状にある韓日関係をいかに克服するかを考える時間になるよう期待すると話しました。

大阪までの遠路を考え、学生たちが対話するようすは見ずに帰途につきました。

147 夏の甲子園にあと一歩届かなかった京都国際高校 July 28, 2019

惜しかった、本当にくやしかった。帰り道、いつまでも去り難いほどだった。

大阪総領事館の管轄地域にある民族学校三校の一つ京都国際高等学校が甲子園進出の一歩手前で夢を果たせなかったのです。

28日午前、京都市のわかさスタジアム球場で行われた第101回日本高校野球選手権大会（甲子園大会）の京都大会決勝戦で京都国際高等学校が立命館宇治高等学校と接戦の末、2対3で惜しくも敗れました。7回まで2-0でリードし、8回に2-2の同点を許したあと、9回裏に点を入れられ「さよなら負け」を喫したのです。1回と2回に1点ずつ入れ、ずっとリードしていながら逆転負けしたので、選手だけでなく応援の生徒や教師、在日同胞たちは本当に悔しがっていました。

甲子園の出場権がかかった京都大会の決勝戦は、もともと27日午後1時に開かれる予定でしたが、台風6号の影響で一日延期され、28日午前10時から行われました。27日、私は応援のため家を出ましたが、途中で延期を知り、引き返しました。翌朝、出直して教育担当領事と一緒に応援に出かけました。球場に到着すると、学校関係者だけでなく、地域の同胞たちが応援席を埋め尽くし熱っぽく応援していました。

結果的には総合的な力が及ばなかったのでしょうが、京都国際が甲子園に出場していたら、在日同胞の歴史に新たなページを記したはずだと思うと、この上なく悔しいのです。甲子園大会に日本の高校に通う在日同胞の選手が出場したことは以前にもありますが、民族学校のチームが出たことはありません。最近、韓日関係が良くないため同胞も心配が多く、そんなストレスを解消する絶好の機会を眼前で逃したという思いも少なからずあります。

1947年、在日同胞が民族教育のために設立した京都国際学園は、2003年に日本政府から高校教育課程の一条校として認可されました。現在、中高課程を運営し、日本の教育課程に沿った教育のほかに韓国語・韓国文化・韓国史を教えています。韓国籍と日本国籍の生徒が一緒に通っており、校歌は設立時の韓国語の校歌を歌っています。甲子園では試合が終わった後に勝った高校の校歌をNHKが生中継で流しますが、その「歴史的な」機会も次回まで延期されることになりました。

でも、失望してはいません。京都大会に出場した77校のなかで準優勝しただけで大したことなのです。京都国際はことしの春季京都大会でもすでに優勝しています。他校より歴史も浅く野球部員も特に選ばれた者ではない、限られた劣悪な環境のなかでつかんだ成果なので、なおさら貴重です。韓国の諺に雲多ければ雨降るというとおり、これまでの実績があれば次は甲子園の地を踏むに違いない、と私は見ています。今回の惜しくも悔しい敗北がより大きな成長の肥(こや)しになると信じて疑いません。

148 釜山－大阪を海の道でつなぐサンスターライン創立20周年

August 10, 2019

韓国系海運会社の日本現地法人第1号、サンスターライン（会長：金泫謙(キムヒョンギョム)、社長：野瀬和宏）が、8月8日に創立20周年の記念行事を開催しました。

20年前に大阪の小さな事務所で5人の従業員が起業した会社が、今や大阪本社、東京・名古屋・石川・下関に支店等を持つ従業員86人、年商約50億ウォンの企業に成長しました。

同社は外航貨物の定期船業のほか、通関業務・鉄道輸送事業・旅行業・バス事業等も行い、釜山・大阪間のパンスタークルーズ船を週3回運行しています。昨年9月、台風21号により関西国際空港が閉鎖されたときには、足止めされた韓国人旅行者の多くを帰国させました。

20周年行事の祝辞要請を受け、会場のホテルニューオータニ大阪に行きました。日本の対韓輸出規制強化により韓日関係が非常に困難な状況にあるため、行事開催を心配しましたが、会場に到着するや、まったくの杞憂だったことがわかりました。行事開始前からサンスターライン関連の海運業・製造業などの業界関係者、地方自治体の人士等数百人が会場を埋めていました。

政治状況が厳しくても、汗と利害で結ばれた関係は想像以上に強靭だと感じました。金会長も挨拶において、過去にあったいくつかの困難のなかでも日本側関係者と協力しながらここまで発展してきたとし、現今の困難も「また過ぎ去るだろう」と述べました。会長が挨拶を終えて降壇すると、日本の多くの関係者が声をかけていました。事業で結ばれた関係の底力をみたように思いました。

困難な韓日関係のなか、公開の場で挨拶するのはなるべく避けたいことです。ただ、現在の対立状況について一言も言及しないのはあまりに安直であり、直接言及するのは会場のムードにそぐわないでしょう。悩んだ末に最近の状況について以下のことを述べ、祝辞としました。

最近、韓日間には高い波が打寄せています。遺憾ながら、政治的な対立が経済分野にまで及び、困難が生じていることは否定しようがありません。しかし、サンスターラインの20年が象徴するように、両国は離れようとしても離れられない関係でつながっています。

今襲っている高い波にひるまず、さらに果敢に粘り強い姿勢で荒波を克服しなければなりません。眼前に多くの障害があるとはいえ、韓日には1500年以上連綿と続いた交流の歴史があります。短い対立があっても、長い友好の時代があったことを忘れてはなりません。

149 悪化の一途をたどる韓日関係の中での光復節行事 August 19, 2019

大阪総領事館の管轄地域内の民団がことし主催した光復節の記念行事は、例年と違っていました。

二つの要因がありました。一つは８月15日に関西を含む西日本地域を縦断した台風10号の影響です。この台風のため、15日に開かれる予定だった光復節の記念式典が延期またはキャンセルされたことです。

もう一つは、昨年10月末の韓国大法院（最高裁）による強制動員労働者（徴用工）の慰謝料賠償判決と７月の日本政府による半導体原料の対韓輸出規制強化から悪化の一途をたどっている韓日関係です。韓日政府の激しい攻防のなか、民団幹部をはじめ在日同胞たちは、光復節の大統領祝辞がどんな内容になるか、例年より大きな関心を寄せていたのです。

台風のため大阪民団は16日午後、京都民団は17日午後、滋賀民団と奈良民団は18日午前にそれぞれ行事を開催しました。管轄地域において最も台風の影響が大きかった和歌山民団はすべての行事をキャンセルしました。民団関係者によると、台風などの天候のために光復節の行事を当日に中止したのは今回が初めてだそうです。

大阪総領事館は、土曜・日曜に領事が分担して４つの行事に参加し、例年と同じく大統領の祝辞を代読しました。私は大阪と京都の行事に参加しました。

行事が延期され、出席者が少ないと思われましたが、ほぼ例年並みの同胞たちが参加しました。最近の韓日関係の悪化に過敏になっている同胞たちは、大統領の祝辞を非常に集中して聞いていました。そして対立より協力と対話、経済を強調した祝辞の内容に安堵していました。

大阪民団主催の光復節記念行事

今回の光復節の行事が台風で延期されたせいで、予想外の効果もありました。大統領祝辞の内容を日本語に翻訳して配布したので、韓国語を理解できない同胞たちに確実に韓国政府の意向を伝えることができたことです。従来は、当日朝にスピーチ原稿を受け、会場にせわしく行き、代読するだけでしたので、参加者からよくわからないという声があったのです。

それで思いついたのですが、今後、日本の光復節行事は一日ほど後に実施してはいかがでしょうか。

150 台風で1日遅れた浮島丸犠牲者74周年追悼式 August 25, 2019

京都府舞鶴市で開催される浮島丸の爆沈「犠牲者」の追悼式に、昨年に続き出席しました。昨年は台風の影響で船の沈没当日（1945.8.24）に実施できず、翌8月25日に開催しました。ことしは事故当日の24日に74周年追悼式を開催しました。

舞鶴市民で構成される「浮島丸殉難者を追悼する会」の主催行事であり、正式名称は「浮島丸殉難74周年追悼集会」といいます。韓国では使わない「殉難」という言葉に違和感があります。韓国語で「殉国」はよく耳にしますが、「殉難」はほとんど聞かないからです。

辞書には「国家や社会の危難に遭い命を捧げる」とあります。浮島丸の爆沈「犠牲者」を、このような辞書の意味において「殉難」と呼ぶことは適切でしょうか。故国（韓国）への帰途、原因不明の爆発によって死亡した、理不尽な「事故」の犠牲者なのです。「犠牲者」と呼ぶべきだと、私は考えています。

とにかく、今回も大阪から150キロ、乗用車で片道2時間半かかる会場に行ってきました。幸いなことに、ことしは天気がよく、殉難碑から望む事故の海域

浮島丸殉難の碑に献花する筆者

も湖のように穏やかでした。

最近の韓日関係の緊張した局面の影響が行事に及ばないか心配しましたが、杞憂に終わりました。むしろ、昨年より100人ほど多い約300人が参加し、盛況だったからです。前年どおり、行事は主催者による追悼の辞、総連と民団代表による追悼の辞に続き、献茶、追悼の舞、追悼の花束投げ入れの順に進行しました。

日本で開催される行事において、同胞たちの追悼の辞はふつう日本語で行われますが、この行事では民団と総連の代表いずれも韓国語で行うのが、注目されます。行事の内容は日本の市民団体が主催し、献茶と追悼の舞は民団組織が担い、追悼歌は朝鮮学校の生徒が合唱します。毎年、この行事には韓国労総と民主労総所属の労働者が参加しています。ことしも両労総から40人余りが参加しました。

韓日関係の難局にあって、日本の市民、民団・総連系同胞、韓国の労働団体等が一体となって行う行事を見ながら、格別な感慨が湧いてきました。「冷たく膠着した地平からはよく見えなくても、歴史から学び、そこから前進しようとする水流が脈々と流れている」と。

帰りに舞鶴港を見下ろす丘にある五老ヶ岳公園内にあるスカイタワーに登り、港湾の全景と事故の発生場所などを望みました。

151　電子デバイス産業新聞のサンスターライン記念式関連記事（転載）

August 26, 2019

1500年以上に及ぶ韓日の交流の歴史、そのなかのごく短期間の対立という認識が必要

サンスターライン創立20周年記念に寄せた韓国総領事の感動スピーチ

（8月23日付『電子デバイス産業新聞』の記事を転載しています）

「今の荒波に屈することなく、より強いチャレンジ精神と、より粘り強い心構えでこの波を乗り越えていきましょう。目の前にはたくさんの障害物が見えていますが、韓日は1500年以上の深い交流の歴史があるのです。その中で非常に短い葛藤はありますが、長い友好の時期があったことを忘れないでください」

この挨拶を聞きながら、筆者の心の中にはある種の感動の波が訪れていた。これは、大阪におけるサンスターライン創立20周年記念式典において駐大阪大韓民国総領事館の総領事である呉泰奎氏が語った祝辞の一節である。2019年8月8日のことであった。まさに韓日経済戦争ともいうべき状況が激化しているなかにあっての発言であるだけに、聞いている人たちの多くは驚きながらも皆、深く頷いていた。

それはそうだろう。いかなる理由があっても、隣国同士が歯をむき出しにして醜くののしり合うことが、よいことだとは誰も思っていないからだ。もっとも8月15日の光復節において、韓国の文大統領はかなりトーンダウンした発言を行い、「日本からの呼びかけがあればいつでも回復と友好の道は開かれている」というような挨拶を行った。反日不買運動などの盛り上がりに対して、少し諌めるかのような口調であったのだ。

さて、サンスターラインは、韓国におけるパンスターグループの日本におけるカンパニーである。1999年に日本現地法人として事業を開始し、まずは釜山・大阪間の船の運航で地歩を築いた。2010年には釜山・大阪クルーズは乗客1000万人を突破した。その後、東京、名古屋、金沢、さらには下関などの日本各地から釜山につながる運航を次々と確立し、韓日物流の大動脈を築いていく。自社によるフェリー船舶で韓日間を18時間で運行するなどの超特急サービスが功を奏し、半導体製造設備、建設機械、プレス機械などコンテナで不可能な貨物に対しての定期輸送を可能にしていった。

言うまでもなく、韓国の貿易依存度は非常に高く、2017年段階で67.6%にも達している。貿易のうち輸出だけを見ても韓国の輸出依存度は37.7%もあり、まさに韓国経済の動脈線ともなっているのだ（ちなみに日本は内需中心の国であり、貿易依存度は27.4%、輸出依存度については14.1%しかない）。

昨今の輸出管理を巡る問題で韓国政府はかなり大騒ぎしているが、ある種それは無理もない。韓日間での輸出不振からくるGDPへの影響度が、韓国の方が日本より1.7倍大きいからだ。もちろん、韓国と日本をつなぐ半導体製造装置の輸送などを主力とするサンスターラインにとっては、この韓日政府の対立は実に困ったものだと言ってよいだろう。

「サンスターラインの20周年が象徴しているように、韓国と日本は切っても切り離せない緊密な関係にあるのです。相互3位規模の貿易相手国であり、2018年には人的交流が史上初の1000万人を突破しました。皆さまもご存じのように、最近、韓日の間には荒波が立っています。残念ながら政治的な葛藤が経済分野にまで広がり、韓日関係全般が冷え込んでいるのは事実であります。これはたいへん残念なことです。どうあっても克服しなければなりません」

ちなみに、大阪港を利用する訪日客の約８割は韓国人が占めている。つまりは、サンスターラインが絶大的に寄与している。とりわけクルーズ船のパンスタードリーム号は釜山と大阪を行き来しながら、韓国および関西間の人的交流に大きく貢献している。2018年９月に台風21号が発生した時には、韓国観光客のための災難救護船の役割も十分に果たしたことで、大阪観光局から感謝状も授与されている。

それにしても、この記念式典は実に楽しいものであった。韓日政府が激しく対立しているというのに、民間の人的交流はいささかも傷ついていないとの印象があった。サンスターラインの代表取締役社長である野瀬和宏氏は「一日も早く、今回の韓日政府間の紛争が終息することを願っている。両国ともに発展するという基本的な思想はいささかも変わっていないのだ」とコメントしていた。ちなみに、品質もデザインも世界最高クラスのユニクロの不買運動が韓国中で起きているというが、アマゾンなどのユニクロのネットセールスでは韓国ユーザーが殺到し、買いまくっているという事実は、誰にも否定できないだろう。

泉谷渉（いずみや わたる）産業タイムズ社社長

152 日本女性の共感を巻き起こした『82年生まれ、キム・ジヨン』

September 3, 2019

韓国女流作家の著『82年生まれ、キム・ジヨン』が、日本で静かにブームを引き起こしています。昨年、筑摩書房から翻訳出版されたこの小説は、これまでに10刷13万5千部を販売し、近年、日本で翻訳出版された韓国の小説のなかで最も多い売れ行きだといいます。 出版社によれば、ことし上半期の海外翻訳小説でもダントツ１位を記録しているそうです。

８月31日、こうした日本における人気に乗って、この小説の著者チョ・ナムジュ氏が京都にやって来ました。大阪韓国文化院が同志社大学で開催した韓国文学トークショーに、翻訳者の斎藤真理子氏とともに参加するためです。

祝辞を述べるため参加した私ですが、残念ながら、その日の夕方に抜けられない他の行事があり、挨拶するとすぐショーの導入部だけ見て去りました。

ただ、会ってみたい作家だったので、行事の開始30分前に行き、事前準備中の作家ほか関係者と挨拶を交わしました。土曜日の午後３時に始まる行事にもかかわらず､500人の観客が会場のホールを埋め尽くしていました。 もちろん、大半が女性でした。

挨拶で「この小説が韓国と日本の若者たちが共通して直面する女性差別の問題を扱っており、日本の読者も共感することと思います」「日本と韓国では若い人ほどジェンダーや健康、教育、環境問題など、悩み解決すべき問題が多いように思います」と話しました。

この行事が、かつて尹東柱（1917－1945）、鄭芝溶（1902－1950）が通った同志社大学、とりわけ創設者の新島襄先生（1843－1890）が教育目標として強調した「良心」という名のついた良心館で開催されることも意義深いと述べました。

ショーの導入部で去り、後の状況が気になりましたが、最後まで、ほとんどすべての人が席を立たず、作家チョ氏に対する質問も多かったといいます。作家も翻訳者も大いに満足だったといいます。

韓日関係が困難な状況にあっても、両国を結ぶ動きはどこかで続いている。そのことを確認させる貴重な機会でした。

153 デザインと建築など芸術性を兼備した工業大学：京都工芸繊維大学

September 5, 2019

9月5日、京都市の京都工芸繊維大学を訪問しました。京都大学、京都教育大学と並ぶ京都市にある国立大学の一つです。京都には33の4年制大学を含む44の大学があります。

大学名の「工芸」「繊維」からその特徴を推量するのは難しいのですが、同学の英語名 Kyoto Institute of Technology（KIT）を知ると、大学の理念をはっきり理解できるように思われます。特性工科大学とみればよいので、工科大学ながら、デザインと建築などの芸術性が強い大学と考えるのが適当かと思います。KIT が工学と芸術の融合を強調していることからも、その性格をうかがうことができます。

KIT が工芸と繊維という言葉を使っているのは、歴史的に、京都の繊維専門学校（1899年設立）と京都工業専門学校（1902年設立）に基盤を置いているからです。

学部生 2660 人、大学院生1085人、教職員 560人規模の大学ながら、世界の大学と活発に交流し、30ヵ国100 大学と学術交流しています。韓国の釜山大学、嶺南大学、漢陽大学、水原大学、慶南科学技術大学とも交流協定を結んでいます。森迫清貴学長は、「科学と芸術の融合を追求するのが KIT の特徴」とし、「大

京都にある高麗美術館

学院進学を前提に、学部４年生の時から大学院の研究課程に関与している」と述べました。事実上、多くの学生が医学部や薬学部のように６年課程を修学するようです。

森迫学長は、「学生の頭が固まる前に外国の学生や外国の文化に接し、多様性を学ぶことが重要であり、このような過程を通じて創造性も育まれる」とし、最近の日韓関係にもかかわらず韓国の大学と学生との間に多様な交流を行っており、長期的には大きな心配はしていないとも述べました。このような話を聞くにつけ、改めて大学こそ両国の交流を守る砦という思いを強くしました。

京都に行ったついでに、在日同胞が運営する二つの美術館も訪ねました。故鄭詔文（チョンチョムン）氏（1918－89）が設立された高麗美術館では、９月１日から年末まで「石の文化と朝鮮民画」という企画展示をしており、鄭氏のご子息で美術館専務の説明を聞きながら見学しました。また、王清一（ワンチョンイル）氏（京都民団常任顧問）が収集した韓国と北朝鮮、在日作家などの絵画や高麗磁器などを展示するため昨年末に開館した京都王藝際美術館も訪ねました。２千点の所蔵品のごく一部だけが展示室に出展されていました。今後本格化するであろう展示が期待されます。

154　2019年大阪 K-POP カバーダンスフェスティバル　September 8, 2019

９月７日午後、大阪堂島リバーフォーラムにおいて大阪韓国文化院と韓国のソウル新聞社共催の2019年大阪 K-POP カバーダンスフェスティバルが開催されました。K-POP に合わせて最も見事なダンスを披露したのはどのチームだったでしょうか。

このフェスティバルは、前年に続き二度目の開催です。昨年も競演会場は大入り満員でしたが、ことしも800人収容の会場は立錐の余地がないほどでした。観客は圧倒的に女性が多いものの、家族で来た人たちのなかには若い男性も目立ちました。政治的に韓日関係がどんなに冷めても K-POP 熱は冷めない。ダンサーと観客一体の熱気がそれを熱く伝えてくれました。

参加チームは、関西と九州地域の各大会で優勝または準優勝した４チームとソウル新聞社に直接応募して選ばれた８チームの計12チーム、福岡から東京まで日本各地から参加しました。

ダンスフェスティバルで熱演する日本の若者達

優勝チームにはソウル新聞社主催の世界大会（９月28日）への出場権が与えられます。メンバー全員に航空運賃を含む出場経費全額が支給され、K-POP スターとの体験を含む約１週間の韓国旅行も提供されます。主催者側の関係者２人と特別ゲストとして招かれた日韓のアイドル JBJ95（健太、相均）が審査員を務めました。

JBJ95 は韓国のプロデュース 101（韓国の音楽専門チャンネル Mnet の公開オーディション番組）シーズン２に出演し、昨年10月からチームを組んで活躍しているそうです。彼らの存在すら知らなかった私は、来場した観客のほぼ全員が彼らを見て歓声をあげ、写真を撮り、彼らに合わせて一緒に歌い踊る姿を見て不思議に思い、驚嘆もしました。

コンテスト参加者と観客の熱気の渦のなか時間が経つのも忘れ、12チームの競演が終わっていました。審査の結果、女性７人からなる九州大会の優勝チームが１位に輝きました。

昨年は大阪大会の優勝チームが世界大会でも１位を獲得したので、ことしもそうなることを祈っています。審査員が異口同音に推賞し、スタンドの大半の人たちが予想していたチームですから、十分その資格があると思います。

約２時間に及んだコンテストの終了後、日本の記者たちの要請を受けて、次のようにインタビューに応じました。

「韓日関係が良くない状態にあるにもかかわらず、K-POP を介して若者たちがかくも活発に交流する姿を目の当たりにし、胸に迫るものがありました。こうした行事が韓日関係全般を変えることはないかもしれませんが、大きく関係改善に寄与するであろうことを信じています」

155　パンソリなど韓国の魅力にはまっている奈良教育大学学長

September 14, 2019

９月13日は韓国のお盆（秋夕）で 12日から15日（日）まで４連休です。日本を含む韓国の在外公館はそれぞれ駐在国のカレンダーどおりに勤務するので、秋夕連休は対岸の他人事でしかありません。幸い、ことしは日本も16日が敬老の日で３連休になりました。

13日、奈良市にある国立学校法人奈良教育大学を訪ねました。1874（明治７）年に興福寺に設置された教員伝習所の寧楽（ねいらく）書院に淵源を持つ伝統ある大学です。学部生1000人、大学院生100人程度の小規模大学です。

大学に到着したところ、加藤久雄学長はじめ教職員の方々が資料をずっしり用意して厚遇してくださいます。秋夕のような特別な日はそれを糸口に話を展開しようと準備していたのに、先生方にはそのような意識は微塵もないようでした。日本は秋夕が祝日でもないし当然とは思いつつ、近隣にありながらあまりにも異なる韓日の文化と風習を感じました。

日本語専攻の加藤学長は韓国の嶺南大学・公州大学・光州教育大学等との交流を取り上げ、韓国との近しさ、交流の重要性を止まることなく話されました。韓国の石窟庵・佛國寺・海印寺・西便制・アリラン・公州・扶餘の博物館等々。韓国と古代から交流し、韓半島からの文物を初めに輸入した奈良という歴史的な縁と無関係ではないでしょう。実際、奈良県の知識人や県市の関係者、学者等に会うと、誰もが奈良と韓半島との深い縁にまつわる知識を披歴するのです。

昨年まで、奈良教育大学は公州大学と合同で、両国で交互に計11回百済文化国際シンポジウムを開催してきたそうです。ことしは９月に第12回シンポジウムを公州大学で開催する日程まで決定していたのに最近の韓日関係の影響で再調整中だそうです。加藤学長は、このような時こそ相互理解を深め、この種の交流を中断せずに継続しなければ、というお考えのようでした。

教育の問題、大学の構造改革の問題は政治とは関係なく、互いに協力し学びあえる重要な分野です。奈良教育大学は奈良女子大学と１法人多大学システムの改編を進めていますが、韓国にはまだ１法人の下で複数の大学が独立して運営する大学統合や調整案はないと思われます。

加藤学長はまた、儒教文化を共有する国として、小中高の学校教育においても共に悩み研究する点が多いとも話されました。大いに共感すべき言葉です。

156 奈良県明日香村で隔年開催の韓日交流事業：歴史の道 2019

September 22, 2019

９月23日、日本は秋分の日で休日です。21日から三連休ですが、台風17号の影響で関西は連休中ぐずついた天気になるという予報が数日前から出ており、憂鬱な気持ちでいました。

三連休を楽しめないからというわけではなく、大阪総領事館がことしの重点文化交流事業の一つとして奈良県で実施する行事「歴史の道2019」が連休初日の21日に予定されていたからです。行事の会場が屋外なので、文字どおり天に祈るしかありませんでした。

明日香村で行われた「歴史の道」行事

21日の朝、どんよりした曇り空の下、会場の明日香村「あすか風舞台」に向かいました。風舞台は、百済系貴族の蘇我馬子（551?－626）の墓といわれる石舞台の前に作られた広場です。大阪総領事館・奈良県民団・奈良県日韓親善協会・明日香村が共同で２年ごとに明日香村で開催する食と文化を通じた韓日交流事業の会場なのです。

雨模様という天気予報のせいか、行事が始まったときはあまり人が多くいませんでした。また、２年前は風舞台前に広がっていた芝生がことしはまばらでした。雨予報が最大の要因だったとはいえ、最近の凍てついた韓日関係の影響もありそうです。

「百済（ペクチェ）の微笑」のように和気あいあいのムードのなか、行事は進行しました。会場の背後にある山の姿が韓国の山のように丸くなだらかなのも、日韓の参加者の気性がみなおだやかに思われるのも、ほのぼのした気持ちにさせてくれました。私のほか、奈良県民団の李勲（イフン）団長、奈良県日韓親善協会の田野瀬良太郎会長、明日香村の森川裕一村長など、開幕式で挨拶した全員が異口同音に、こういう韓日関係の時こそ、より熱心に相互理解を深める文化交流を進めていこうと言いました。

午前中、開会式の後、ボランティアとして参加していた天理大学国際学部の韓国語専攻学生と韓流や文化交流などについて短時間ながら意義深い時間も持ちました。そして、婦人会や民団などが用意してくださった韓国料理を参加者と一緒にいただき、公演をみてから石舞台を見学し、午後には会場を後にしました。

幸い天気は時間とともに好転し、日中は雨が降らず、ほどよい晴天が続きました。午後にはさらに人が大勢集まり、午後８時の行事終了まで盛況を呈したといいます。困難な状況にあっても、大阪総領事館と奈良県の複数の団体関係者が力を合わせて懸命に準備した行事に天も味方してくれたようです。

157　FIVB Volleyball Women's World Cup 2019 in Japan

September 28, 2019

9月27日－29日、大阪で国際バレーボール連盟（FIVB）ワールドカップジャパン2019の女子大会が行われます。

韓国女子代表は27日の試合でケニアに3－0で勝っています。28日は世界ランキング9位の韓国より5ランク高いブラジル（4位）、29日はさらに高い米国（3位）と最終対戦をする予定です。

大阪府バレーボール協会会長が大阪日韓親善協会の会長という機縁でご招待いただきました。私の日程上観戦できる日が28日だけだったので、都合のつく総領事館スタッフ数名と競技が行われる難波のエディオンアリーナ大阪に行きました。

試合は午前11時に始まり、約2時間半の接戦の末、3－1で韓国が勝ちました。第1セットを取った後すぐ第2セットを取られて不安でしたが、第3第4セットを続けて取りました。「百年に1人出るかどうか」と評される金軟景（キムヨンギョン）選手がやはり勝利の立役者でした。

外国に出れば誰でも愛国者になるという言葉があるとおり、観客席で試合を見ながら私も自ずと声援していました。私たちの前の席にいたブラジル人たちと自然に応援合戦を繰り広げました。わざわざ応援に行き、強豪チームに勝ったのですから、こんなにいい気分はありません。ずっと声援を張り上げて突っ張ったせいで喉が痛くなるほどでしたが、お蔭でストレスをかなり解消できました。

韓国女子バレーボールチームを激励する筆者

試合が終わった後、選手たちに会って激励できるか主催者に打診したところ喜んでというので、競技場に降りて選手たちを励まし、記念写真も撮りました。祝いの言葉とともに、あすの米国との試合はもちろん、来年の東京オリンピックの予選でも必ずや本戦のチケットをつかんでほしいと伝えました。

韓国女子バレーボールチームの監督はイタリア出身のステファーノ・ラバリニ氏ですが、韓国代表ということでは監督も選手も応援団も区別がないと、試合を見ながら実感しました。

158 若者の交流拡大をめざし日本初のｅスポーツ韓日交流戦

September 30, 2019

9月28日（日）、大阪韓国文化院が韓日の若者交流を拡大する新たな試みとして、日本で初めてｅスポーツの韓日交流戦を大阪で開催しました。たいへん意義深いことだと思います。

K-POPや韓国の食・ファッションなどを通じて行われている若者たちの交流をｅスポーツ分野に拡大しようという趣旨です。主に女性を中心に展開されている韓日の若者交流を男性にも波及させるため、男性がより多く親しんでいるｅスポーツ分野に交流を広げる意味もあります。

ただ、反応は予想したほどには熱くならず、若者たちはむしろ併催されたK-POP公演のほうに熱い反応を見せたようです。

冷えた韓日関係や今回のイベント広報の不足、韓国側を中心に行われた種目の編成などの要因があり、予想されたような盛り上がりに至らなかったと分析しています。今回はｅスポーツ交流を実施しただけで十分意義があったとも考えています。ｅスポーツの分野では韓国のほうが一歩先行しています。最近、日本でも若者たちの参加が急増しており、今後、韓日において特に若い男性が交流できる好適な分野になるものと予想しています。

この日、リーグ・オブ・レジェンドの３戦２勝制で行われた勝敗では、韓国チームが2−0で勝ちました。日韓を代表して参加したチームの選手たちは互いに戦いを通じて得がたい経験をし、試合の面でも多くを学んだとのことです。

159 韓日関係が困難な時こそ生かすべき「朝鮮通信使精神」

October 6, 2019

10月６日（日）、京都市国際交流会館で民団京都府本部主催の年中行事「2019京都コリアフェスティバル」が開催されました。このフェスティバルは京都府に住む在日コリアンと日本人が交流する同民団最大の行事です。

昨年より涼しく微風のそよぐ晴天のせいか、ことしのフェスティバルの参加者は昨年の倍以上になりました。そのため、民団の各支部と婦人会が運営する

テコンドー公演をする同胞の学生達

韓国料理（チヂミ、キムパプ、トッポッキ）の売店は大忙しでした。韓国の民俗遊戯のコンギ（お手玉）とユンノリの体験コーナーも大勢の人で混み合っていました。この会場にいる限り、韓日関係が険悪で心配などということは微塵も感じられません。

午前10時から午後遅くまで行われた行事のハイライトは、ことしで５回目になる朝鮮通信使の行列と国書交換式の再現です。大阪に着任した昨年に続き、私はことしも正使に扮して行列に参加しました。

早朝、会場で服を着替えて身支度を整えます。午前11時から１時間ほどの行列は国際交流会館を出発し、平安神宮前を通って戻るコースを進みます。大阪の民族学校、建国学校の伝統芸術部による農楽の鉦（かね）・太鼓を先頭に、韓服を着た扇舞の舞踊団、通信使の行列、韓服と江戸期の和服などを着た人々が後に続く数百メートルの行列です。「日本の中の韓国」を感じられるように工夫されたエキゾチックなムードがあり、それに引かれるように行き交う日本の人々や外国人観光客が正使の行列を写真に納める姿が多く見られました。ただ、昨年より気温がやや低く、風も少し吹いていたとはいえ、暑熱のなか約１時間行進するのはやはり容易なことではありません。

行列が終わり、通信使正使に扮した私と京都所司代に扮した京都日韓親善協会の二之湯智理事長（参議院議員）が互いに国書を読み上げて交換しました。二之湯理事長は私に約束でもするかのように、日韓関係が困難な今こそ朝鮮通信使の精神を生かし、交流をさらに活発にしようと話しました。そして、行事に参加した双方の貴賓と一緒に友好記念写真を撮影しました。このほか、少年少女のテコンドー、女性合唱団、K-POP カバーダンスの公演など、韓日双方の活発な参加で大いに盛り上がりました。

行事の企画準備に当たった民団関係者は、険悪な韓日関係のもと行事が滞りなく行われたことに大いに安堵し満足していました。私にも少し軽やかな気持ちが戻ってきました。

160　韓日伝統芸術の名人達が協演した文化公演「同行」　October 7, 2019

韓日文化交流会議主催の韓日文化交流公演「同行」が、10月4日に大阪で開催されました。2012年から韓日で交互に開催している行事で、ことし８回目を迎えます。

公演会場のサンケイホールブリーゼの座席９百席余りはもちろん満席です。公演が終わるや、会場は拍手と歓声に包まれました。

僧舞を踊る在日同胞舞踊家、金昴先氏

ことし大阪で開催された韓日のアーティストや芸術団の招待公演は３回とも盛況でしたが、今回の公演はとりわけ公演者と観客の意気が投合していました。プログラムの多くは歌よりダンス、舞踊、弦楽器と打楽器の演奏で、観客は私の予想を超える熱い反応を見せていました。

出演したアーティストたちの高いクオリティが最大の要因でしょう。韓国のパンソリ唱者安淑善(アンスクソン)氏、鞠守鎬(ククスホ)氏、在日同胞の代表的な舞踊家金昴先(キムミョソン)氏、白洪天(ペクホンチョン)氏、伽耶琴奏者の金日輪(キムイルユン)氏など、錚々たる面々が出演しました。日本からも能楽師の櫻間右陣氏、尺八奏者の米澤浩氏、琵琶奏者の久保田晶子氏などの著名人が出演しました。

「同行」の公演は他の公演と比べて韓日出演者による協演が多く、韓日の演目が同じ割合に配されており、観客は自ずと両者のよさと独自性を較べながら公演を楽しむことができます。

今回は日本人にも在日同胞にも大阪人気質が作用していたようにも思います。管見によれば、大阪人は日本の他の地域の人々に比べて舞台の上の人とのやり取りが上手です。上辺を繕(つくろ)わないということでしょう。大阪人と韓国人の気質には似た面があるように思います。

公演が終わった後、バックステージの協演者たちと挨拶を交わしましたが、すべての協演者が観客の熱い反応に満足していました。今回のように観客も協演者もいい公演が韓日の上空を覆(おお)う冷気流を追い払うよう願ってやみません。

161 大盛況だった「ハングルの日」記念レセプション　October 8, 2019

10月７日、1446年のハングル公布から573周年に当たる2019年ハングルの日を二日後に控えた夜、大阪総領事館主催によるハングルの日記念レセプションを帝国ホテル大阪で開催しました。

従来、大阪総領事館は毎年10月３日に開天節の記念レセプションを開催してきました。ことしはその日程と名称を変更し、ハングルの日記念レセプション

テコンドーの迫力を披露した韓国の大学生チーム

として開催しました。数千年前の神話時代の建国神話について説明するより韓国の最も誇る発明というべきハングルについて説明するほうが、日本の人々の理解を得やすいし有意義だというのが変更の最大の理由です。

今回のレセプションには歴代の行事のなかで最も多い700人余りが参加し、参加者の構成も多様でした。以前とは違って日本人が多く、在日同胞も所属や年齢層がきわめて多彩でした。6月末に行われた文在寅（ムンジェイン）大統領と在日同胞の懇談会の際に顕著だった多様性と開放性が今回の行事にもみられたのです。

受付に名刺を置いて入場した人だけで昨年より100人以上多く、職員や家族など名刺を置かずに出席した人を含め800人に達したと思われます。出席した他の国々の総領事も参加者の多さに驚いていました。日本人参加者も、韓日関係が凍てついた状況にあって驚くべきことだと言い、萎縮していた在日同胞も安堵したようでした。

韓日関係が難局にあるなかで多くの参加者を得た理由を考えるに、韓日交流の幅と深さが政府関係の変動に揺るがないほど広く深いことが最大の要因だと、私は判断しています。また、困難な時だからこそ多くの人が参加し、韓日関係を改善する力を結集しようという熱望を反映しているとも推測されます。実際、日本側参加者の面々には著名な名士よりも草の根交流の中間リーダーが圧倒的に多くいました。

ことしは式典のアトラクションとして韓国から世翰大学のテコンドーチームを招聘し、撃破と攻守のデモンストレーションを披露して大喝采を得ました。撃破と攻守中心のデモでは、高さ ２－３ｍ の上空撃破、連続撃破、目隠し撃破など難度の高い技を披露し、観客を釘付けにしました。撃破で割れた松の板の端切れが舞台前に飛び散る臨場感および迫力満点の動作と喊声に、観客はみな呆気にとられ見入っていました。

記念レセプションを通じて「韓日関係が難局にあっても有意義な交流は続けなければ」というメッセージを伝えたいと思いましたが、その目的は達したようです。私と呉龍浩（オヨンホ）大阪民団団長による韓国側の祝辞に続いて、日本側の祝辞に立った滋賀県の三日月大造知事は滋賀県と朝鮮半島の古代からの縁、2001年の新大久保駅における李秀賢(イスヒョン)氏の死、2002年のワールドカップ韓日共催、2018年の平昌(ピョンチャン)五輪における李相花(イサンファ)選手と小平奈緒選手の友情を取り上げ、交流の重要性を強調しました。

2017年の末、朝鮮通信使のユネスコ記憶遺産登録に多大な貢献をされた京都芸術大学の仲尾宏客員教授は乾杯の辞で、滋賀県出身の江戸期の朝鮮専門外交官、雨森芳洲(あめのもりほうしゅう)（1668－1755）の「互いに欺かず争わず真実をもって交わる」誠信外交の精神を強調しました。そして、韓国人は「カンパイ」、日本人は「コンベ」と相手側の言葉による乾杯を提案し、会場のムードを盛り上げました。

舞台行事が終わった後、参加者達は２時間近く焼肉とチャプチェ、マッコリなど韓国料理を楽しみながら話を交わし、名残惜しそうに会場を後にしました。

162　日本の宝、大阪生野コリアタウン　　October 14, 2019

大阪には日本の他の地域にない宝があります。長い間この地で暮らしている人々は気づかないかもしれませんが、生野のコリアタウンを見た瞬間、私はここが本当に貴重な宝だと思いました。

1920年代、工業が盛んだった大阪は「東洋のマンチェスター」と呼ばれ、労働力不足の問題を抱えていました。その労働力を補うため、韓半島から大勢の人が日本に渡ってきて、貧しい労働者たちが生野（旧称、猪飼野(いかいの)）に集まり住んだのです。1922年には済州島と大阪を結ぶフェリー（君が代丸）が就航し、生野には済州出身者が多く住むようになりました。

生野のコリアタウンはこうして植民地時代（1910－45）を通じて韓半島出身の貧しい人々の集住地区になりました。1988年のソウルオリンピック以後、韓流ブームを経て大阪における「韓国」趣味と味覚、生活と文化のメッカとして大きな変貌を遂げます。ですから、最近の冷えきった韓日関係にもかかわらず、１日に１万ないし２万人を超える日本の若者たちが生野にやってきて「韓国」を楽しんでいるのです。

日本では、東京の新大久保と大阪の生野がコリアタウンの代表格ですが、両者は大いに異なります。ニューカマー中心の新大久保に対し、生野では多数派のオールドカマーにニューカマーが加わっています。新大久保はコリアンと店舗が点々と分布し、生野は線と面で広がっているといえるでしょう。歴史的には、新大久保のコリアタウンが僅か30年前の1990年以降に形成されたのに対し、生野は植民地時代に遡り、古代朝鮮の三国（高句麗・百済・新羅）との交流の痕跡も残っています。
生野のコリアタウンは、いわばその存在自体が韓国の過去と現在そして未来をつなぐ貴重な場所なのです。だからこそ、日本政府が強調してやまない「多文化共生社会」構築の成否を占う実験場でもあるのです。
大阪民団は生野のこのような特性に着目して、10月11日の夕方、コリアタウンにある民団生野西支部講堂でコリアタウンの活性化をテーマにシンポジウムを開催しました。民団の代表者、商業界の代表者、日本人作家、地域住民の代表がパネリストとして参加し、地域活性化をめぐり建設的な意見を交わしました。100人を超える住民が夜遅くまで熱心に耳を傾けました。
これまでにもコリアタウンを活性化しようという議論は少なからずあったでしょうが、住民参加型のシンポジウムはほとんどなかったそうです。今回の「コリアタウン、下からの活性化」の動きを契機に生野のコリアタウンが韓日交流の名所としてさらに成長することを期待してやみません。一人が見る夢は夢で終わりますが、多くの人が見る夢は現実になるというではありませんか。

163 堺まつりに40年以上参加している民団のパレード　October 20, 2019

大阪府堺市は大阪府において大阪市につぐ大都市で、人口は大阪市の３分の１ほどの80万人余り、日本全国で18番目に大きい都市だそうです。在日同胞も多く、約３千人住んでいるといわれます。
堺市は明治時代（1868－1912）以前から商業と製造業が盛んでした。昔から武士の刀剣や軍人たちが使う銃を製造し、今も堺市で作られた刃物は有名です。
堺市は、毎年10月の第三日曜日とその前日に堺まつりを催します。市の中心地、大小路筋で行われるパレードを中心に茶道会、ミュージカル、ダンス、夜市など多彩な催しを繰り広げます。まつりのハイライトというべきパレードは、堺の歴史を古代・中世・近世・現代に区分し、それぞれの時代を再現した仮装行列が行進します。

堺まつりの在日同胞パレード

ことしは堺市にある世界最大の墓所、百舌鳥（もず）・古市古墳群の世界文化遺産登録記念を堺まつりの総合コンセプトに設定しています。
堺まつりはことし46回目を迎えました。堺市民団は43年前から参加し、36年前からずっと朝鮮通信使一行の仮装行列の一員として参加しているそうです。

昨年に続きことしも堺まつりを訪れた私は、行列に参加する在日同胞たちを激励しました。民族学級の小学生のサムルノリを先頭に、朝鮮通信使、金剛学園舞踊部の扇舞、テコンドーデモチームが構成する堺市民団の200mに及ぶ行列が大きな人気を博しました。

ベトナム総領事館前に設けられた観覧席で見学していた私は、その前を堺民団の行列が通ったとき、立ち上がって歓声と拍手を送りました。のどかな天気のもと、絶好のまつり日よりでした。

164 奈良正倉院展と斑鳩中宮寺の弥勒菩薩像　October 26, 2019

奈良市にある奈良国立博物館は毎年10月末に正倉院展を開催します。正倉院は東大寺の境内にある日本の皇室ゆかりの品々を収蔵する倉庫です。奈良時代（710－794）に建てられた木造建築であり、当時の美術工芸品約９千点を保管し現在に伝えています。

正倉院展は、奈良国立博物館が日本の皇室（宮内庁）の協力を得て毎年数十点を選んで一般に公開するのものです。ことしは71回目で、10月26日から11月14日まで休むことなく展示されます。ことしは新天皇の即位を記念し、東京国立博物館でも即位記念特別展「正倉院の世界―皇室がまもり伝えた美―」（10月14日－11月24日）を同時開催しています。奈良で41点、東京で43点の宝物が展示されます。

二ヵ所に分けて展示されるので、奈良に出品される宝物はいつもより少なくなっています。宮内庁の正倉院担当者は「展示品の数は減ったが、質はこれまで以上に優れていると信じる」とし、「東京に出品された宝物がミシュラン最高水準のイタリア料理だとすれば、奈良のそれは最高級懐石料理と見ればよい」と述べています。

昨年に続き、ことしも10月25日の正倉院展開幕式と招待客プレビューに参加しました。昨年は他の国の総領事も数人見えましたが、ことしは天気が悪かったせいか、総領事としては私一人だったので、開幕式の来賓挨拶で最初に紹介を受けました。

ことし出品された宝物は、昨年とは違い、韓半島と直接関連あるものはないそうです。昨年は、新羅（前57－935）の伽椰琴をはじめ数点が出品され、大きな注目を集めました。ただ、ことしは作品ごとに昨年よりはるかに詳しい韓国語の説明が付いていました。

開幕式は午後でしたので、午前中は2016年日韓国交50周年記念に開催された「日韓の国宝半跏思惟像の出会い」展に日本代表として出展された木造の半跏思惟像のある奈良斑鳩(いかるが)の中宮寺を訪ねました。百済の穏やかな姿そのままの半跏思惟像を至近距離でつぶさに観察し、日野西光尊門跡と韓日の文化交流の長い歴史と重要性について話を交わしました。

165 尹東柱のように自分の思いを発信したい October 27, 2019

10月26日（土）午前、京都府宇治市で詩人尹東柱(ユンドンジュ)（1917－45）の「記憶と和解の碑」建立２周年記念式が催されました。詩碑は天ヶ瀬ダム下の吊り橋近く、宇治川と志津川が出合う10坪ほどの端地に建っています。

赴任した年に行われた第１回行事に続き、ことしも参加しました。日本人がイニシアティブをとった詩碑建設委員会の主催行事で、日本の市民と京都民団の関係者や在日コリアンが参加するささやかな集いですが、昨年と比べ、いくつかの変化に気づきました。

詩碑の建つ場所周辺が整備され、階段ができました。道路より１－2m低い所に建つ詩碑に行くのに、以前は階段もなく、道路から詩碑の場所まで砂利を敷いた傾斜地を滑って降りていたのです。周囲の景観もあまりよくありませんでした。

このような事情を知った京都民団が２周年行事の前日までに階段を造成し、詩碑の周りに小石をきれいに敷いて誰もが安全に訪ねられるように整備したのです。整備事業は、お金の問題よりも詩碑の建つ土地が村と市の所有にまたがっており、村と市の許諾を得るのが大変だったそうです。民団自ら積極的に当事者を訪ねて許可を得、２周年の前日までに整備工事を終え、階段横の斜面にはムクゲを一本植樹したとのことです。

もう一つの変化は、参加人数が昨年より増えたことです。昨年はせいぜい50人ほどでしたが、ことしは地域出身の議員２人を含み、70人を超える人々が参加しました。さらに意義深いのは、尹東柱が通った同志社大学の系列にある同志社中学校の生徒３人が参加し、尹東柱の詩を暗誦し追悼の辞を述べたことです。１人の生徒が「私には関係ない、私が何をしても変わらないとは考えずに、詩人尹東柱のように自分の思いを外に向かって発信できる人になりたい」と述べ、参加者の大きな拍手を浴びました。

行事は、開会宣言、黙祷、主催者挨拶、献花、参加者代表挨拶に続いて、尹詩人の詩三篇「序詩」「空想」「新しい道」をそれぞれ韓国語と日本語で読誦し、最後に詩人が好んで歌ったアリランを斉唱して終わりました。

ことしの行事が昨年より著しく進展したようすを見て、宇治にある尹東柱詩碑が新たな文化の象徴になるだろうという予感を感じました。

尹東柱詩人の詩を朗誦する参加者ら

尹東柱の詩碑は JR または京阪電鉄の宇治駅で下車、天ヶ瀬ダム方向に歩いて40分余りのところにあります。標識もなく不便ですが、グーグルマップに「詩人尹東柱 記憶と和解の碑」と入力すれば位置が表示されます。

166 「こんな韓国ご存じですか」 October 27, 2019

10月24日－27日、大阪の国際総合展示場インテックス大阪において Tourism Expo Japan 2019 が開催され、後半の二日間は一般公開されました。

この行事は2014年から日本観光振興協会・日本旅行業協会・日本政府観光局が主催する世界最大規模レベルの旅行博覧会です。これまでずっと東京で開催されたのですが、ことし初めて東京を離れて大阪で開かれました。

韓国からも13の地方自治体ほか、ホテル・病院・旅行代理店・航空会社などが大挙して参加し、61のブースを運営して、韓国の魅力を来場者に訴えました。一時、韓日関係がよくないとの理由で多くの機関が参加取り消しを検討する動きもありましたが、最終的にはほとんどの参加申請機関が参加しました。

韓国館のテーマは「こんな韓国ご存じですか」と、リピーターが多い日本人客に新たな観光地を提案し、首都圏だけでなく地方へ旅客を誘導することに重点を置いていました。

一般公開の初日、26日の午後会場に行き、韓国からの関係者を激励しました。韓日関係が難局にあるなか、韓国館は閑古鳥が鳴いているのではと不安を抱きながら会場を訪れましたが、入ってすぐ予想が大はずれだったことを知りました。

誰が見ても韓国館の前がどの館よりも長い行列でごった返していたからです。来場者を迎える自治体ほかの関係者もとても明るい表情をしていました。

ある自治体の関係者は「韓日関係が難しい時期に行くのはどうかという話もあったが、ふたを開けてみて、まったくの杞憂だったと実感している」と話していました。

この日の行事を見て、韓日の交流が、政府の関与や制御が難しいほど幅広く、そして深く行われていることを改めて感じました。

167　韓国の勲褒章と民主平和統一諮問会議委嘱状の伝達式

October 30, 2019

10月29日、大阪総領事館の１階「夢ギャラリー」において2019年の在外同胞勲褒章の伝達式を行いました。また、９月に発足した民主平和統一諮問会議に委嘱された日本近畿地方諮問委員の委嘱状の伝達式も併せて行いました。

夢ギャラリーは通常あまり使わないスペースなので、昨年末から民族学校と民族学級に通う生徒の美術作品展示場として活用しています。申請などのために窓口へ来た同胞がそこに入って作品を鑑賞し休める場所でもあります。今回、勲褒章と委嘱状の伝達式の会場として使うため、在日同胞社会と共に行う行事の趣旨にふさわしいムードを演出しました。

ことし、大阪総領事館において勲褒章を受章した方は４人です。年に１人授与される無窮花(ムグンファ)章は前大阪民団団長・現常任顧問の鄭鉉権(チョンヒョンゴン)氏が受賞し、大阪韓国商工会議所の高英寛(コウヨングァン)常任顧問と在日本婦人会南京都支部の鄭年子(チョンニョンジャ)会長が石榴(ソンニュ)章、世界韓人貿易協会（OKTA）大阪支部の白龍奎(ペクヨンギュ)初代会長が国民褒章を受章しました。

去る10月５日に文在寅大統領が出席した世界韓人の日において750万人の在外同胞の褒章者は合わせて39人でした。その１割を超える４人が大阪総領事館の管轄地域内であり、大変意義深いことです。この日勲褒章を受章した４人は全員が、今回の勲褒章を契機に一層熱心に同胞社会と韓国に奉仕したいと述べました。

「夢ギャラリー」で行われた勲褒章伝達式

続いて行われた民主平和統一諮問委員の委嘱状伝達式は大阪総領事館の管轄 106 人のうち70人余りの方が参加しました。生業と多忙な日中の時間にもかかわらず多くの方が参加し、今後の活動に熱意を感じました。今回の第19期民主平統は、女性と青年の参加の大幅な増進を特徴としており、この日もいつもとは違い女性と青年が多く参加しました。

168　安重根東洋平和論をテーマに国際会議、龍谷大学で開催

November 2, 2019

京都の龍谷大学は安重根義士が獄中で揮毫した４幅の遺墨を保管しています。

安義士が獄死直前に揮毫した「敏而好學不耻下問」（敏にして学を好み下問を恥じず）など、３幅の遺墨ほか関連資料が1997年に龍谷大学に寄贈されました。浄土真宗本願寺派が同学を運営していますが、同じ宗派に属す岡山県備中里組の浄心寺住職で龍谷大学の卒業生、津田康道氏が所有していたものを大学図書館に寄託したものです。

龍谷大学にある安重根の遺墨

2013年４月１日、龍谷大学はこれを契機に社会科学研究所附属機関、安重根東洋平和研究センター（李洙任（イースーイム）教授センター長）を発足し、安重根義士に関する研究と学術交流を活発に行っています。これに先立つ2011年３月には、韓国の安重根記念館と学術交流協定を結びました。2015年には遺墨「獨立（独立）」が広島の源船寺（設楽正純氏）から寄贈され、二度に渡って寄贈された安義士の遺墨４幅が、龍谷大学における安重根研究の契機となったのです。

11月２日、京都の龍谷大学響都ホールで第６回の日韓国際学術会議が開かれました。2014年から韓国と日本で交互に安重根義士をテーマに開催されている日韓国際会議です。今回のテーマは＜欧州連合と安重根義士の東洋平和論の関連性＞です。韓国から安重根社会崇慕会の金滉植（キムファンシク）理事長（元国務総理）をはじめ関係者が、日本から北東アジアの歴史和解および世界の平和運動に力を入れている小松電機産業の小松昭男代表、東郷和彦前オランダ大使などが主題発表と討論者として参加し、２日と３日の２日間意見交換を行いました。

主催者の招待を受け、私は２日の会議に出席し、次のようにあいさつしました。

「韓日関係が難局にあるなか、安重根義士をテーマとする学術会議が６年間継続して行われていることに大きな意義があります。このように困難なときこ

そ、東洋平和論を提唱した安義士の意思は一層注目される価値があります。今回の学術会議が安義士の未完成の東洋平和論を完成するための貴重な一過程になることを願い、冷えきった韓日関係に温かい風を吹き込む席になるよう願います」

169 時代別に韓日交流を再現する「四天王寺ワッソ」満30年に

November 3, 2019

11月の第1日曜日の3日、韓日文化交流の場面を時代別に仮装行列で再現する恒例の「四天王寺ワッソ2019」祭りが大阪市難波宮跡で開催されました。1990年に始まった行事はことし満30年を迎えました。2001年と2002年には開催されなかったので、今回が28回目です。

韓日の政府関係が凍りついているなか、祭りには韓日の市民が多数参加し、盛況裡に行われました。昨年は日差しが熱く照りつけ苦労しましたが、ことしは太陽が適度に雲に隠れ、最高の祭り日よりでした。

開幕式で文在寅（ムンジェイン）大統領のメッセージを代読しました。文大統領は、6月末の主要20ヵ国首脳会議の際、大阪で在日同胞と日本の市民が共に参加した懇談会を思い出しながら、双方の国民が互いに理解し配慮しながら築く明るい未来を呼びかけました。

日本の安倍晋三首相は、遺憾ながら、昨年に続きことしもメッセージを送りませんでした。10月24日に来日した李洛淵（イナギョン）首相との会談の席上、歴史問題の対立があるなか、さまざまな次元の民間交流の重要性を直接強調していたので、言行一致のためにも今回はという淡い期待が主催者にあったといいます。

ことしは、文大統領のメッセージ朗読に続いて、来賓紹介のあと来賓を代表し、山本条太関西大使が来賓挨拶をしました。来年このような「奇妙な」場面が繰り返されないことを望むのは私だけではないように思います。

30周年を迎えた四天王寺ワッソの様子

開会式のあと、時代別の行列を開始する前に行われたミニ歴史劇は、ことし年号が令和に変わったことを念頭に置いたかのように日本最初の元号「大化」の改新（645）を扱っていました。

韓日の各種学校・団体・市民など1000人以上が参加した仮装行列は、神話時代・古墳時代・飛鳥時代・奈良時代・朝鮮時代に分けて２時間続き、観客の関心を引きつけました。

昨年の祭りのテーマは「つなぐ」でしたが、ことしは「挑戦する」でした。挑戦せずして新たなことを成就できないという意味を込めたと聞きましたが、最近の韓日関係も念頭にあっただろうと推測しました。

170　韓日対立の淵源に遡り韓日関係の望ましい方向を探る

November 6, 2019

いま起こっている韓日対立の淵源はどこにあるのでしょうか。双方の指導者の個人的性向や両政府間に横たわる政策と戦略の齟齬に由来するのでしょうか。あるいは、もっと根源的な要因があるのでしょうか。

韓日対立の深さと解決の喫緊性を論じる人や議論する場は多いのですが、紛糾の根本的な原因を探り、さらにそれにもとづいて問いを発する人はきわめて稀です。

紛糾の淵源を遡って探るとき、日本の朝鮮植民地支配が適法だったのか違法だったのかという論点を避けることはできないと思われます。1950年から14年余りかけて行われた韓日国交のための交渉過程においても、（韓国併合が）不法だったとする韓国の主張と、合法だったとする日本の主張は平行線のまま結末を付けられず、互いに（自国の都合に応じて）有利に解釈し、論点はぼかしたままです。

最近、強制動員労働者の（訴えに対する）韓国大法院（最高裁）の慰謝料賠償判決が契機となって浮上した韓日の対立は、こうして曖昧に処理された問題が明らかにされ、今や避けられないものとなったと解釈することができます。

大阪総領事館は韓日対立の現象（表層）ではなく、その本質について在日同胞たちと勉強するため、11月５日、植民地化の過程における適法性の研究に傾注しているソウル大学の李泰鎮（イテジン）名誉教授（韓国史学）と戸塚悦朗弁護士をお招きし、「韓日対立の根源的な原因と望ましい韓日関係の方向」をテーマにシンポジウムを開催しました。

李泰鎮名誉教授は、1980年代末にソウル大学の奎章閣（キュジャンガク）院長に就任したことを契機に、奎章閣に保管されていた資料などをもとに1905年の乙巳条約、1910年の併合条約が条約の形式や手続きを備えていないことを実証しました。戸塚弁護士は日本側の史料と国際法としての検討を通じて、李名誉教授の研究をさらに進展させました（参照：李泰鎮「吉田松陰と徳富蘇峰」『都留文科大学研究紀要』80）。

お二人の具体的な主張については、発表論文と著作を参照していただくのが適切かと思われます。便宜上、お二人の研究を要約すると、日本の植民地支配（1910－45）は当時の国際法に反するだけでなく、最小限の形式も備えていないため、当時の条約は無効であることになります。

シンポジウムにおける議論の過程でも出てきた話ですが、そうだとしたら、今後この問題をどのように解決していくのでしょうか。お二人は、時間を尽くして長期的に解決されなければならない、ということで一致しました。他方、戸塚弁護士は国際司法裁判所に判断を委ねて解決するのがよいということに比重を置いています。李名誉教授は、明治維新以後、日本は大きな侵略戦争だけでも５回引き起こしており、なおかつ、日本がこれらの侵略戦争時代を美化しているところに問題の所在があるとし、日本のこのような認識を変えない限り真の和解は難しいと述べました。

４時間に及ぶ決して易しくはないテーマのシンポジウムに約150人が参加し最後まで集中して傾聴していました。この点だけでもシンポジウム開催は大きな意味があったと思います。

171　長い韓日交流史のなか悲痛の時期を代表する耳塚　November 7, 2019

11月６日、京都の耳塚で第13回耳鼻塚慰霊祭が催されました。韓国の社団法人キョレオル活動国民運動本部が2007年から毎年開催している行事です（本書091参照）。

追悼の辞のため、私は昨年に引き続いて参加しました。雲ひとつない照りつける陽ざしの強さは昨秋と変わりません。変わったのは韓日の政府関係がさらに悪化し、キョレオル活動国民運動本部の理事長が朴聖基（パクソンギ）氏からパク・ジェフィ氏に変わったことぐらいでした。昨年と同じく韓日で約200人が参加しました。

韓国の団体が主催するためか、祭祀は韓国式で行われます。はじめ、式場には韓日対立の影響を受けたかのように重い空気が漂っていましたが、祭祀と献花を終えて直会（なおらい）の部になると、やわらいできました。直会酒に韓国から運ばれたマッコリ、酒肴に祭壇のナツメや干し柿、干し肉などが人々に回されるころになって、ようやく空気が変わりました。

追悼の辞で私は、1600年に及ぶ韓日の交流史には友好の時期も苦痛と悲しみの時期もあったが、友好の時期が圧倒的に長かったことを想起したい。この耳塚は悲痛を代表する一断面であり、先祖がこのように病んだ時期の歴史を記憶しながらも克服してきたことを教訓として現今の対立を

「耳鼻塚慰霊祭」で追悼の辞を述べる筆者

克服し、互いによき隣人になりたいと述べました。時期が時期だけに参加者がいつもより私の言葉に耳を傾けているように思われました。

新理事長として今回初めて参加したパク・ジェフィ理事長は、来年から慰霊祭がさらに意味あるものとなるよう内容と形式を検討したいと述べました。来年どのような変化があるか期待されます。

172 『中日新聞』滋賀版の特集「誠信の交わり隣国への思い」

November 7, 2019

『中日新聞』は大阪総領事館の管轄である滋賀県にも10万部以上配信しています。９月17日から11月１日、『中日新聞』の滋賀版が日韓対立に関連した「誠信の交わり隣国への思い」という特集インタビューを連載しました。滋賀県に住む日本の住民と在日同胞など、韓日関係に縁のある15人にインタビューし、韓日における民間交流の重要性と関係改善を望む声を掲載しました。新聞社の人によると、この特集記事は滋賀県内にとどまらず、全国的に反響が大きかったといいます。

この特集の最後の番外編にインタビュー要請を受け、10月23日にインタビューを受けました。そのインタビュー記事が11月５日に三日月大造滋賀県知事の記事と共に掲載されました。交流を通じた互いの差異に関する相互理解としてまとめられ、三日月知事と私の考えは似ていました。私は韓日交流が量から質へ転換しなければならいとして「求同存異」の精神で差異を認めながら、双方の利益になることを探るのが重要だと述べました。三日月知事も人と人が対話を通じて互いを知り学ぶことが重要だと強調していました。

なお、日本の新聞は次の３種類に分けられます。

1. 中央紙 : 全国に配給する。朝日、読売、毎日、日経、産経新聞
2. 地方紙 : 47都道府県の領域に基づいて取材し配給する。
3. ブロック紙 : 韓国にない形態の新聞で、複数の都道府県を含む広域地域を対象とする。北海道の北海道新聞、名古屋を中心とする中部地方の中日新聞、九州地方の西日本新聞など。ブロック域内では中央紙より購読者も多く影響力も大きい。

173　第11回韓国・関西経済フォーラム、大阪総領事館単独で開催

November 9, 2019

大阪総領事館は2008年からほぼ毎年、近畿経済産業局と共同で韓国・関西経済フォーラムを開催し、ことし11回目を迎えました。大阪総領事館が経済分野で最も力を入れている年次行事です。

そのフォーラムに今回は準備過程で問題が生じました。近畿経済産業局が共同開催できないことを明らかにしたのです。政府間の関係悪化のため中央政府レベルの動向が反映されたものと推測するしかありません。

10月22日、新天皇の即位を祝う使節として来日した李洛淵(イナギョン)首相と安倍晋三首相との会談の席上、安倍首相が対立とは別に民間交流は活発にしなければならないことを直接強調していたので、あるいは流れが変わるのではないかという期待もありましたが、近畿経済産業局の態度は揺らぎませんでした。

縷々検討した末、近畿経済産業局の共催参加がなく、たとい大阪総領事館の単独開催となってもフォーラムを実施することにしました。いかなる困難があっても活発な交流と協力を望む韓日の経済人や企業の期待を後押しし、彼らが望むムードを作ることが重要だと判断したからです。

こうした曲折を経て、11月8日に、大阪総領事館の単独主催による第11回韓国・関西経済フォーラムが開かれました。開幕まではフォーラムがきちんと進行できるか心配でしたが、開けてみると、やはり単独であっても中断せずに開催してよかったと感じました。

今回のフォーラムは、最近の韓日関係を反映して「韓日関係の悪化が韓国・関西経済にもたらした影響」をテーマにしました。「韓日経済の現況と課題」若林厚仁（日本総合研究所関西経済研究センター長)、「第4次産業革命時代における韓日協力方案」廉宗淳(ヨムジョンスン)（明治大学専門職大学院兼任講師)、「関西進出韓国企業の最新動向」金禎佑(キムジョンウ)（KEBハナ銀行大阪支店長)、「韓国・関西民間交流発展の見通し」李容淑(イヨンスク)（関西国際大学経営学科教授）らの発表は時宜

を得たものでした。これらの発表は、韓国と日本が競争者というより互いを補完する協力者であるという点に集約され、参加者の共感を得ました。

会議場は韓日の企業関係者と経済人150人で埋め尽くされました。時期が時期だけに日本メディアの記者も10人以上取材していました。過去のフォーラムでは見られなかったことです。

フォーラムを終え、参加者は1時間余り軽いビュッフェを楽しみながら交流の時間を持ちました。挨拶を交わした韓日の企業関係者は、現今の困難な時期にフォーラムを開催し、互いに理解し交流できる機会を作ったことに感謝していました。上方の空気は冷たくても下方にはエネルギーが満ちているのです。

174 人権を柱に！文化をキーワードに！多文化共生社会の実現を！

November 12, 2019

民団大阪本部の呉龍浩(オヨンホ)団長の＜商標＞は「多文化共生」です。どこの行事でも、あいさつのたびに「人権を柱に！文化をキーワードに！多文化共生社会の実現を!」という標語を欠かさずに繰り返します。時代に即したスローガンだと思われます。

呉団長は実際、居住地の東大阪でさまざまな国籍の外国人と多文化共生運動を展開してきました。その一つ、呉団長ほかを中心に開催してきた東大阪国際交流フェスティバルは11月3日に第24回を迎えました。

昨年3月大阪団長に選ばれた呉団長が、大阪民団の事業として始めた行事が「韓日親善の集い：多文化共生フェスタ」です。昨年10月に第1回を催し、11月11日に第2回を中之島の国際会議場で開催しました。

フェスタの内容と形式は昨年より改善されました。韓国と日本のチームだけだった公演参加者は、ことし、日本のほか中国やベトナム、アフリカのチームが招待され、それぞれ固有の文化を披露しました。公演に先立つ主催者や参加スタッフのあいさつと紹介を最小限に抑えたのも好ましいと思います。多くの文化公演で観客が最も嫌うのが、公演と関係ない長いあいさつのオンパレードだといいますから。

この日のハイライトは、何といっても日本によく知られ多くのファンを持つ「バラードの帝王」ソン・シギョンの公演でした。歌はもちろんのこと、品位があって流暢な日本語で聴衆と共感しました。公演の最後に在日同胞の多難な歴史に言及し、困難のなか韓国人として生きることに敬意を表した言葉は、多くの同胞の観客の心に届き、癒やしたことでしょう。

大阪で最大規模を誇る2700席の会場をほぼ埋め尽くした韓日の観客は２時間余り多様な文化と公演を楽しみ、友好を深める又とない機会を得ました。

175 来年４月に実施される韓国国会議員選挙 November 21, 2019

2020年４月15日に第21回韓国国会議員選挙が実施されます。

海外に滞在または居住する大韓民国の国民も海外で投票することができます。韓国の在外国民が投票できない状態を違憲とする韓国憲法裁判所の判決に基づき2009年に在外選挙制度を導入しました（日本の在外選挙制度は1998年公布、2000年実施）。

韓国の在外選挙は2012年４月の第19回国会議員選挙から実施され、2012年12月の第18回大統領選挙、2016年4月の第20回国会議員選挙、2017年5月の第19回大統領選挙に続き、今回が５回目になります。

大阪総領事館は選挙準備のため多忙をきわめています。

在外国民が選挙する場合、韓国内に住所がある人は国外不在者申告、韓国内に住所がない人は在外選挙人登録を事前に行う必要があります。不在者投票の場合、選挙のたびに申告しなければならず、在外選挙人は一度登録すれば、それ以後投票できるようになります。ただし、２回連続して選挙に投票しなかったときは再登録が必要になります。

11月17日、大阪総領事館１階の夢ギャラリーに選挙窓口を開き、在日同胞などを対象に在外選挙申告と登録を受け付けています。来年２月15日で登録を締め切り、投票は投票日前の４月１日－6日に行われます。

登録の申告と登録は窓口やインターネット http://ova.nec.go.kr のほか、電子メールや郵便でも行うことができます。ただし、投票は必ず総領事館に設置された投票所に来ていただきます。大阪総領事館の管轄区域（大阪府・京都府・滋賀県・奈良県・和歌山県）では、大阪総領事館のほか、京都民団や和歌山民団にも投票所を設置する予定です。

在外選挙の事前登録をしている筆者

窓口が開設された11月17日の午前中、大阪総領事館の在外選挙管理委員会の委員とともに、私も不在者申告を行いました。国会議員選挙の場合、不在者は選挙区投票と政党投票のいずれも行うことができますが、韓国内に住所がない在外国民は政党投票だけとなります。

2012年に実施された第１回在外選挙後の投票行動をみると、時間の経過とともに投票に対する関心が低下し、国会議員選挙より大統領選挙に対する関心が高く熱する傾向にあります。

民主主義は市民の積極的な参加、とりわけ投票行動によって活性化され支えられます。一人でも多くの在外国民による投票参加を望んでやみません。

176　生野の在日画家、洪性翊氏の半生記『どや、どや、どや』出版記念会

November 24, 2019

大阪生野区のコリアタウンで韓国の伝統餅（トック）の店としてスタートし、食品企業として成功した徳山物産は日本でもよく知られています。

1948年、済州出身の在日同胞１世、洪呂杓（2010年没）氏が同胞を対象にトックの製造販売店を始めた事業が、冷麺、トッポッキ、トックなど、いろいろな韓国食材を日本全国の卸・小売商に供給する食品会社へと成長しました。韓国のプルムウォン（Pulmuone）などに技術提供する事業も行っています。

故洪氏の長男、洪性翊氏は著名な画家であり、実業家として父親の意志を継いでコリアタウンの活性化にも尽力してきましたが、病気療養のため長いあいだ芸術と実業の現場から離れていました。

11月23日、コリアタウンにある洪性翊氏の自宅で経営する班家（panga）食工房において、氏の半生記である『どや、どや、どや：絵のみち食のみち奮闘記』の出版記念会が開催され、コリアタウンの在日同胞や日本人の知人、韓日の絵画関係者など数百人が参加しました。

単なる出版記念会というより洪性翊氏のコリアタウン活性化への舞台復帰に意味があると思い、私も力添えしようと出席しました。６月末に大阪で文在寅大統領と在日同胞の懇談会が開催されたとき、在日同胞を代表し、在日同胞の歴史・文化・生活が深く浸透したコリアタウンの活性化

在日同胞画家、洪性翊氏出版記念会

に韓国政府が関心を寄せるよう提案しています。

出版記念会がコリアタウン活性化に沿っていることは確かです。これに先立ち、最近、洪性翊氏はコリアタウン三商店街会の一つ、中央商店会の会長に復帰しました。父親に続き、コリアタウンの発展と活性化に多大な関心を持つ彼の復帰が、今後コリアタウン活性化に大きな力になることを期待しています。

現在、韓日関係がよくない状況にあっても１日に1－２万人の日本の若者たちがコリアタウンにやって来て、韓国に行かずにして韓国の味と趣向を楽しんでいます。

洪性翊氏はコリアタウンの持続可能な発展のために商店街を活性化するだけでなく、植民地時代から日本で唯一の在日同胞集住地という歴史と文化を踏まえた街づくりの重要性を強調しています。洪性翊氏の考えに全面的に同感する私自身そう主張しています。

この日、知人代表としてソウルから参加した尹凡牟(ユンボムモ)国立現代美術館長によると、一度引退した画家が20年のブランクを経て活動を再開するのは、世界で類例のないことだそうです。洪性翊氏の画家としての華やかな復活も期待されます。

177　大阪韓国映画祭、李順載氏を招き11月22－24日に開催

November 24, 2019

毎年大阪ではこの時期に大阪韓国映画祭を開催します。ことしも大阪駅近くにあるグランフロント大阪の北館４階ホールにおいて11月22日から24日まで開催されました。

駐大阪韓国総領事館の大阪文化院が主催する行事で、ことし５回目を迎えました。映画祭では主に日本で未公開の映画を上映し、上映作品の監督や主演俳優を招いて観客とのトークショーを開催します。

ことしは『あなたを愛しています』『トック』『ロマン』に出演したベテラン俳優の李順載(イスンジェ)氏をゲストに招きました。私にとっては、90年代初めの人気TVドラマ『愛って何』の雷おやじ役や、1988年に李相洙(イサンス)氏とソウル中浪区の国会議員選挙で二転三転の接戦を繰り広げた芸能人出身の政治家として親しみのある方です。

李順載氏は、80代半ばとなった今もテレビ・映画・演劇界のほか、大学講師として現役で活躍しています。最近も、シン・グ、パク・グニョン、ペク・イルソプなどのベテラン俳優と一緒に世界中を旅するTV芸能プログラム『花よ

りおじいさん』に出演し、韓国内外の視聴者の人気を博しています。

24日に李順載氏と昼食を共にしました。個人的には、26年前に同氏が国会議員だった当時以来でしたが、記憶力ばかりか声の張りも握力も往年と変わらないように見えました。

食事中ずっと、同氏は演技者を中心とする日本の徹底した制作システムと準備態勢を羨まし気に語り賞賛を惜しみませんでした。韓国の若い演技者等に対する苦言もいとわず、一度の成功で舞い上がってそこにとどまることなく、長い活動をするための厳しい努力を怠ってはならないと力説しました。

韓国の俳優は大きくモデル型と演技型に二分できるそうで、現場で観察していると、モデル型は一度の成功に酔ってすぐ消え去るといい、どんな状況でも演技できる技量を育むべきだと強調しました。

韓国で最も古く多くの経験を持つ現役俳優の苦言は、単に映画や演劇などの公演界だけではなく、他の分野にも当てはまる言葉だろうと思います。

178　龍谷大学国際学部の学生に講義　　November 25, 2019

京都には仏教系の大学がいくつかあります。なかでも最大規模を誇るのが龍谷大学で、学生数は2万人を超えます。1639年に浄土真宗西本願寺に建てられた学寮を母胎とする大学として、歴史的にも日本で最も古いものの一つです。11月25日、国際学部朴炫国(パクヒョングク)教授の依頼を受け、学生に講義しました。朴教授の担当科目は「世界と日本の民俗」で、この科目の履修生に話すように言われたのです。

学生数は100人、3年生か4年生が大半です。数ヵ月前に講義依頼を受けたころ、韓日関係はきわめてよくない状況にありました。講義することに躊躇もありましたが、難局にある時こそ若者に会って対話する意味があると考え、受諾しました。幸い、GSOMIA 問題が数日前に妥結され、多少は軽い気持ちで行くことができました。

講義タイトルは「韓国と日本の友好促進のために」とし、準備をしました。はじめに、「混壹疆理歴代國都之圖」、「安重根義士遺墨」を龍谷大学が所蔵しており、大谷探検隊がシルクロードで収集した遺物の一部が韓国に残っていることを指摘し、韓国と龍谷大学のあいだに深い縁があることを話しました。さらに範囲を京都に拡張し、古代百済、新羅時代から朝鮮時代、江戸時代の朝鮮通信使、尹東柱、耳塚、浮島丸爆沈事件など、韓国と京都のあいだにはよい面悪い面を含め交流が絶えず続いてきたことを強調しました。

結論として、このように両国は近くて似ている面が多く、あまりにも似ているため誤解しやすい。互いの違いを認めて協力すれば利益が得られる。世界の平和と発展に貢献すべく、国境を越えて連帯していこうという結語で講義を終えました。

講義を始めたとき教室の空気が落ち着かずに心配でしたが、幸い終始集中力を持って聴講してくれました。講義後、学生から質問が一つもなかったら、という心配もありましたが、男女３人ずつ６人の学生が質問してくれました。意外に多くの学生が質問をしたのは、事前に準備しておいた質問した学生に対する副賞が多少なりとも功を奏したのかと思います。

質問の内容も韓日友好のための若者の役割、マスコミ報道の問題、安重根のように韓日における歴史的評価が異なる問題、韓日スポーツ競技時の過剰なナショナリズムの噴出、韓国芸能人の自殺問題、ジャーナリスト出身で政府の仕事をしながら感じたことなど、多様で深い内容が多くありました。それだけ若者の韓国に対する高い関心を示すのではと考えながら、気分よく帰途につきました。

179　大阪総領事館・民団大阪地方本部共催同胞和合・感謝の会

November 27, 2019

11月がまもなく終わり、12月初めが見えてきました。大阪や京都など関西地域は紅葉がピークを迎え、一年の整理をして見送る行事が始まっています。

11月26日の夜、大阪総領事館と民団大阪地方本部共催の2019年同胞和合・感謝の会を開催しました。民団はじめ在日同胞代表と総領事館の職員など90人余りが参加しました。一年を決算する忘年会シーズンの開始を知らせる行事です。

ことし一年を振り返ると、二つのことが思い出されます。一つは６月末に大阪で開かれた主要20ヵ国サミットです。サミット前日の６月27日に文在寅（ムンジェイン）大統領が来阪し、８年ぶりに在日同胞懇談会を開催しました。

大統領と在日同胞が韓日関係、在日同胞社会の発展、韓半島の平和プロセスについて膝を交えてやり取りしました。2019年の感謝の会に参加した在日同胞に対し、懇談会の滞りない遂行に協力してくれたことを深く感謝しました。

もう一つは、悪化の一途をたどる韓日関係です。韓日関係の悪化で最も苦しむのは在日同胞です。関係悪化に伴い苦労する在日同胞に労（ねぎら）いの言葉を伝えました。

数日前、韓日の軍事情報包括保護協定 GSOMIA 問題が劇的に解決されたことにも言及しました。両国のメディアはこの問題について、どちらが勝ったかをめぐる記事であふれています。両国政府が大局に立ち、これ以上の関係悪化は望ましくないという共通認識のもと、互いに一歩退いた結果だと、私は話しました。どちらが勝ったかを問うのではなく、今回の妥協を契機にさらに確固とした望ましい関係構築のため、互いに努力することが大事だと話しました。GSOMIA 問題の妥協で関係悪化が一旦落ち着いたことに対し、在日同胞も一様に安堵していました。

呉龍浩(オヨンホ)民団大阪本部団長は「韓日共生」に関し、生野区コリアタウンを活性化させるため、来年はさらに尽力すると述べました。コリアタウン発の韓日友好ムードが、来年さらに強まることを期待しています。

180　滋賀県のオンドル遺跡、鬼室神社、発酵食品の鮒ずし

November 30, 2019

11月末、関西地域は紅葉シーズンのまっ盛り、行く先々で最後の紅葉見物をする人々で賑わっています。ソウル市とほぼ同じ面積の琵琶湖周辺も紅葉できれいに染まっています。

28日に滋賀県内で行事があり、予定より早く行って朝鮮に関連ある遺跡を数ヵ所見学しました。滋賀県は古代から日本海側の若狭地域に渡ってきた朝鮮の人々と文物が多いといわれながら、京都や奈良・大阪に比べて滋賀県と朝鮮の交流や関係は一般にあまり知られていません。

滋賀県の県庁所在地、大津市にある大津市歴史博物館に７世紀初めに朝鮮から渡来した人々が遺(のこ)したオンドルの遺構があることを知りました。博物館の建物内にあると思って訪ねたところ、屋外展示でした。案内の学芸員について行くと、オンドル遺跡は博物館の建物の少し下方にありました。

日本は温暖地域なのでオンドル形の暖房がありません。展示されているオンドルは韓国で発見された形式と似ており、半島からの渡来人が作ったことが確実だといいます。説明板にも韓国語の発音どおりオンドルと表示されています。朝鮮の渡来人が住んでいたと

大津市歴史博物館前にあるオンドル遺跡

される比叡山ふもとの穴太で発見された遺構を移動したそうです。

学芸員によると、日本の数ヵ所で発見されたオンドル遺跡のなかで、ここの展示物が最も形状が完璧だそうです。7世紀初めのものと推定され、初期の渡来人が作って使っていたものの、しだいに温暖な気候のため必要がなくなり、時代が下ると作られなくなったといわれます。

建物の外に支柱を建て屋根で覆って遺構を保存してはいますが、もっと注意深く管理し展示してくれたら、と思いました。

次に大津市から1時間余りの日野町にある鬼室神社を訪ねました。この神社は、660年百済が滅亡して、日本の救援軍および百済の復興勢力が唐・新羅連合軍と白江（現在の錦江）で戦い大敗を喫した「白村江の戦い」（韓国では「白江戦争」）と関連があるといわれます。

7世紀当時、白村江の戦いで大敗した日本の援軍と百済の貴族たちは日本に撤収し、唐・新羅連合軍が日本に襲来するのを恐れ、当時の日本朝廷（天智天皇）は都を一時、飛鳥から大津に遷都しました（667年）。そのとき百済出身の貴族たちも大津に移動したものと推定されています。

日野町の鬼室神社はかつて不動堂と呼ばれていました。江戸時代末期に神社の裏手に白村江の戦いに敗れて日本に亡命した百済の高官で知識人、鬼室集斯の墓碑が発見され、議論の末ようやく1955年に正式に鬼室神社に名称を変更したそうです。

1980年代に鬼室集斯の親族だった鬼室福信が韓国の忠清南道扶餘郡恩山面の恩山別神堂に祀られていることが判明し、それが機縁となって日本の日野町と韓国の恩山面が1990年に姉妹提携を結び交流しています。

日野町小野の住民で百済文化研究会の代表を務める植田慶一氏が中心となって鬼室神社を熱心に保存管理し、日韓交流を率いています。この日も植田氏の案内で鬼室神社を視察しました。

視察後、植田氏の家まで行き、お茶と一緒に滋賀県特産の鮒ずしをいただきました。鮒ずしは、日本すしの原初として知られていますが、簡単に言えば、韓国のホンオフェ（洪魚膾）に似た食材です。外国人がこれを食べることができれば、どんな日本の食物も食べられるといわれるほど独特の強い臭いがある発酵食品です。琵琶湖で取れた鮒を塩に漬け、米飯と一緒に1年近く熟成・発酵させて作られ、強い臭いのため日本人でも食べられない人が多いといいます。数ヵ月前に臭いの弱いものを食べたことがある私は、勇気を出していくつかいただきました。

植田氏の家で作ったと聞いて、余計にチャレンジしたかったのです。発酵食品の特性でしょうか、初回よりも回を重ねるごとに濃い味を求めるようになり中毒に陥るようです。

滋賀県に行く機会があれば、ぜひ韓国と関連した遺跡探訪と滋賀県伝統の発酵食品の鮒ずしにチャレンジしてみてください。

181 民団婦人会の滋賀県・奈良県本部、創立70周年行事を開催

December 1, 2019

民団の傘下団体に民団婦人会があります。当初は民団の内部組織でしたが、いまは民団とは別組織で民団婦人会としての活動を展開しています。

民団婦人会は、民団と在日同胞の諸行事で重要な役割を果たしています。各種行事に積極的に参加するだけでなく、食事を準備するなどの仕事も引き受けています。

民団幹部も、婦人会がなければ、民団や在日同胞の活動は運営できないと公然と口にします。舞台裏で最も積極的に活発に動いているので、婦人会の会員が活動の前面に出ることは稀(まれ)です。婦人会の活動を見るたびに、厭なことをいとわない「韓国のオモニの力」を感じ、一方でその活動に比べ然るべき待遇を受けていないように感じます。

11月29日と12月1日、民団婦人会の滋賀県本部（李美姫(イミフィ)会長）と奈良県本部(李明美(イミョンヒ)会長）が創立70周年行事を開催しました。いずれの行事にも参加し祝辞を述べました。

70年という長い年月を経て日本社会の差別と抑圧を穿ち、日本社会の一員として堂々と地歩を固めたオモニたちの労苦をねぎらいました。いま、在日同胞社会が直面する世代交代を最近の厳しい韓日関係において「オモニの不屈の力」で勝ち抜くべく、先頭に立つよう呼びかけました。

行事には地域と中央の民団婦人会幹部、地域の婦人会幹部だけでなく、日本の地方自治体の長と日韓親善協会関係者などが参加し祝いました。滋賀県の行事には三日月大造知事自ら来場し祝辞を述べました。

祝辞で私は、民団婦人会の業績を称え、その役割に頼むとともに、最近妥結された韓日軍事情報保護協定GSOMIAに言及しました。在日同胞がメディアに一方的に出てくる偏向報道に振り回されないことを望み、参加者がGSOMIAに関する韓国政府の意向を直接聞きたいだろうと思ったからです。GSOMIAに関する部分は事前に作成して送った原稿にないので、韓国語とと

もに日本語に通訳して伝えました。

「最近、韓日関係が悪化しているなか、11月22日、韓日政府はこれ以上の関係悪化は望ましくないという共通認識の下、互いに一歩譲歩して協定を維持することを決定しました。これで一つの大きな節目を越えたと思います」

「韓日のマスコミは、今回の妥協でいずれが勝ったなどと、無益な報道を続けていますが、重要なのはどちらか一方が勝つことを問うことではありません。今回の妥協を契機に望ましい韓日関係を築くため、互いに努力していくことだと思います」

このような内容を参加していた在日同胞や日本の人々は同意し頷きながら聞いていました。

二つの行事にはいずれも終盤に歌の公演などの余興がありました。いつもと同じように、オモニたちは肩を浮かせながらとても楽しげに興じていました。いくつもの苦難と悲しみも乗り越えたオモニたちの力を改めて実感した行事でした。

182 「ふじのくに」静岡県の優れた対外広報戦略　December 2, 2019

日本の47都道府県の一つ静岡県は、自らを「ふじのくに」と呼びます。富士山を擁する県（富士山は静岡・山梨両県に属します）の利点を最大限に活用する戦略だと思われます。

川勝平太知事は早稲田大学経済学部（英国経済史専攻）の教授出身で、自然と物産が豊かな静岡県の利点を生かし、国際交流・地方政府交流・文化交流を活発に繰り広げる知事として有名です。大阪にも県事務所「ふじのくに領事館」を設置しており、その職員を領事と呼んでいます。

各国の大使と総領事を毎年招待し、静岡県の文化施設などを見学させ広報する行事も実施しています。12月２日、関西総領事団を招いて第５回静岡県ツアーが催されました。私は昨年に続き二度目の参加です。

ことしの行事は、富士山と駿河湾・清水港・南アルプスを360度パノラマで見ることができる、標高300mの日本平・久能山の頂上に作られた日本平夢テラスと島田市にある茶の都ミュージアムの見学説明会でした。いずれの建物も昨年オープンしたそうです。

韓国の諺に「行く日が市日」というのがありますが、冬の雨が激しく降ったせいで富士山を眺望するスポットとして設計された最初の訪問先、日本平夢テラスでは屋内で説明を聞くにとどまりました。このテラスは2020年東京オリンピックの主競技場設計者である隈研吾氏が聖徳太子と関係深い法隆寺の夢殿をモチーフに設計したといいます。案内員の説明では、夢殿と同じ八角形の屋根にし、静岡産の木材を70%以上使用したそうです。あいにくの天気で外から見ることができませんでしたが、内側から天井を見ると八角形になっていました。このテラスは、昨年11月2日にオープンし、1年で110万人以上が訪れる名所になったそうです。

続いて、島田市のお茶の里ミュージアムを改造し、昨年県の施設として新装開館した茶の都ミュージアムに行きました。室内でお茶の歴史と文化を学び、試飲などをする施設なので、雨に関係なく行事が行われました。周囲には、約1000haという日本最大の牧之原茶畑が広がっています。明治維新で失業した武士たちに仕事を提供するために茶畑を開墾したもので、茶畑の開墾を通じた「ニューディール政策」といえます。静岡県は日本茶の栽培面積の40%、生産量の38%を占め、ミュージアムを作って広報する価値があります。

今回のツアーには元オランダ大使で2011年から静岡県の対外関係補佐官を務めている東郷和彦氏が同行しました。同氏は、朝鮮陶工の末裔で日本の太平洋戦争敗戦時に外相を務めた東郷茂徳氏（1882－1950）の孫に当たります。ツアーで同行しながら韓日関係についても話を交わしました。

雨模様のなか二ヵ所を見学し、午後遅く静岡県庁に行き、川勝知事に会って談笑した後、大阪に戻りました。

183 民族教育を支える二人の在日同胞に褒章伝達　December 5, 2019

年末の忘年会シーズンは、韓国では褒章授与式の時期でもあります。各部門で優れた業績をあげた人に韓国政府が褒章を授与する行事が集中するためです。

10月29日の在外同胞功労者国民勲章の伝達式に続き、12月5日には大阪総領事館で2019年の教育発展功労者褒章の伝達式を行いました。

大阪総領事館の管轄地域にことしは二人の受賞者がおり、いずれも民族教育に取り組んできた人です。一人は国民勲章冬栢章（ドンベクジャン）の受賞者、京都国際学園の金（キム）安一（アンイル）副理事長で、もう一人は国務総理表彰の受賞者、東大阪市立布施中学校の夜間学級で教える金徳美（キムドクミ）講師です。

金副理事長は、京都国際学園が野球名門校に成長する礎を築いた人です。京都で唯一の韓国系民族学校である京都国際学園の生徒数が100人を割って存亡の危機に瀕し、学校の再興に悩んでいたとき、野球部の創設を推進した人です。

きっかけは1999年６月の新聞記事でした。「学校再興」に悩んだ和歌山県立日高高校中津川分校の野球部が分校としては初めて甲子園大会に出場した後、減少していた学生数が増えて活気を取り戻したという記事でした。偶然、記事を目にした瞬間「これだ」と思い､野球部の創設を思いつき推進したそうです。

このアイデアは見事に的中しました。同校の野球部が京都府内で甲子園出場を争うほどの名門野球部に成長してから学生数も増え、学校に対する評価も変わっていったのです。一時は中高合わせて100人以下まで下落した学生数が、今では150人を超えるまでになりました。金副理事長は道路工事を主な業務とする建設会社を経営しており、運動場の整備をはじめ学校の教育環境改善にも多大の貢献をしています。

もう一人の受賞者、金徳美講師は1989年、30代の半ばに民族講師として出発し、今まで30年のあいだ大阪府内の在日同胞が多い学校を回りながら、彼らが韓国人として自覚し誇りを持てるよう、民族教育に貢献して来ました。

民族教育との出会いは、初めて赴任した日本の公立小学校で差別される在日同胞生徒のために民族学級を作ったときでした。彼らが日本人の生徒にいじめられ、しょげている生徒を目にしたのです。そこで､生徒たちを力づけるため､いつも彼らに笑いかけ、彼らがチャング（長鼓、韓国の伝統打楽器）の音を聞いて元気づけられるようにと、教室のドアをあけてチャングを一緒に叩こうと誘ったそうです。生徒たちの韓国語能力とチャングの演奏力を育むため、困難な生活のなか自費で韓国に渡って１年ほど学院に通ったといいます。

現在、在日同胞が多く住む東大阪の布施中学校の夜間学級で社会科を教えています。最近、30年前に初めて民族学級で教えた生徒の子が同じ学校の民族学級に通っていると知り、いたく感動したそうです。

金講師は６月末に開催された文在寅（ムンジェイン）大統領と在日同胞の懇談会で、ハンカチで泪（なみだ）をぬぐう姿が写真に撮られ、有名になりました。懇談会の席上、文大統領が民族教育を評価する発言をした際、亡くなった母親が脳裏に浮かび、思わず泪がこぼれたそうです。

お二人の話を聞くにつけ、その業績に比べて褒章の重みがあまりに軽いように思います。在日同胞の人口が年々減少し、民族教育が危機に瀕しているといわれるなか、今回の受賞者ほか多くの人々の献身的な努力に支えられ、民族教育は多くの困難を抱えながらも維持され発展しています。関係者の労苦にただただ感謝するばかりです。

184 日韓親善京都府議会議員連盟の年次総会　December 18, 2019

12月中旬、忘年会行事も終盤に近づいてきました。

冬のしっとり雨が降る17日の夕刻、日韓親善京都府議会議員連盟の忘年会を兼ねた年次総会に出席するため京都を訪ねました。会場は、京都のなかで最も華やいだ街、祇園の一角にある焼肉レストランでした。途中、雨の降る薄暮のなか道ばたにぶら下がる赤い提灯(ちょうちん)が幻想的な光景を醸(かも)していました。

大阪総領事館の管轄域内にある府県の大半に日韓親善協会があり、大阪府と京都府にはそれぞれ日韓親善府議会の議員連盟があります。京都府議会の日韓議員連盟は1984年12月に設立され、府議会議員60人のうち37人が参加しています。地域の在日同胞団体と連携してコリアフェスティバルなどの行事を支援し、韓国訪問などの交流活動を推進しています。韓日の政治状況に関わりなく親善友好に尽力する、ありがたい団体なのです。

年次総会は毎年12月に忘年会を兼ねて開かれます。昨年はソウルで開催された公館長会議と日程が重なり参加できませんでした。ことしは必ず参加し、感謝の意を伝えようと以前から決めていたのです。韓日関係が悪化し、この団体の活動が一層重要だったからでもあります。

議員連盟・在日同胞団体・京都府それぞれの関係者など60人が参加しましたが、韓日関係の悪化などどこに、と思われるほど和気あいあいとしたムードに包まれていました。政府間の関係が悪化すると、自治体や民間の関係まで凍りついた従来の形とは異なるまったく新しい形の韓日関係が形成されていると実感します。近くの席の日本人参加者たちも、両国関係の幅が広がり深さも増して、中央政府間の対立に揺らぐことのない基盤が形成されていると分析していました。まったく同感です。

総会の祝辞で私は、2千年近い韓日関係において圧倒的に長かった友好の歴史を記憶し、互いの違いを深い知恵で克服していけば、来年はさらに良好な二国間関係が形成されるだろうと述べました。来年開催の東京オリンピックに京都出身の柔道選手、在日同胞3世の安昌林(アンチャンリム)選手が韓国代表として出場することを伝え、2020年の東京オリンピックが韓日市民と在日同胞が交わる平和の祭典になるよう尽力しようと呼びかけました。

ちなみに、在日同胞出身選手がオリンピックで金メダルを取ったことはまだないそうです。今回、安選手が金メダルを獲得し、東京オリンピックにおいて在日同胞史に新たな歴史を刻むことができたら申し分ないのですが。

185 日本の若い人たちの驚くばかりの韓国語能力 December 22, 2019

最近の日本の若い人たちの韓国語能力は驚くばかりです。韓国の映画や TV で日本人が韓国語を話すシーンでは했습니다 [hessmnida] をヘッスム [sumu] ニダと、いかにも日本語ふうに話す、そんな型にはまった描写が見られます。こういう描写はいまや陳腐というべきかもしれません。少なくとも、いま韓国語を学ぶ日本の若い人たちにそういう人はいないようです。

12月22日（日）、民団大阪本部ホールにおいて「第13回『韓国語を楽しもう!』高校生大会」（大阪韓国教育院・民団大阪本部共催）が開催されました。関西地方で韓国語を第２外国語として選択している日本の高校などの生徒が参加し、韓国語の実力を競う大会です。これまでさまざまな行事に多数参加しましたが、韓国語のコンテストは初めてだったので、強い関心をもって参加し、３時間じっくり観察しました。

大会は韓国語部門（スピーチ・朗読など）と芸能部門（ダンス・歌・演劇など）に分かれていますが、いずれも韓国語能力を競うもので、同じ評価基準で評価されます。ことしは、韓国語部門８人、芸能部門７チームで、合わせて15チーム40人が参加しました。部門の性格上、韓国語部門は主に個人参加で、芸能部門はすべて団体参加です。

一人目の参加者が登場して話し出すと、会場がにわかにざわつき始めました。特に民団の関係者が驚いたようです。在日韓国人よりも日本の高校生たちの韓国語のほうがはるかに流暢だと、感心したのです。従来の典型的な日本人の韓国語ではなく、韓国語ネイティブの発音さながらでした。特定チームだけでなく、続く参加者も同じで、これが一般的な傾向であると確認できました。プサン語を取り入れたチームまで登場したほどです。

韓服を着て参加した日本の学生達

複数の高校生による発表もありました。教科書で学習した韓国語ではなく、韓国ドラマや映画、K-POP を通して学んだからなのでしょう。K-POP の歌詞や韓国ドラマのせりふを聞き映像を見ながら学んでいるので、発音だけでなく状況適応力が一昔前に本で学んだ人たちと比べ数段上なのです。

韓国語という語学だけを学ぶのではなく、韓国の文化や歴史を理解することに発展し、韓国語の学習が彼ら自身の人生に影響を与えているように思いました。韓国語を学ぶきっかけは、K-POPにはまったり、母親と一緒に韓流ドラマを見たり、修学旅行で韓国に行ったりと、さまざまです。韓国語を学んだことで韓国の大学に留学が決定している人、留学する予定の人、韓日の架け橋の役割を果たしたい人などが少なからずいました。

大阪市立西高等学校３年生の安田朱那さんが最優秀賞を獲得しました。テーマは「言葉の勉強にとって大事なこと」でした。大会には、参加した高校生のほか、指導教師や家族など100人余りの人々が参加し、楽しいムードのなか賞とは関係なく共にひと時を過ごしました。

ここ数年この大会を見守ってきた関係者は、年ごとに日本の高校生の韓国語力が急伸しているように感じると話していました。日本の高校生の韓国語力の伸びを最も喜びつつ、一方で緊張しているのは在日同胞ではないでしょうか。

186　大阪韓国総領事館新庁舎の建設契約締結、2022年５月に完成予定

December 27, 2019

大阪総領事館の新築工事を担う建設会社が、ようやく前田建設工業株式会社に決まりました。同社は売上高において日本の建設会社で第９位です。12月25日、大阪総領事館と前田建設が工事契約を結びました。クリスマスの日の契約は忘れられない日になるでしょう。年を越さずに大きな節目を迎えることができ、肩の荷を一つおろしたように感じます。

契約に基づき、工事は2020年３月15日に始まり、22年５月13日に完成します。完工すれば、大阪の中心部の繁華街、御堂筋通りにあった旧館の位置に地下１階・地上11階の超モダンな建物が出現します。

当初の予定では2019年６月に着工、2021年末の完工を目標にしていました。ただし、大阪の建設業界の競争が熾烈なため、業者選定に時間を費やし、予定していた工期より遅くなりました。急速に悪化した韓日関係も多少影響したと思われます。

困難な状況にあった70年代初め、十匙一飯という韓国の諺どおり在日同胞が一丸（いちがん）となって募った資金で建設し、韓国政府に寄贈した大阪総領事館の旧館。契約式に臨んでその歴史を思い起こし、韓日友好を象徴する斬新なビルを建設するよう建設業者に依頼しました。

道頓堀近く御堂筋通りに面した大阪韓国総領事館の旧館は「御堂筋に太極旗

を」翻すことを願った関西地域の在日同胞が募金活動を行い建設したものです。1972年11月7日に着工し、74年9月15日に完成した地下2階・地上9階のビルは完成と同時に韓国政府に寄贈され、大阪総領事館として使われてきました。

建設から長年経ち、1995年の阪神大震災で亀裂が生じるなど、建て替えを余儀なくされる状況となりました。韓国政府は在日同胞が建てた「御堂筋の総領事館」というシンボル性と歴史を考慮して同じ場所に建て替えることにし、18年8月から解体作業を始め、19年2月に解体工事を終えました。

建て替え工事に入ってからは船場郵便局の近くにある五味ビルの臨時庁舎において業務を行っています。

187　総領事館の職員とトックスープを食べ、2020年をスタート

January 7, 2020

2020年、庚子（かのえね、コウシ）年の新しい1年がスタートしました。ミレニアム・バグだ、Y2K問題だと騒ぎ立てたのがつい昨日のことのようですが、いまや21世紀第三の10年が始まった、という感慨を新たにしています。

庚子年は私の干支で、ことし還暦を迎えます。「百歳時代」といわれる昨今、多少は慰められるものの、我ながら年をとったものだと実感します。

日本では政府をはじめ多くの機関や企業の仕事始めは1月6日（月）でした。大阪総領事館も昨年末27日の仕事納めから前後の週末を含めて9連休、日本の暦に合わせて長期連休を取り、6日が仕事始めでした。

総領事館改築に伴う臨時のビルという事情もあり、職員だけ集まって簡素に仕事始めの行事を行い、昼食時に会議室で職員とトックスープを食べて新しい1年のスタートとしました。

昨年末の日産自動車前会長カルロス・ゴーン氏のスパイ映画さながらの脱出劇、年初の米国によるイラン軍指導者の暗殺事件が世界を驚かせましたが、大阪は比較的穏やかな連休を過ごしました。

2020年仕事始め

昨年は韓日関係が大きく悪化し、在日同胞にとっても総領事館の職員にとっても緊張の連続でした。ことしは総領事館にできる範囲でよりよい関係となるよう尽力

することを、新年の誓いとしました。

また、在日同胞と韓国国民から批判ではなく好意を受ける総領事館になるように努め、新年の誓いで終わることなく、行動と実践と結果に結びつけ、年末に外部の人々から高評価を受けられるようにしようと述べました。

総領事館の仕事始めの後、大阪府・大阪市・経済三団体（大阪商工会議所、関西経済連合会、関西経済同友会）共催の新年互礼会の会場を訪ねました。府知事をはじめ複数の関係者の話を通じ、ことしの大阪地域における主要トピックが、年末に予定される大阪府・市の統合を問う住民投票と2025年の大阪万博を控えた地域の活性化だということがわかりました。

188 京都と大阪の違いが民団行事にも　January 13, 2020

1月は新年会の季節でもあります。1月も三分の一が過ぎたのに、さまざまな新年会が続いています。

大阪総領事館所管の2府3県（大阪・京都・滋賀・奈良・和歌山）の民団も10日から12日にかけて新年会を開催しました。同じ日に複数の地で開かれることもあり、私ほか総領事館の職員が手分けして出席しました。

10日の京都民団と11日の大阪民団の新年会には私が出席しました。日本では毎年1月の第2月曜日が「成人の日」の祝日に当たり、新年会は例年、成人の日の前に開催されます。

京都民団主催の新年会と大阪民団主催の新年会は、同じ民団の行事でありながら、会場のムードがまったく違います。京都はホテルの会場、大阪は民団ビルで開催しましたが、京都会場は洗練されており、大阪会場には豊かさがあります。ちなみに、大阪民団ビルは日本の民団で最大規模を誇り、大ホールは500人以上収容できます。

二つの会場のムードの違いはそれだけにとどまりません。京都はバイオリン二重奏団を招いて行事前に演奏し、大阪は行事の後、会場に韓国料理中心のビュッフェを設けて賑やかにあいさつを交わしたことにも両者の違いがみられます。二つの新年会に参加した日本人も「同じ民団なのにムードが

大阪民団主催、2020年新年会で乾杯

まったく違う」と言っていました。同じく在日同胞でも、定着して暮らす都市の文化が反映されるのではないか、と私は考えています。優雅な京都と実用的な大阪の差が、日本人だけでなく、そこに住む在日同胞にも浸透しているのです。

もちろん、似ていることもあります。京都でも大阪でも韓日双方の参加者が、ことしは昨年より韓日関係がよくなってほしいという期待感を異口同音に語っていました。そして、政府間に軋轢(あつれき)があっても、民間・地方間において良好な関係を保つことを確認しました。

日本の国会議員と地方議員が多く参加したことも二つの新年会に共通しています。約200人参加した京都の新年会は、日本の中央と地方の政治家や自治体関係者などが三分の一ほどを占めました。大阪の新年会でも、自民・公明・立憲民主・日本共産の各党と日本維新の会を含め10人余りの国会議員がコリアンと共に新年を祝いました。

立憲民主党を代表して挨拶した辻元清美議員は「横におられる元国会議員の先輩のお話しでは、40年前、民団の新年会に出席した国会議員はお一人だったそうです……いま日韓関係が難局にあるというのに、ほとんどすべての党の議員が参加するほど在日同胞の影響力が大きくなった」と述べました。足元だけ見れば昔も今も世界は変わらないが、目を上げて遠くを見ると、大きな変化に気づくということを言っていました。厳しい環境のなかで踏ん張ってきた同胞たちの努力が、自身も気づかないうちに、かくも大きな変化をもたらしたのだと思います。

189 在日韓国奨学会初の韓国総領事講演　January 19, 2020

総領事としてたまに講演を依頼されることがあります。講演は、日本社会や在日同胞社会とコミュニケーションを図り、韓国政府の政策を広報する絶好の機会です。

とはいえ、講演の準備はかなり大変です。講演対象とテーマに応じて内容をアレンジし推敲を重ねるのは体力仕事より数倍難しいのです。型どおりの話や講演者のセンスと特色が表れないものは無意味なため、ほかの仕事よりはるかに精神を集中しなければなりません。

昨年末、在日韓国奨学会から講演依頼を受け、1月18日（土）に奨学会事務局がある大阪韓国人会館2階の会議室で講演しました。日本では年末年始が9連休だったので準備負担は少ないと考えたのですが、体力的には楽でも頭のなかは講演準備一色という、あまり快適でない長い連休を過ごしました。もちろん、講演後は講演してよかったという満足感と達成感を感じましたが。

与えられた講演テーマは「未来志向の韓日関係：関西から築く韓日友好」でした。講演対象は奨学金を受けている奨学生青年とのことでしたが、実際は彼ら20人ほどのほか奨学会の代表や取締役と民団幹部など約60人が出席しました。

講演の冒頭で古代から現在に至る韓半島と関西地方の関係を振り返り、最近の韓日対立の状況とその要因を明らかにしました。古代から韓半島との交流の歴史が最も長く、在日同胞が最も多く住む関西地方、韓国人観光客が最も多く訪れる関西地方こそ、その特長を活かして韓日友好をリードしていくべきだと訴えました。

1時間ほどの講演の後、学生ほか5－6人が進んで質問し自ら意見を表明するなど、実りあるやり取りがありました。ある在日同胞参加者は、韓日関係が難局にあるなか、生活現場をふまえ「観念ではなく足で歩いて」良好な関係を作っていくべきだとコメントしました。まったく同感です。

在日韓国奨学会の関係者によると、韓国総領事が奨学会で講演したのも、講演会に大阪民団の団長ほか幹部が出席したのも初めてということです。今回の講演会が総領事館と奨学会、奨学会と民団の距離を近づけるのに多少なりとも貢献できたとすれば幸いです。

在日韓国奨学会は、韓国戦争後の1956（昭和31）年に関西地方の大学院生と大学生が中心になって設立され、これまで800人余りの奨学生を育てたといいます。主に関西地方に在学する学生を対象に、毎年20人前後に月額3万円の奨学金を提供しているそうです。奨学会は、在日同胞系の文化団体として最も長い歴史を誇り、奨学金を寄付した人物や団体の名前を付した奨学金制度も運営しています。

2017年、徐龍達（ソ ヨンダル）名誉会長は韓国政府から奨学会運営などの功績を認められ、韓国最高位の勲章無窮花章（ムグンファジャン）を受賞しています。

190 民族教育功労者12名に総領事表彰授与式　January 22, 2020

日本に4校ある韓国系民族学校のうち3校は大阪府（2校）と京都府（1校）にあり、関西地方は全国で最も韓国系民族教育が盛んな地域だといえます。ほかに、2006年に新設されたコリア国際学園も大阪府（茨木市）にあります。また、大阪府の公立小中学校に設けられた民族学級では、生徒約3千人が民族講師50人ほどから韓国語と韓国の文化や歴史について学んでいます。

関西地方で民族教育が盛んになった最大の理由は在日同胞の多さですが、それだけで民族教育が盛んになったわけではありません。民族教育を育(はぐく)み、日本社会のなかで活かし維持しようとした多くの人びとの血と汗と涙があったからこそ盛んになったのです。その代表的な事件が阪神教育闘争です。在日コリアンが設立した朝鮮学校に対する閉鎖令（文部省学校局長の全国知事に対する通達 1948.01.24 に伴う各地の動き）に対抗し、神戸・大阪を中心に反対運動が起こりました。そんな状況のなか、1948 年4 月26日、大阪府警前で抗議デモに参加していた金太一(キム テ イル)君（16 歳）が警官に銃撃され死亡しました。

いまも各地の民族教育の現場では、日本への同化圧力に抗しながら韓国人のルーツを守ろうとする多くの人びとの厳しい戦いが続いています。水面下で活動する多くの教師や活動家などの尽力が関西地方の民族教育を支えている、といっても過言ではないのです。

総領事館では、年末年始にかけて各分野で在日同胞社会の和合と発展に尽力した人びとに総領事表彰状を授与しました。1 月21日には教育関係者12人の授与式を行い、食事の席を設けました。

受賞者は分野別に、民族学級 5 人、韓国語教育 4 人、民族学校 3 人です。それぞれの受賞理由やこれまでの経緯は多様ですが、代表として話した 4 人のあいさつの要点を以下に紹介します。

< 朴玲熙(パクリョンフィ)：民族教育推進連絡会 >

生野区で育った在日同胞 2 世。日本の学校に通って多くの差別を受けたので、成人したら差別をしない教師になろうと決心した。その決意を実行し民族講師になる道を選んだ。民族講師をしながら、むしろ生徒や親たちから多くのことを学んでいる。

< 高用哲(コ ヨンチョル)：同胞保護者連絡会 >

民族学校の存在を知ったことが人生の画期になった。その時から韓国名を使い始め、ことしで20年になる。同胞保護者連絡会は成人の民族学級ということができる。今回の受賞は、新しい生活をスタートして20年を記念する成人式のようなものだ。今後とも自分のルーツを大事にする実践をしながら生きていきたい。

< 金周恩(キムジュウン)：金剛学園教員 >

北京の韓国学校に教師として派遣されていたとき、大阪に民族学校があることを知った。それが機縁となり現在に至っているが、来日当初は民族教育とい

う概念さえ理解できなかった。経験を積んで民族教育の重要性を理解し、民族学校とコリアン社会、韓国総領事館や韓国教育院と協力してこそ民族教育を持続できることに気づいた。

< 白政子（パクチョンジャ）：滋賀民団湖西支部職員 >

家が民団支部に近いこともあり、1978年から民団支部の事務局で働いている。30代の母親として始めた仕事が、その後42年、私の毎日となった。民団支部に所属して７年のあいだ教育院の講師から学んだ韓国語を基盤に、今では４支部で韓国語の講師をしている。年齢を重ね引退も考えたが、今回の受賞を機に新たな力を得たように思い、引退を再考するつもりだ。

授賞式の後、夕食を共にしながら、ほかの人の話も聞きました。残念ながら割愛させていただきます。

191　生野コリアタウンのトイレ設置提案に松井一郎市長が即答

January 28, 2020

関西地域（兵庫県を含む）には18の総領事館があり、関西領事団も組織されて活動しています。最も滞在期間が長い総領事が領事団の団長に就（つ）きます。昨年末、長年その任にあったパナマ総領事が帰国したのに伴い、オーストラリア総領事が新団長に就任しました。

関西領事団に属す国のうちパナマとフランスが大阪以外に総領事館を置いています。業務の大半が海事がらみのパナマは港湾都市神戸に総領事館、文化に重点を置くフランスは京都に総領事館と文化院を設置しています。

韓国は同胞が多く住む神戸にも総領事館を置いているので、大阪総領事館と神戸総領事館が関西領事団に参加しています。

大阪府知事と大阪市長は毎年初めに関西領事団を招いて府・市の政策を説明するとともに、領事団と意見交換するセミナーを開催しています。ことしは４回目だそうです。府知事と市長が各国の行事にすべて参加するのは難しいので、こういう場を作ったものと思われます。

１月24日、昨年 G20 サミットのディナー会場となった大阪迎賓館において恒例のセミナーが開催されました。昨年は災害発生時における外国人への発信がテーマでしたが、ことしは新型コロナが主要テーマになりました。中国領事は、地方政府との協力とともにフェイク・ニュース拡散を防止するよう依頼しました。

新型コロナの話が終わったあと、私は生野コリアタウンの問題を提起しました。「生野区は日本のなかでも住民に占める外国人の割合が特に高く、在日韓国人が２−３万人集住しています。コリアタウンと呼ばれる御幸通商店街には、日本の若い人たちが毎日１万人以上訪れ、異文化を満喫しています。大阪の多文化共生と国際化にとって象徴的な場所であり、その方向に沿って発展されるよう望みます。韓国総領事館もできる限り支援する意向ですので、大阪府と大阪市におかれましても積極的にご支援くださるようお願いいたします。当地の商業関係者の話では、訪問者数に比べてトイレと休憩スペースが不足し困っているそうです」

発言が終わるとすぐ、松井一郎大阪市長が次のように応答しました。「生野コリアタウンが多様な文化の坩堝であることをよく承知し、トイレ等の施設不足についても熟知しています。このような状況に対応すべく担当部署に指示しており、本年上半期には解決できるように努める所存です。韓国総領事館におかれましても、さらなる日韓交流の推進にご協力くださるようお願いいたします」

松井市長の回答を聞き、私は「うれしい気持ちと驚きが半々」でした。日本の行政庁の責任者がこのような公的な場において提案に対し具体的で明確に答えるのは非常に異例だからです。生野コリアタウンが今後どのように変わっていくのか、楽しみながら見守りたいと思います。

192　韓国在外同胞財団、ハングル学校教師を対象に現地研修会を実施

February 1, 2020

韓国以外の外国において韓国語教育を担う公的機関は三つあります（国ごとに多少事情が異なります）。韓国外交部が所管し在外同胞財団が運営するハングル学校、教育部所管の韓国教育院、文化観光体育部所管の世宗学堂です。

三つの機関は、それぞれ独自の目的と背景により設立され、運営されています。ハングル学校は主に海外同胞子弟に韓国語を教え、韓国教育院も外国における韓国語教育など民族教育を担っています。世宗学堂は外国人を対象に韓国語と韓国文化の普及に携わっています。国や地域によってはこれら機関が一つもないところがあり、すべてある地域もあります。大阪は三つの機関がすべてある代表的な地域の一つです。

韓国語教育を実施する機関が多いことには一長一短があります。韓国語学習者の需要に応じるには多ければ多いほどよいといえます。ただし、同じ地域内に同じ機能の機関が並存すると、維持管理面で重複が生じることも避けられま

せん。とりわけ韓国語学習者からは、同じことを複数の機関が競合して実施していると見られがちです。また、在日同胞が多い大阪の場合、国籍に基づいて受講者を区別し教育するのはむずかしく、その意味もありません。こうした事情のため「同じ業務にダブる機関」という印象が余計に強くなるのです。

大阪地域には民族学校と民族学級もあり、他の地域に比べ韓国語教育の機会が多くあります。それでも、広範な地域に住む同胞が韓国語教育を受けるのは必ずしも容易ではありません。ハングル学校は、こうした地域の在日同胞のために韓国語教育を担っているのです。在日本ハングル学校関西地域協議会によると、民団支部の建物などを活用して土曜学校や日曜学校として49ヵ所でハングル学校を運営しています。ただ、教師の待遇は非常に厳しいそうです。

在外同胞財団が日本のハングル学校教師を対象にことし初めて大規模な現地研修会を実施しました。東京（1月27－29日）に続き、大阪で30－31日に関西ハングル学校教師研修会を開催しました。

研修会を主催した在外同胞財団の韓佑成（ハン ウ ソン）理事長は、韓国語を介した在日同胞のアイデンティティ確立のため、教師研修と次世代在日同胞の韓国招聘事業を強化したいと述べました。今回の日本におけるハングル教師研修会は財団の意志の表れだとも述べました。研修会に参加した50人余りの教師たちも、こうした教師研修は初めてであり大いに有益だと評価し、財団の継続的な関心と支援を要請しました。

193　2020年度事業に関する官民合同ワークショップを開催

February 2, 2020

大阪韓国総領事館は、大阪・京都の2府および滋賀・奈良・和歌山の3県を管轄しています。地域ごとに組織された団体があり、地域を縦断して結成された団体もあります。大阪のような巨大地域には青年会や学生会の組織もあります。青年団体である韓国大阪青年会議所や韓国京都青年会議所も地域単位で活動しています。

地域縦断型の団体には民主平和統一諮問会議近畿地域協議会、ニューカマーの団体である在日本関西韓国人連合会、ヘイトスピーチ反対運動や民族教育支援活動を推進するコリアNGOセンター、世界韓人貿易協会（OKTA）大阪支会、在日本ハングル学校関西地域協議会などがあります。

韓国総領事館の主要業務の一つはこれらの団体と連携し、その関連行事に参画することです。ただ、多くの団体の行事が集中する場合は参加できないこともあります。

これら団体の行事の性格が類似していて参加者も重複し、効率が悪いと思うときもあります。さまざまな要因があるでしょうが、団体ごとのコミュニケーション不足、不十分な年度計画づくり、慣例どおりの行事運営なども考えられます。「設計図なき家作り」「スケッチなき絵画」方式の事業がこのような問題を引き起こしているかとも思われます。

このような問題意識に基づき、1月31日、各地の民団を含む20以上の団体が参加した「2020年度事業に関する同胞代表のワークショップ」を韓国総領事館の主催で開催しました。本年度の総領事館の重点事業計画と各団体の主要行事についてそれぞれが説明し、協議する時間を持ったのです。

初めての試みであり、時間の制約もあって、突っ込んだ議論には至りませんでしたが、いくつか成果がありました。ふだん個別に活動している各団体が一堂に会し、会議したこと自体が最大の成果です。他の団体がどんな事業をいつ行うのかを知り、話し合った意義が大きかったと思います。今後、年度初めにこのような会議の場で協議すれば、従来よりも効率のよい仕事ができるという考えを共有したのも大きな成果でした。

今回のワークショップを通じて、同胞の団体間における水平コミュニケーションが円滑でないことが明らかになりました。活動地域も重なるので、互いに協議し協力すれば、より高次の事業展開ができるはずですが、率先して提案しにくい事情もあるのでしょう。ワークショップを通じて総領事館の新たな業務を見出したように思います。

194 韓国系の民族学校三校のそれぞれ特色ある卒業式　February 15, 2020

2月15日（土）、京都国際学園・京都国際高等学校の2019年度卒業式が行われました。大阪韓国総領事館所管の民族学校三校の最後の卒業式でした。

韓国では新型コロナウイルス問題でさまざまな行事が取消しまたは延期になっています。日本でも最近になって感染経路が確認できない感染者が出るなど、深刻な状況に見えますが、行事の中止などは聞きません。対策がアバウトなのか無謀なのか、わかりかねます。

何はともあれ、民族学校の卒業式、とりわけ高等学校の卒業式は社会人としてのスタートという意味もあり、できる限り出席するようにしています。この方針のもと、コロナウイルス感染拡散の懸念があるなか、15日の卒業式に出席しました。1月31日（金）の白頭学院・建国高等学校を皮切りに、2月1日（土）

の金剛学園・金剛高等学校を含め、大阪韓国総領事館所管の民族学校の高等学校卒業式の巡礼を終えました。

三校のなかで建国高等学校の卒業式は70回目で最も長い歴史を誇っています。ことしの卒業生43人を含め、これまでの卒業生は延べ4867人です。金剛高等学校は58回目で20名（延べ1397人）が卒業しています。京都国際高等学校は55回目で、ことし41人が卒業しました。

生徒全員が参加した京都国際高等学校の卒業式

韓国系民族学校の卒業式といっても、それぞれ若干異なる特徴があります。建国高等学校の卒業式には「男性的なムード」をふんだんに感じました。卒業式当日には、同校の伝統芸術部に対する韓国政府の伝統楽器伝達式もありました。伝統芸術部は昨年6月の文在寅（ムンジェイン）大統領との在日コリアン懇談会など、地域内の各種行事において迫力満点の韓国伝統遊戯公演を通して韓国の美を伝えています。

金剛高等学校は生徒数が少ないためか一家族のような感じを受けました。卒業式のあいだに泪を流した生徒が最も多く、先輩と後輩間の距離が至近にあるようでした。

京都国際高等学校は、韓国籍の生徒より日本籍の生徒が倍以上多いにもかかわらず、ほぼ韓国語で進行したことが、他の二校と比べ際（きわ）立っていました。この日、卒業式の最後には、卒業生を含む生徒全員が会場の前方に進み出て卒業歌と校歌を斉唱する感動的な姿を見せてくれました。卒業歌は日本語、校歌は韓国語で歌い、この場面で生徒も来賓も泪を拭（ぬぐ）っていました。

三校とも最近の第三韓流ブームにより生徒数が増え、特に高校生の増加が顕著です。ただし、全体的な人口減少のため、中学生は横ばいか減少傾向にあるといいます。

195 同志社大学次期学長も参加した尹東柱追悼行事とシンポジウム

February 16, 2020

「あゝ尹東柱（ユンドンジュ）」。詩人・尹東柱は「おお」や「ああ」などの感嘆詞を付けて呼ぶのがふさわしいように思います。若干27歳で無念の獄死を遂げた無惨さ、その詩の世界が湛（たた）える深い余韻のためです。

同志社大学で開かれた尹東柱詩人を偲ぶ集い

2月16日は尹東柱（1917－45）の命日です。毎年この時期、詩人が最期に住んだ京都で二つの追悼集会が開かれます。

14日には、彼の下宿があった京都芸術大学高原キャンパス前で同学主催の追悼式と献花式が行われました。詩人の命日16日に催す慣例ですが、16日が日曜となり繰り上げたのです。暖冬のせいか、昨年の倍の百数十人が参列しました。

翌15日は、同志社コリア同窓会と尹東柱を偲ぶ会の共催で、同志社大学の尹東柱詩碑と良心館において追悼会とシンポジウムが開催されました。この行事は詩人の命日の前週土曜日に開催するのが慣例です。

ことしは同志社大学の詩碑建立25周年の記念すべき年のため、当初は主催者が尹東柱の甥に当たる成均館大学の尹仁石（ユンインソク）教授ならびに東京や福岡など日本各地で尹東柱を讃える活動をする人々を招待した大型シンポジウムを企画していました。ところが、新型コロナの問題で尹教授ほかが不参加となり、計画を大幅に修正することになりました。

このような事情があったものの行事は盛大で真摯に執り行われました。特に4月に同志社大学学長に就任される植木朝子教授（現副学長）は献花式の午後1時半からシンポジウム終了の午後5時まで参加され、国境を越える連帯を培った尹東柱の詩を讃える祝辞を献じました。

この日の企画変更されたシンポジウムにおいて、1995年に「空と風と星と詩――尹東柱・日本統治下の青春と死」というKBS-NHK共同ドキュメンタリーを制作した多胡吉郎氏（元NHKディレクター）が25年を回顧する講演を行い、質問の時間も持ちました。多胡氏は最近、取材をもとに書いた『生命の詩人・尹東柱』（影書房、2017）を出版し、2年前に韓国でも翻訳出版されています。

多胡氏は尹東柱を「壁を越えた詩人」と評し、その詩は深いヒューマニズムに根ざした詩句により韓日の壁だけでなく世界中の人々の壁をつき崩す珠玉の作品だと述べました。また、1995年に同志社大学の尹東柱詩碑が起点となり、日本全国に尹東柱とその詩や詩碑が拡散された経緯をありありと解説してくれました。14日と15日、日本という異国の地で尹東柱とともに至福の時を過ごしました。

196 『中日新聞』の企画記事に登場した人々、雨森芳洲庵で座談会

February 17, 2020

韓国大法院の強制動員労働者の判決に対する日本政府の経済報復措置に伴い、韓日関係が悪化の一途を辿った2019年９月、『中日新聞』が意義深い企画記事の連載を始めました（滋賀県内のみ配信）。

企画タイトルは「誠信の交わり隣国への思い」でした。『中日新聞』は９月17日に韓国留学経験のある市原萌果氏（滋賀県立大学学生）を皮切りに、11月１日まで日韓交流と友好活動に尽力する滋賀県住民15人のインタビュー記事を掲載しました。

11月５日には企画仕上げ番外編の終わりに三日月大造滋賀県知事と私のインタビュー記事を掲載しました。難局にあって力を落としていた時期、両国の多くの人々を元気づける連載でした。

連載が終了した11月末に三日月知事に会った際、連載に登場した人々が一堂に会して話し合う機会があれば、と希望を伝えました。

三日月知事がその提案を聞き流さずに中日新聞と協議し、２月14日午後に特別座談会を用意してくれたのです。自分の提案でもあり喜んで参加の意思を伝えました。このような経緯で、朝鮮通信使とも縁の深い江戸中期の対朝鮮外交官で学者の雨森芳洲翁（1668－1755）が生まれた滋賀県長浜市高月町にある雨森芳洲庵で座談会を開くことになりました。

滋賀県立大学の河かおる准教授（朝鮮近代史専攻）の司会で、三日月知事と私のほか、京都芸術大学の仲尾宏客員教授（朝鮮通信使の研究者）、在日同胞三世のイ・ウジャ氏、市原氏、滋賀朝鮮初級学校の教員チョン・ピョングン氏が１時間余り話し合いました。テーマは、朝鮮通信使当時の「誠信交流」が今日の状況に投げかける意味と地域レベルの多文化共生でした。

朝鮮通信使行列の模型を贈呈される筆者

朝鮮通信使と韓日友好に尽力した雨森芳洲翁ゆかりの場所で座談会が開催された意義をふまえ韓日友好の歴史が深い滋賀県で国にできないことをやりましょう、と私は提案しました。他の参加者もそれぞれ個人・地域・市民レベルの活動を紹介し、実現可能な多くのよいアイデアを提案しました。座

談会の内容詳細は25日の『中日新聞』に掲載される記事に譲りますが、三日月知事が本格的に隣国の言葉・韓国語を学び始めたと明言されたことをお伝えしておきます。

座談会が終わった後、雨森芳洲庵の平井茂彦前館長が自ら作られた朝鮮通信使行列図の人形をくださいました。2018年春に赴任して間もなく訪問し、朝鮮通信使行列の人形を見て韓国総領事館に展示できれば、と制作をお願いしたのが機縁となったもので、感慨深い伝達式でした。

伝達式の後、芳洲庵を管轄する長浜市の藤井勇治市長とお会いし、朝鮮通信使などを通じた地域交流を活発にするべく意見を寄せ合いました。

雨森芳洲庵の所在地は大阪韓国総領事館から所管内で最も遠方の地の一つであり、すべての業務を終えて帰阪すると漆黒の暗夜でした。

197 熱気あふれたオリニ・ウリマル・イヤギ・カルタ大会

February 17, 2020

２月16日、まだ冬だというのに大阪は春雨のような雨が降っていました。きょうは大阪府の小学校民族学級に通う韓国にルーツを持つ生徒たちが、１年間の学習成果を披露する「ウリマル・イヤギ」大会の日なのです。天候が心配でしたが、大会会場に到着するや、そんな心配はすっ飛んでしまいました。

この日、在日同胞が多く住む大阪市生野区にある大阪市立中川小学校の講堂において第14回オリニ・ウリマル・イヤギ・カルタ大会が、民団大阪本部と大阪韓国教育院の共催で開かれました。会場には参加生徒、保護者、民族学級の講師など、500人を超える人々の熱気があふれていました。

この大会は大阪府全域の民族学級の生徒が１年で培った実力を競う最終行事であり、第１部のウリマル・イヤギ大会と第２部のカルタ大会に分かれて実施されます。

初めは小規模だった大会の参加者がしだいに増え、フェスティバル型の大会に発展したそうです。個人が韓国語能力を競うお話部門には計52人が参加し、昨年より14人増えたそうです。全体の参加者も年々増え、ことしは50人以上増えたといいます。

ウリマル・イヤギ大会は課題文の発表部門と自由作文部門に分かれています。ウリマル・イヤギ大会に参加する生徒がほぼ全員きれいな韓服を着飾って登場したのが印象的でした。

課題文の部門は初級生の部と上級生の部に二分して実施されますが、ウリマル・イヤギ大会のハイライトはやはり自由作文部門です。自由作文は、学年制限がなく、自分が書いた文章を発表するので、在日同胞の子どもたちの思いをありありと見せてくれます。

お祭りのようなハングルカルタ大会の熱気

民族学校に通いながら友だちを作って民族楽器を学ぶ子、曽祖母が韓国出身の四世という事実や、「ハルモニは韓国人、オンマは韓国と日本のダブル」「オンマは在日同胞、アッパは日本人だから、（私は）国籍が二つ」など、容易に聞けない話が自然に出てきます。

参加者がさらに熱狂した種目はカルタ大会でした。この大会は両チームがフロアに広げられたハングルの単語カードを審判の声に応じて取り出すゲームです。制限時間内により多くのカードを取ったチームの勝ちです。ハングルの理解だけでなく、瞬発力も必要なゲームなので見学しているだけでも興味が尽きません。まるでスポーツ試合を見ているような気がしました。誰が考案したゲームか不明ですが、楽しみながらハングルを学ぶのに最適です。

勝敗と成績に関係なく、参加した生徒と親たち、教員たちがみなハングルで満たされた一日だったように思います。

198　新型コロナの緊張の中で行われた「関西韓国経済人会議」発足

February 25, 2020

新型コロナウイルス感染が拡大しており、日本でも毎日ニュースで取り上げています。

このような状況に鑑み、韓国総領事館でも多角的な対策を講じ、実施しています。3月13日に開催する予定だった総領事館の新庁舎起工式は、感染の拡大を予防するため中止しました。外部の人が多く訪れる受付窓口を中心に手洗いやマスクの着用などの対策も強化しています。

このような状況で最も大事なことは感染防止と業務をどう両立するかです。感染に対する恐れと業務のいずれをも停止させず、業務を進めつつ感染予防を怠らないことです。最終的には二つを考慮しながら均衡のとれた業務を遂行すべきですが、なかなか言葉どおりにはいきません。

2月20日、関西地方で活躍する同胞と韓国から大阪に派遣されている経済団体が参加する「関西韓国経済人会議」の発足式を行いました。新型コロナウイルスが猛威をふるうなか、参加者数からみて制御できるレベルと判断し敢行したのです。この機会を逃すと早期開催はむずかしいという事情もありました。

幸い、参加者の双方とも有意義な会だったと評価しています。昨年の韓日貿易問題がこの会を発足させる契機となりました。大阪韓国総領事館の地域内で活躍するコリアンと韓国の関連経済団体や機関は多数ありますが、それらを横断する連帯が弱いことに気づいたのです。

会議には、大阪韓国商工会議所、大阪韓国青年商工会、関西駐在韓国企業連合会、OKTA大阪支会、KOTRA、aT大阪支社、近畿産業信用組合などの地域金融機関が参加しました。

今後、年二回の定期会合を開き、情報を共有して、各機関が共通にできることを実施することにしました。一度に満足の行く成果を出すことはできません。あまり欲ばらずに、会を重ねながら具体的な方向をさぐることにしました。

一つの会が発足するとき、内容が先か形式が先かという議論が起こるのが常です。そして、実際に仕事に着手すると、内容があっても受け皿がないために困惑することが多いように思われます。どんな内容もしっかり受け止められる確固たる受け皿としてこの会が発展するよう期待しています。

2時間余りの会議を終えホテルのロビーに降りると、いつもにぎやかなロビーが閑散としていました。ここでも新型コロナ(COVID－19)の威力が並々ならぬことを実感しました。

199 「誠信の教え隣国結ぶ」座談会記事、「嫌」という言葉なくさねば

February 26, 2020

2月14日、滋賀県長浜市の雨森芳洲庵で開催された「誠信の教え隣国結ぶ」と題した座談会の記事が25日付の『中日新聞』滋賀版に全面掲載されました。

この座談会には三日月大造滋賀県知事と私のほか、昨年9月から11月にかけて『中日新聞』の企画記事に登場した7人が参加しました。テーマは「今に生きる誠信の交わり」と「地域だからこその多文化共生」です。

限られた時間のなかで複数の人が参加した座談会のため十分に意を尽くすことができず、紙面の都合ですべての話が掲載されてはいませんが、取材記者が大筋をよく整理しています。

第1テーマの交流について、私は次のように述べました。

韓国では日本に対し「嫌」(嫌う)という語はほとんど使いません。韓国には「反日」はあっても「嫌日」はないのです。日本では「反韓」よりも却(かえ)って「嫌韓」がはびこっています。ある国が相手の国を嫌うというのは奇異なことです。「嫌」という語をなくすべく共に努力しようではありませんか。

第2テーマの多文化共生に関連し、司会者が朝鮮学校問題について質問しました。微妙な問題があり答えにくいのですが、以下のように答えました。

多文化共生について見過ごせない大事な問題がアイデンティティです。アイデンティティを持たない共生はおとぎ話でしかないからです。朝鮮学校がアイデンティティを固守するために努力してきた点を評価したいと思います。南北分断という現実のなかで、朝鮮学校問題について韓国政府が直接行えることは限られています。市民団体が関心を持って支援するのはすばらしいことだと思います。日本政府も青少年教育と人権問題という次元からこの問題にアプローチする寛大な姿勢を見せていただきたいと思います。

200 新型コロナ以前・新型コロナ以後　March 3, 2020

新型コロナ感染拡大の問題が世界を揺るがしています。日本も大阪も例外ではありません。

新型コロナの防疫を戦闘に例えれば、これこそ新しい強敵との戦いではないかと思います。対抗すべき兵器がないという点で新しく、なかなか死なないという点で手ごわい相手であり、目に見えないということでも難敵です。

それでも時間の経過とともに正体が把握されれば、これまでと同じように、人間の知恵によって退治されるものと信じています。そのときまで被害を最小限に抑制できるよう願ってやみません。

新型コロナは日本社会にも多くの変化を及ぼしているようです。後世に振り返ったとき、世界は「新型コロナ以前」と「新型コロナ以後」に画期されるかもしれません。

今回の新型コロナウイルスをめぐる状況に対処する日本社会を見て、次の二つのことに驚きを禁じ得ません。

一つは安倍晋三首相が2月28日に記者会見を開き、突如、全国の小中高校に休校を要請したことです。用語は「要請」ながら、首相による全国の小中高に対する事実上の休校命令とみることができます。措置の効果は別として、関連部署との事前調整なしに首相独断でこのような措置を行うことはきわめて異例なことです。

事前に細目にわたるマニュアルを組んだ後、さらに抜け穴がないかを繰り返し確認してから仕事に取り組むのが日本方式ないし日本の長所として知られてきました。でも､今回はまったく違います。今回のことが「石橋も叩いて渡る」式の伝統的な日本の意思決定方式が変わる契機になるのか、個人的に大いに関心があります。

もう一つは日本市民の買いだめ行動です。マスクを生産するためトイレットペーパーの材料がないというデマがきっかけで買いだめが起こったという分析が出ています。2011年の東日本大地震と津波の災害に遭遇しても整然と秩序を守り、対応してきた日本市民を見守ってきた者として衝撃は大きいものです。

実際、近所のスーパーを数ヵ所回ってみましたが、棚にトイレットペーパーが残っているところはありませんでした。これも、今回の状況が日本の市民意識を「公共優先」から「各自生存」へと変化させたのか、個人的に関心があります。

少なくとも社会の信頼関係がかなり壊れたことは明らかです。電車の車内で咳をした人がいたからといって非常停止ボタンを押したり、互いに大声を上げて口論したというニュースも尋常ではありません。

新型コロナは在日同胞の社会にも大きな影響を及ぼしています。三一節は光復節（解放記念日）とともに民団が最も重視している行事です。三一節には全国各都道府県にある地方民団ごとに同胞が集まって記念行事を開催してきました。しかし、ことしは新型コロナの影響で、これらの行事がすべて延期されたのです。当日、大阪韓国総領事館のスタッフもみな地域ごとに分かれて、韓国大統領の祝辞を代読してきた行事なのです。おそらく、三一節の行事が当日開催されなかったのは日本の民団史上初めてではないかと思います。

新型コロナが防疫以外の分野でも社会全般に多くの変化をもたらしていることを日々体験しています。

201　日本政府、韓国からの旅客に３月９日以後「入国封鎖」

March 10, 2020

新型コロナウイルス感染症に関連し、日本政府は３月９日から韓国からの入国旅客に対し門を閉ざしました。事実上の「入国封鎖」といえます。

入国者に対する「14日間の隔離と公共交通機関の利用自粛」を要求し、既に発行したビザを無効にして、90日観光ビザの免除を中断するという高度の封鎖措置を講じました。それでも微小な間隙をぬって入国する人がおり、措置実施の初日、９日には韓国から航空機２便で合わせて11人が関西国際空港から入国しました。韓国国籍者わずか１人に対し取材に現れた記者は20人を超えました。

大阪総領事館は韓国から入国する韓国国民に便宜を供与するため、９日から空港に緊急対応チームを派遣して応対しています。９日は初日のため状況が予測できない状態のため、２人１組の３チームを配置しました。国民１人に対し６人で応対したことになりますが、巨大な空港に一人で到着した韓国国民が感じたであろう孤立感を思うと、これでよかったと考えています。

今後入国制限措置が解除されるまで、このような状況が続くと思われます。現地の状況を見ながら、人員を調整し対応していく予定です。

10日朝、韓国文化放送のラジオ番組『キムジョンベの視線集中』からインタビュー申込みがあり応じました。関西国際空港の表情と領事館の対応ぶりを説明し、「14 日間の隔離と公共交通機関の利用制限」要求を強制力のない措置とする日本国内の批判や、後手に回った入国制限措置と限定的な PCR 検査体制に対する世論についても伝えました。

202　新型コロナ対策：「最大」検査の韓国と「選別」検査の日本

March 15, 2020

新型コロナウイルスが大阪韓国総領事館の業務にも甚大な影響を及ぼしています。

第１に、パスポート・ビザなどの申請のため総領事館に訪れる人が感染しないように最善をつくしています。出入りする人全員にアルコールによる手の洗浄を案内し、体温を測っています。窓口受付スタッフも全員マスクをして業務に当たっています。

新型コロナ感染を懸念し外部の活動を自粛しているため、通常１日に約 250 人の窓口の訪問者がほぼ半減しました。訪問者数が減って業務量が減ったと思われるかもしれませんが、そうではありません。感染対策に備えた緊張感を考慮すると、業務量は質的に増大したともいえます。

第２に、日本政府が急きょ３月９日から講じた韓国発の旅行者に対する入国制限措置に伴い、日本に入国する韓国国民の安全と不便の解消に対応する必要があります。韓国から日本への入国者が成田国際空港と関西国際空港の２ヵ所に限定されたので、所管の関西国際空港に出入国する韓国国民の状況を毎日点検しています。11日からは、チェジュ航空だけが仁川と関西国際空港の間を毎日１便往復しています。観光ビザ免除が停止されたため、ごく僅かな人数が出入国している状況です。

第3に、多くの人が集まる行事は実施していません。4月初めまでの行事はすべて延期または中止され、13日に予定していた総領事館の再建工事の起工式も中止しました。各地方の民団主催で開催される三一節の行事も延期され、いつ行われるか未定です。

このような状況にあっても、すべての行事を中止することはできません。11日には関西地域の韓日の学者を招き、感染症などの越境協力をテーマに専門家による討論会を開催しました。文在寅（ムンジェイン）大統領は三一節の101周年記念スピーチで新型コロナ問題を取り上げ、非伝統的安全保障（NTS）の脅威に対する両国の協力を提案しました。日本のマスコミも関心を持ち大きく報道しました。この大統領提案を受けて討論会の開催準備を進めていたところ、安倍晋三首相が急きょ強力な入国制限措置を講じたため、当初の開催企画より大幅に縮小されました。かえって意義深い行事になったとも思われます。

この日の討論会で、参加者たちは専門家と民間を中心とする協力の重要性を強調し、必ずしも根拠がはっきりしない入国制限措置は早く解消されるべきだと指摘しました。私は「新型コロナの国境を越えた世界的な拡散状況に鑑み、世界レベルの協力が最も効果的な対応策」だと述べました。

この日の会議において、ある出席者は現在世界で行われている新型コロナ対策には、中国型・韓国型・日本型の三つの類型があり、いずれの対応が最も効果的か近い将来明らかになるだろうとの見解を述べました。都市封鎖などの完全な統制を主とする中国型、症状のある人をできる限りすべて発見して積極的に検査する韓国型、重症患者を選別して検査する制限的な日本型があります。民主主義体制下において採用できる韓国型と日本型のいずれのほうが効果的か注目されることになるでしょう。

最近は週末の行事がなく、家で新型コロナ関連のテレビ番組をよく見ますが、日本国内では韓国のように調査を積極的にすべきだと主張する人は少数派のようです。大半は医療崩壊を防ぐために選別的な検査方法のほうがよいと考えています。

このような日本の現状が心配されます。時間が経てば明らかになるでしょうが、「最大（多数）検査」の韓国型と「選別（少数）検査」の日本型のコロナ対策のいずれがより効果的な対応策なのでしょうか。

203　関西地域の民族学級講師と懇談会　March 27, 2020

新型コロナウイルス感染が猛威を振るっているいま、万事に慎重たらざるを得ません。行事を催そうとすれば、感染の拡散を誘因しないか心配ですし、かといって何もしないのは、その感染脅威に安易に屈服するようで卑屈に思われます。最近はどんな行事を催すにも、新型コロナウイルス感染の恐れと行事を実施する成果と意義を検討しないわけにはいきません。

３月26日夕刻、関西地域で活躍する民族学級（クラブ）の講師との懇談会を催しましたが、この会を実施すべきか中止するか大いに悩みました。民族教育の重要性に鑑み、生徒を指導する講師に対処能力は十分あると考えて実施しました。当然、会場における座席の間隔を十分確保し、手の消毒、マスクの使用、体温の測定など、万全の準備を施しました。

困難な状況のなか、全50人の講師のうち20人余りが参加しました。はじめに、昨年開発された生徒指導教材「五色の翼３」とハングルを創製した世宗大王（1397－1450）の業績に関するアニメ映像資料を講師が発表しました。各講師の使用教材を収集して共有するためのプラットフォーム構築についても発表がありました。

50人のうち常勤講師は16人のみで、多くは講師だけで生計を維持できずにアルバイトを強いられる劣悪な環境にあります。そんな困難な状況のなか時間を捻出して優れた教材を開発した講師たちの情熱と奮闘は驚くべきものです。

教材開発などの発表のあと、隣室に移動して歓談しました。互いに会う機会がない講師の事情を考慮し、会食しながら自己紹介をし、民族教育に携わるなかで感じたことや韓国政府に対する要望を聞く時間を持ったのです。私は次のように述べました。

「在日同胞社会の発展や将来のため民族教育はきわめて重要であり、民族学級の講師のみなさんが民族教育において重要な役割を果たしていることを痛感しています。みなさんの背後に韓国政府があることを信じて業務に邁進してください。」

新型コロナウイルスの感染を警戒しながら実施した３時間余りの行事でしたが、実施してよかったと考えています。

204　大阪民団の支団長たちと会い、現場の声を聴取　April 1, 2020

大阪民団の29支部の支団長たちと面会し、現場の声を聞く連続懇談会を催しました。一人ひとりに会って話を聞くのが好ましいのですが、諸事情を考慮して5チームに分け、3月5日から31日まで実施しました。

日本の代表的な在日同胞団体である民団中央本部の下に各都道府県の民団があり、その下部行政単位ごとに支部が設置されています。大阪民団には29の支部があります。

現地の在日同胞に最も身近に接触してやり取りするのが支部組織であり、そのリーダーが支団長です。ふだん韓国総領事館が接するのは主に都道府県の民団以上の幹部であり、私たちも諸行事や業務で忙しく、支部幹部に会いたくても会う機会を作るのが難しいのです。

こうした状況のなか、現場の司令官ともいうべき支団長に会って話を聞く計画を練り、実施時期は新年度の諸行事が本格的に始まる前と考え、3月初めから予定を組みました。

懇談会では、団員の高齢化、世代交代の難しさ、団員数の減少、ニューカマーとの関係など、予想された問題が噴出しました。単に抽象的にこれらの問題があることを知るのと、現場の生の声を通して問題に接するのとでは大いに異なることを改めて確認しました。

複数の支部では、厳しい状況にあっても高齢者の福祉事業、保育園の運営などの創造的な活動により活気を維持しています。在日同胞社会にとどまらず、地元の日本人とも良好な関係を築いて堅実に活動している支部もあります。厳しい状況下、行動力のある一人か二人の努力が支部の活性化をもたらしている話を聞き、胸に迫るものがありました。

支団長も久しぶりに総領事館のスタッフとじかに話す機会を得て喜んでいました。そして、韓国政府がより積極的に民団を支援してくれるよう要請しました。時代の変遷に伴い受入れがたい要望もありましたが、それも在日同胞の格別な祖国愛ゆえだろうと思います。

民団が他の国の同胞団体と違うのは、ほとんどの支部が自らの会館を持っていることと、ほぼすべての支部がハングル学校を運営していることだと思います。さらに格別なのは、日本社会の差別と冷遇のなかで生きてきたために、どの国の国民よりも祖国愛が切実だということです。

すべての問題に現場が答えを出すことはできませんが、現場でなければ見つけられない答えが確かにあることを確認した懇談会でした。

205 2025年万博協会事務局を訪ね、会場予定地を視察 April 2, 2020

4月1日、例年なら日本でも、新聞のような媒体がいかにもありそうな虚報を掲載するエイプリルフールなのに、ことしはその気配すらありませんでした。日本の上空を覆うコロナ禍の憂鬱のためでしょうか、この日、春雨としては激しい降雨があり、憂鬱の度合いを深めました。

コロナ禍が発生する前に約束していた2025年日本国際博覧会協会の訪問を4月1日に強行しました。コロナ禍が続くなかキャンセルを打診しましたが、予定どおりとのことだったので訪問したのです。

大阪府咲洲庁舎にある博覧会協会事務局を訪問する前に万博会場予定地の夢洲(ゆめしま)を見学しました。風雨が強かったため、車に乗ったまま敷地を周回して説明を聞きました。

現場では、多くの重機がパビリオンなどの敷地整備工事をしていました。日本の高校野球の聖地と呼ばれる甲子園球場150個分の広さだといいます。

パビリオン地域をはじめ、三つの地域に分けて会場工事をしていました。パビリオン地域は、参加国に敷地だけ提供する方式、建物を建設して提供する方式、開催者が形状デザインから建築まで行う複数参加国による共同使用方式の三種に区分してパビリオンを設置する計画だそうです。

会場見学を終えたあと、咲洲庁舎に戻って櫟真夏(いちのき まなつ)広報国際担当副事務総長から全般的な準備状況について説明を受けました。博覧会の準備もまたコロナ禍の影響を若干受けているようでした。本年6月に博覧会国際事務局（BIE）の承認を得て参加国に招待状を送付する予定のところ、10月から開催予定のドバイ万博の延期が生じるなど、日程の変更が見込まれるとのことです。ただし、2025年4月13日の開催期日から逆算して定めた参加国に対する敷地提供予定期日（2023年5月）は死守する計画であると強調していました。

説明を聞いたあと私は「韓国から見て最も近い国で開催される国際イベントが成功裏に催されることは、隣人である私たちにも好影響を及ぼします…緊密に情報交換し協力しましょう」と述べました。大阪市が掲げたテーマ「生命が輝く未来社会のデザイン」が、コロナ禍のために一層注目を集めることになるだろうとも述べました。

コロナ禍と春雨の中の訪問でしたが、困難のなか強行した日程だったため、かえって手厚い歓迎を受けたように感じました。雨曇りの天候のせいで会場予定地をきちんと見学できなかったことが心残りです。

206 「コロナ禍が関西経済に及ぼす影響」講演　April 6, 2020

大阪韓国総領事館の所管区域で活動する韓国企業の経済活動を支援するた

め、毎年上半期と下半期に分けて二度ほど、企業活動支援の協議会を開催しています。韓国から派遣されたKOTRA(大韓貿易投資振興公社)、韓国観光公社、韓国農水産食品流通公社と企業の関係者が参加する情報の共有と協力を推進するための協議会です。

コロナ禍のため事実上、韓日の人の移動が途絶え、企業も混乱した状況にあります。誰にも一寸先が見えない状況とはいえ、数字で日々業績評価される経済人ほど、いま心を痛めている人はいないでしょう。

このようなとき、何もせずに過ごす方法もあるでしょう。他方、むしろこういうときだからこそ何とかして動くべきだという逆転の発想も必要だと思います。こんな考えから、4月2日、「コロナ防護完全武装」を講じつつ、企業活動協議会を開催しました。実施する以上、コロナ禍に覆われた現状を乗り越えるため、何らかの役に立とうとして開催準備に当たりました。

関西地域における代表的な経済研究所であるアジア太平洋研究所の稲田義久研究統括（甲南大学教授）を招き、「コロナ禍が関西経済に及ぼす影響」をテーマに講演会を開催しました。時宜を得たテーマだったせいか、いつもより多くの企業人が参加して講演に耳を傾け、活発に質問しました。

冒頭、稲田教授は、日本銀行が前日に発表した2020年3月の短観調査を示し、コロナ禍によって企業がいかに衝撃的な状況に陥っているかを示しました。質疑応答を含め約1時間の講演で最も注目を集めたのは、やはりコロナ対策でした。

稲田教授は、まず感染拡大を抑止し、激減した収入を穴埋めする必要を強調しました。コロナ禍を持ちこたえるために、流動性不足の状態を解消しなければならないとも述べました。中長期的には、コロナ後に到来が避けられないデジタル化の促進に備え、危機をチャンスに転換する必要があるとも述べました。また、変化する状況に応じてリアルタイムで対策を講じられる体制の構築も大事だと述べました。

稲田教授はまた、自らの大学でもこれまで一度も試みていなかったオンライン講義のために年配の教授たちが悩まされている状況をあげ、オンライン文化が日本より進んでいる韓国のほうが、コロナ後、はるかによく適応できるだろうと述べました。

コロナ禍の終わりが見えない状況のなか、世界各国の知識人たちは BCAC (Before Corona, After Corona) 問題を提起しています。この日の協議会は、現場に埋没して中長期的な思考を見失いがちな企業人に対し、中長期的な問題意識を投げかけることにささやかな意義があったと考えています。

207　コロナ禍中、大阪総領事館管轄地の第21代総選挙投票率48.5%

April 7, 2020

コロナ禍のなか、第21代韓国国会議員選挙の在外投票が全世界の約半分の地域で実施されない事態となりました。2012年4月の第19代国会議員選挙のときに導入されて以来、今回が5回目となる在外投票において、このような事態が生じたのは初めてです。

幸い、日本地域では4月1日から6日に在外投票が無事に実施されました。大阪韓国総領事館の所管地域でも何事もなく実施されました。総領事館1階のギャラリーに主投票所を設け（4月1日－6日）、京都民団本部と和歌山民団本部でも追加の投票所を運営しました（4月3日－5日）。

これまで国会議員選挙と大統領選挙の在外投票をそれぞれ2回実施しました。大統領選挙の投票率が国会議員選挙のそれより高く、回を重ねるごとに投票率が低下する傾向にありました。大阪韓国総領事館の所管地域における過去の投票率は以下のとおりです。

2012年4月第19代総選挙61%（2407/3945人投票）

2012年12月第18代大統領選挙76.2%（5964/7826人投票）

2016年4月第20代総選挙26.7%（1706/6382人投票）

2017年5月第19代大統領選挙54.1%（4338/8018人投票）

これまでの傾向からして、総選挙の在外投票導入から時間が経ったこともあり、今回の総選挙は投票率が大幅に低下すると見られていました。しかし、結果的に選挙人4940人のうち2397人が投票して48.5%を記録し、やや意外な結果となりました。

なぜこのような結果になったのか正確にはわかりませんが、これまでの流れとは異なり、新型コロナ感染症拡大さなかの高い投票率だった点を考慮すれば、十分に分析する価値があると思われます。

大阪総領事館での在外選挙の風景

関係筋によれば、韓国内における選挙に対する高い関心が在外国民にも影響を与えたといいます。また、数回の選挙を経験して在外投票に積極的な層を中心に選挙人登録するためとみられるということです。在外投票者には、韓国に住所を有する国外不在者と国内住所のない在外選挙人があります。後者の場合、2回連続して投票しないと選挙人名簿から削除され、投票するには再び選挙人名簿に登録しなければなりません。こうした過程を通じて投票に積極的な層が残ったという推論です。国外不在者は選挙のたびに登録しなければならないため、比較的投票に積極的だと見ることができます。

コロナ禍に関わる日本の特殊事情が反映されたという分析もあります。日本政府が新型コロナ感染症に伴う緊急事態をいつ宣言するか不明な状況が、在外投票の序盤から早く投票するように仕向けたというのです。実際、6日間の投票期間の中後半より序盤に投票者数が多かったのです。日本の緊急事態宣言は投票がすべて終わった後の7日午後に発出されました。

どのような要因であれ投票率が高いのはよいことです。どうせなら50%を越していたらとも思いますが、少し手前の48.5%にとどまったのが残念ではあります。

208 苦難を共有できるのは苦境にある人々　April 16, 2020

韓国では国会議員選挙をやり遂げるまで新型コロナ感染症の拡大を抑え込んでいます。他方、日本では東京・大阪ほか7都道府県に緊急事態宣言が出されて1週間過ぎても、火の手が収まる気配が見えません。全国で1日4－5百人あまり感染者が出ています。

日本政府もようやくPCR検査を大幅に増やし、人々がみな人との接触を80%以上減らすよう繰り返し訴えています。16日夜には、これでも不十分と考えたのか、日本全国に緊急事態宣言を拡大しました。選別的な検査を行ってきて感染経路を特定できない感染確定事例が過半に達しているので、避けがたい選択だと思われます。

問題は、会社では在宅勤務環境が整備されておらず、商店に対して「補償のない休業」を強要している点にあり、不備だらけなのは仕方ありません。にもかかわらず、感染者数が予想より急上昇しないのは、「言われたことをよく聴く国民性」によるところが大きいと思います。

日本政府による人との接触の大幅な自粛要請とたゆまない感染者の発生に応じ、大阪韓国総領事館も14日から窓口職員をグループ編成にしてシフト勤務体制に入り、外部の活動もほとんど皆無にしました。

このような時、もっとも重要で容易でないのは現地の同胞を支援することです。駐在国の国民と比べ、同胞の医療サービスが脆弱なためです。幸い、同胞の感染者はまだ発生していないので、徹底した予防に尽力しなければなりません。

同病相憐れむという言葉があります。コロナ禍が生じるや、某同胞団体がマスクを集めて同胞らに配布するという心温まることがありました。苦難を共有できるのは、やはり苦境にある人々なのです。

高齢者施設にマスクを配布

大阪民団は、マスク５千枚を29支部を通じて同胞に配布しています。同胞の一人は「お店に行って買おうとしても購入できない。こんなことがあって、今さらながら民団の必要性を感じた」と述べていました。商人たちの近畿商友会も独自のネットワークを通じて２万枚のマスクを中国から入手し、在日同胞の高齢者などに配布しています。

大阪韓国総領事館も災害救援用に確保していたマスクの一部を、少量ながら、４月１日と２日に所管地域の同胞老人介護施設５ヵ所を訪問して渡しました。

209 日本の批判的知識人、内田樹先生と談笑 May 13, 2020

最近のように外交活動が全面的に停滞した時期は歴史上いつあったでしょうか。戦争中も動くといわれる外交活動をいま妨害している犯人は、新型コロナウイルスです。

５月13日付『朝日新聞』によると、すでに日本に赴任しながら、天皇に信任状を捧呈できないため大使として公式活動ができない国が、トンガ、ルワンダほか５ヵ国あります。また、大使など海外勤務の人事発令を受けながら駐在国に行けず、帰任命令を受けながら帰国できない日本の外交官は数十人に達するといいます。

コロナ禍のため航空便が途絶えるなど、移動が制限されているためですが、このような状況は日本だけの特殊なことではありません。人事発令に伴う移動制限だけでなく、赴任地で勤務している外交官の活動も大きく制約されているのです。

新型コロナ感染症に伴う緊急事態宣言下の大阪も例外ではありません。できる限り接触を回避するようにとの指示のためか、予定していた駐在員との約束が相つぎ取消しまたは延期されています。総領事館の職員も感染防止のため交代で在宅勤務しており、長いあいだ顔を見られないこともあります。

こんな状況のなか、13日、韓国でも広く知られている日本の批判的知識人、内田樹(うちだたつる)先生にお会いしました。

本年２月に出版された『サル化する世界』を読み、大いに共感しました。4月に出版された先生の編著になる『街場の日韓論』は、さまざまな分野で活躍する11人の共著で、経験にもとづく文章が生き生きしていて具体的なのが特色になっています。

共著者に伊地知紀子氏（大阪市立大学教授）ほか知人が数人いることもあり、内田先生の住む神戸でぜひお会いしたいと思い、伊地知教授にお願いしたところ、予定が取れたとの連絡がすぐにありました。

内田先生は合気道７段の武術家でもあります。凱風館という合気道の道場兼ご自宅でお会いし、昼食を含め３時間歓談しました。最近のコロナ禍、関西地域の在日同胞問題、韓国政治、韓日関係など、話題を自由に転じながら、時の経つのを忘れました。コロナ禍が鎮静化したころに語りつくせなかった話をすることにし、再会を約して帰途につきました。

フランス思想が主専攻の内田先生は、社会のほぼあらゆるイシューについて批判的な視点から精力的に発信しています。単著と共著を含め著作は数十冊に上ります。韓国でも10冊余りが翻訳されているようです。武道で鍛えたせいか、70歳というのに、先生は若者に劣らぬ整った体型を維持し、奥深い目には知性美が溢れています。

内田先生と出会い、コロナ禍で疲れた心身ともに気が満ちたように感じます。久々の楽しく意義深い時間を堪能しました。

210 「母国の力」が在日同胞の自負心の源　May 22, 2020

5月21日から東京・神奈川県・埼玉県・千葉県・北海道を除く日本全域の新型コロナ感染症による緊急事態宣言が解除されました。もちろん、大阪韓国総領事館が所管する大阪府・京都府・滋賀県・三重県・和歌山県も解除対象地域に含まれています。

とはいえ、市井の人の表情と街のムードにはまだ緊張感が漂っています。コロナ以後の世界がコロナ以前に戻るのは容易なことでないと思われます。

緊急事態宣言の解除に伴い、総領事館も25日から交代制の在宅勤務を通常勤務体制に移行します。1ヵ月余りぶりの通常勤務ですが、新型コロナ感染症が完全に終息していないため、感染予防対策を徹底し、維持しながら勤務することにしました。

コロナ禍の鎮静化に伴い、これまで延期してきた対外的な活動も徐々に再開しています。

解除前日の20日には、大阪府にある進歩的な同胞団体のウリ民主連合（会長李哲、在日韓国良心囚同友会会長）の事務所を訪ね、新型コロナ感染症の防護用マスクを贈呈しました。総領事館としての訪問は初めてです。

韓半島の統一と民主主義の発展、人権擁護、国際親善を支持するオールドカマーとニューカマーが2017年末にこの団体を結成し、5・18記念式開催や民族教育支援活動を行ってきました。マスク贈呈後、会員と活動方針などについて意見交換し、今後、総領事館と協議しながら在日同胞社会の発展と韓日友好に協力していくこととしました。

21日には、3月初めから実施してきた民団各支部の支団長との懇談会を再開しました。大阪民団の29の支団長との懇談会を終えた3月末以来、コロナ禍のため中断していたのです。この日は奈良市に行き、奈良民団所属の支団長に会いました。奈良民団には10支部があり、5支部は奈良民団本部が直轄しています。残り5支部から3人の支団長が出席しました。李勲奈良民団団長など本部の幹部も3人参加しました。

自然と新型コロナの話題から始まりましたが、支団長は韓国が新型コロナ感染症対策に成功しているのを見て鼻高々だと誇らしげに話しました。在日同胞の士気に最も大きな影響を与えるのは、やはり母国の力だと実感しました。また、参加者一同が同胞社会の縮小、とくに若年層の不参加が大きな問題と困難だと吐露しました。現場で同胞と最も密に接している支団長が民団活性化の鍵を握っていることを強調し奮闘するように激励しました。

徐々に活動を再開しながら、久しぶりに開放感を感じました。新型コロナであれ何であれ人の恣意的な活動を止めるより悪いことはないようです。

211 テレワークと韓国系民族学校のオンライン授業　May 29, 2020

コロナ禍がもたらした新しい生活様式のなかで何よりも際立っているのは、インターネットを利用したリモート業務 (remote work) だと思われます。感染

オンライン授業を先導する民族学校の教師達

防止のため、できるだけ人々の接触を避けて仕事しなければならない状況から生まれた新たな光景です。

日本のようにインターネット文化が必ずしも十分に定着していない社会においても、否応なくインターネットによるテレワーク（在宅勤務）を導入せざるを得ない企業が増えています。外国公館のように機密事項を含む機微情報を扱うために在宅勤務がむずかしい職場でも、セキュリティ対策を講じたうえでビデオ会議を実施しています。「必要は発明の母」という格言を改めて身近に感じます。

コロナ禍のなか、私もビデオ会議に二度参加しましたが、直接会って話すより不便な点がないわけではないものの、予想したよりはるかに便利に思いました。会ったときの感情の無駄などを考えると、かえってよい面もあるようです。韓国では本格的に学校での授業が開始される前に、全国すべての学校でオンライン授業を実施しました。他方、日本では一部の大学を除き、あまり活発に行われなかったように思います。韓日におけるインターネットをめぐる環境と文化や意識の違いが反映されていると思われます。

こういう状況のなか、関西の韓国系学校の白頭学院・金剛学園・京都国際学園はいずれも日本の教育法に基づく文科省認可の一条校ながら、インターネットを利用した遠隔授業を実施しています。韓国の学校におけるオンライン授業に刺激を受けたことも大きいと考えられ、韓国的なインターネット文化を色濃く反映しているように思います。

これら韓国系民族学校のオンライン授業が、「韓国系」という要素と並ぶ、もう一つのブランドになることに注目した大阪韓国総領事館は、これら三校のオンライン授業を積極的に支援することにしました。5月28日には、三校のオンライン授業を推進する教員たちを招いて、発表と意見交換の会を催しました。

発表を聞いて、インターネット環境が十分に整備されていないなかで奮闘する教員の苦労をまざまざと見せつけられました。三校が異なるプラットフォームを使っているのも注目されます。

建国学校はインターネットのBAND機能を使って遠隔授業を進めており、

生徒も参加してBAND機能を利用した授業の方法を紹介しました。金剛学園はLINEを使った授業をしています。同学園のオンライン授業のようすは5月8日に関西テレビでも紹介されています。京都国際学園は YouTube で作成した教材を学校のサイトに載せる方式を採用しています。残念なことに、これらの授業は韓国の学校とは違い、正規の授業日数に含まれないといいます。

参加した教員たちは、他校の発表を見て活発に意見を交わしていました。明確なモデルがないなか、他校の授業方法を見て大いに参考になったと参加者は述べています。今後さらにやり取りを重ね、教材や運営方式を共有していくこととしました。教育内容と方法をめぐって民族学校三校が事実上初めて合同協議を行ったという点でも、今回の会は意義深いと思われます。

当館は民族学校三校のインターネットを通じた遠隔教育を活性化するため積極的に支援していく予定です。

212 新赴任領事たちと東洋陶磁美術館見学 June 12, 2020

6月11日、関東地方と関西地方が本格的な梅雨に入りました。例年より少し早い梅雨入りだといいます。大阪も最高気温が約30度となり、雨が降ったりやんだりの一日でした。コロナ禍のなか蒸し暑い梅雨の天候を一ヵ月耐えなければならない、と思うと重い気分になります。

雨模様のなか、総領事館の職員とともに大阪市立東洋陶磁美術館を訪ねました。春の人事異動で職員が加わった機会に、所管区域内の韓国の文化を自らの目で見て体感し、両国間の文化交流について理解を深めるために企画した見学会です。

東洋陶磁美術館は、韓国の国立中央博物館を除いて、高麗青磁や朝鮮白磁など韓国陶磁の逸品を最も多く所蔵する世界的にも著名な美術館です。韓国の陶磁器を中心に中国と日本の陶磁器の所蔵品も豊富です。

東洋陶磁美術館のコレクションには、大阪韓国総領事館の前身である駐日代表部大阪事務所の初代所長、李秉昌(イビョンチャン)(1915－2005)博士が寄贈された韓国陶磁器を中心とする李秉昌コレクションと中国陶磁器の分野で世界に知られた安宅(あたか)コレクションがあります。美術館には日本の国宝2点と重要文化財13点があります。

李秉昌コレクションは高麗青磁ほかの韓国陶磁器301点と中国陶磁器50点からなり、1999年に開設されました。李博士が熟慮の末、韓日友好と在日同胞の自信と誇りを高めたいとの思いから東洋陶磁美術館に寄贈されたものです。韓国に寄贈されたのは国立中央博物館に１点だけといいます。

私たち一行は出川哲朗館長ほかの案内や説明を受け、李秉昌コレクションと開催中の特別展「天目―中国黒釉の美」（6/2－11/8）を見学しました。天目は中国の宋時代（960－1276）に黒釉をかけて焼成した茶碗です。今回の展示では油滴天目茶碗のなかで唯一国宝に指定されている美術館所蔵の茶碗（南宋）も公開されています。

李秉昌コレクションは美術館３階に常設展示され、特別展の規模に応じて縮小展示されます。これまで訪問したときはいずれも縮小され、多くの作品を見ることができませんでした。今回は通常展示でしたので、コレクションを満喫できました。自ら巨額を投じて収集した愛蔵品を韓日友好と在日同胞のプライドのため、惜しみなく寄贈されたのです。博士の遺志が十分に生きていることを感じます。

日本の大阪のまんなか、中之島にこうした韓国陶磁器の美を堪能できるすぐれた美術館があります。人気の Moto Coffee に行列をなすほど来訪する韓国の若者たちは、そこから徒歩５分の美術館にはやって来ない、と美術館の関係者が残念がっていました。美術館があることを知らないからで、知っていて来ないわけではないでしょう、と私は弁護したのですが。

213　管轄地域内すべての民団支団長と懇談会完了　June 16, 2020

６月16日、３月初めに始まった「長征」が３ヵ月余りで終了しました。途中、コロナ禍でしばらく行進が滞りましたが、ついに目標地点を通過したのです。大阪韓国総領事館が所管する２府３県（大阪・京都・滋賀・奈良・和歌山）の民団本部に所属する各支部の支団長等と、３月５日から一連の懇談会を始めました。在日同胞の諸団体のなかで民団が最も大きく中心的な役割を果たしているところ、その最も重要な活動家は支団長であると考え、懇談会を企画しました。

これまでさまざまな行事に参加し、各府県の民団本部の幹部と多く接触してきましたが、団員と最も身近に活動する各支部の支団長と会話をする機会はありませんでした。この点を反省し、支団長等と連続懇談会を開催することにしたのです。

本格的な新年度事業が始まる前、４月までに連続懇談会をすべて終了する予定でスタートしたのですが、４月に入ってコロナ禍が深刻化し、予定していた日程が狂い始めました。

大阪民団の29支部を対象に３月５日から31日まで５回に分けて開催した後、コロナ禍のため日程を中断せざるを得ませんでした。５月21日に日本の緊急事態宣言が解除された１週間後、奈良県を皮切りに懇談会を再開し、５月 28 日の和歌山県、６月12日の滋賀県、６月16日の京都府と、すべての行事を終了しました。京都民団は大阪民団につぐ規模のため、二度に分けて開催するつもりでしたが、日程が予定より大幅に遅れたため、まとめて実施しました。

第一線に最も近いところで活動している支団長の苦情を聞き、励ますことを目的としましたが、コロナ禍を経たことで、この感染症で苦労しているコリアンを慰め痛みを分かち合う時間が多くなりました。一方、韓国政府がコロナ禍によく対応し、世界的に高い評価を受けている事実が自然と懇談会の定番メニューになりました。コロナ禍の困難のなかコリアンたちの母国愛がいかに熱いか確認できたように思います。

支団長をはじめ、第一線の活動家が異口同音に提起した問題は、団員の高齢化と帰化の増加に伴う団員の縮小でした。それに伴う財政悪化と活動力の低下がほぼ共通して指摘されました。

こうした困難のなか、いくつかの支部は保育や高齢者介護などの新規事業により活力を維持しています。コロナ禍のなか、マスク購入がむずかしかった時期に団員の家を訪ね歩いてマスクを配布したのが好評だったという話も話題に上がりました。こうした事例に接し、活動の成否は金額の多寡ではなく、誠意と努力に左右されることを思い知らされました。

コロナ禍という伏兵が現れ困難はありましたが、支団長等との出会いをすべて終了したいま振り返って、実施して本当によかったと考えています。在日同胞社会に対する理解の幅が広がり、さらに深まったと思うからです。

214 「日本の中の韓流」その原因を探るシンポジウム開催　　June 27, 2020

６月26日、大阪リーガロイヤルホテルで「日本の中の韓流と未来志向的な韓日関係」をテーマにシンポジウムを開催しました。大阪韓国総領事館が主催する、コロナ後における新しい形態による初の行事でした。

2000年初め「冬のソナタ」を皮切りに日本の韓流ブームが起こり、2017年からは BTS（防弾少年団）と Twice に代表される第三次ブームが起きています。また、コロナ禍のなか「愛の不時着」「梨泰院クラス」など韓国ドラマが Netflix を通じて大流行していることは周知のとおりです。でも、なぜそうなったのかはあまり知られていません。

韓日関係が政治的にきわめて難局にあるなかで韓流が人気を維持している理由は何なのでしょうか。この疑問に答えるシンポジウムを総領事館主催で開催したい。そう考えて、ことし初めから計画を練っていました。準備中にコロナ禍が起きましたが、あきらめずに忍耐強く状況を見きわめ、ようやく実施に至ったのです。

コロナ禍が完全に収束していないため、安全確保に特に留意しました。ホテルと協力し、数百人収容できる会場に参加者60人余りの席をアレンジしました。移動制限が解除されず、ソウルから来られなかった第一発表者、韓国コンテンツ振興院の前副院長、金泳徳氏はウェブに接続して発表し討論することになりました。いかにもコロナ時代の新方式らしい行事です。

参加者を限定しウェブを取り入れた新方式のシンポジウム会場は熱い熱気に包まれました。金泳徳氏は、日本以外の世界で韓流がどの程度流行しているか、生産・流通・受容の面から詳細に解説しました。特に韓流の初期に韓国政府がソフトパワーを強化するために文化産業育成に尽力した背景とその成果をわかりやすく数字で表に示しました。

第二発表者、北海道大学大学院メディアツーリズム研究センター長の金成玟教授は「日本のなかの韓流－歴史と特徴そして課題」と題した発表でフロア参加者の高い関心を集めました。韓日関係や政治関係の枠組みで韓流を見る従来の解釈をひっくり返す内容が注目されたのです。

金成玟教授は、第二次と第三次韓流のはざま、韓日断絶が始まった2012年に注目し、この年に日本で韓流が消えたわけではなく、新たな転換を行うための年だったとしました。第一次と第二次の東方神起·KARA·少女時代が活躍した2011年までは韓日のローカルな視点で韓流が捉えられ、大衆メディアを中心に韓流が消費された時期であり、2012年以後はグローバルな視野で日本の韓流ファンが自らのチャネルを通じて韓流を楽しみ始めた時期だとしました。

李明博元大統領の竹島（独島）訪問など韓日の政治対立もあり、政治的な理由で韓流が消えたように見えましたが、メディアが取り上げなかったライブコンサートやYou Tubeなどのソーシャルメディアを通じて韓流ファンが世界的な韓流トレンドに参加するようになったというのです。金成玟教授は、こうした国境を越えた流れが今後も継続するとの見通しを述べました。

大阪市立大学の伊地知紀子教授が司会進行した第二部討論会では、韓流と民族主義が主なテーマになりました。共同通信客員論説委員で元ソウル特派員の平井久志氏は、韓流が今後民族主義の強化に向かうのか、国際主義の強化に向かうのかという観点から問題提起を行いました。

金成玫教授と在日コリアン三世で吉本興業所属の芸人のカラミ氏、帝塚山学院大学の稲川右樹准教授（韓国語教育）ほかが参加した討論は概ね現在の韓流が民族主義に束縛されることなく、文化を文化自体として楽しむ形で流通しており、今後もその傾向が強まるだろうとしました。

シンポジウムを傍聴しながら、政治的脈絡から文化を解釈すると間違いを犯しやすいことを思い、いかに文化の力が大きいかを今さらながら考えました。

215　四天王寺ワッソの中止と全世界在外公館長会議の開催　　July 11, 2020

2020年７月９日、コロナ禍がもたらした二つのまったく異なることを経験しました。

一つは、1990年から30年のあいだ大阪で開催されてきたイベント「四天王寺ワッソ」が、ことし開催されなくなったというニュースです。

この日の昼、このニュースを伝えようと、大阪ワッソ文化交流協会の猪熊兼勝理事長が当館を訪れました。理事会で協議した結果、コロナ禍のために仮装行列の参加者募集がはかどらず、イベント予定日の11月１日までにコロナ禍が終息するか不明な状況に鑑み、中止を決定したということでした。

残念なことです。「四天王寺ワッソ」は、日本と東アジアとの古代からの交流を時代ごとに仮装行列で再現する祭りとして1990年にスタートしました。在日同胞が最も多く住み、古代から韓日交流が盛んだった大阪地域に着目し、関西興銀のリードで四天王寺と谷町筋で開催されることになりました。

しかし、2001年に関西興銀が破産したため、２年間開催できませんでした。2003年からはNPO法人大阪ワッソ文化交流協会がイベント会場を大阪城よこの難波宮跡に移して開催しています。当初、パレードを含め参加者の大半は在日同胞でしたが、最近は日本人参加者の割合が七割になるほど大阪の地方祭りの一つとして定着しているとのことです。

30年の伝統を持つ祭りをコロナ禍のせいで中止するのは余りにも残念なので、猪熊理事長に対し私は、30年の歴史を振り返るシンポジウムなどのイベントに変更することも検討するように提案しました。単にコロナ禍のために中止するのではなく、コロナ禍がもたらした裂け目を反省と発展のきっかけに転ずることも意義深いと考えたからです。

もう一つは、同日の夜９時から２時間余り実施された、康京和（カンギョンファ）韓国外交部長官主催の在外公館長会議です。全世界に広がる180以上の韓国在外公館の公

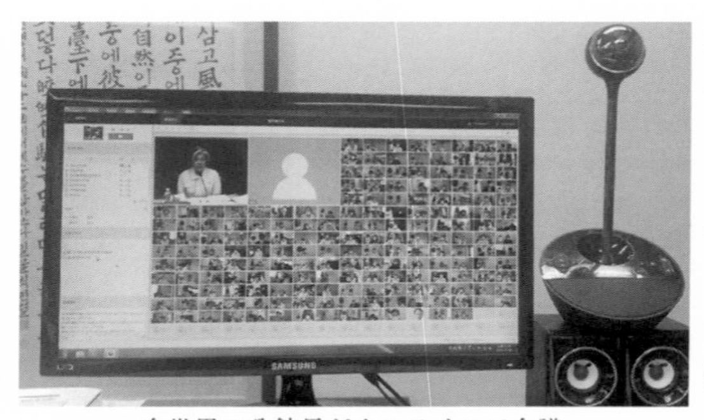

全世界の公館長がオンラインで会議

館長が同時にアクセスするため、必然的に会議の時間帯が日本では夜の時間になったようです。幸い、先約の会食の予定を早めることで調整できました。

世界の在外公館長を画像で同時に接続して会議するという発想は、コロナ禍がなければ思いつくこともなかったでしょう。また、問題があっても「とりあえずやってみよう」というチャレンジ精神がなければ実行できなかったことだと思います。

会議が首尾よく運営できるだろうかと思いながら参加しましたが、予想外に良かったと感じました。デスクトップ画面に200人近い参加者の顔が、切手収集帳の切手のようにべたべた貼り付けられ、顔の判別がむずかしかったものの、こうして一堂に会しコミュニケーションできることを不思議に思いました。

多くの人が参加する会議のため発言者の数に限りがあり、対話型よりは一方通行型の会議になるほかありませんでしたが、世界共通のコロナ禍の発生のせいで、他の地域の事情や関心、問題がそれぞれ異なることを理解できる意義深い会議でした。

この会議に出席し、コロナ禍のあとはオンライン外交の比重が必然的に重くなるだろうと実感しました。大阪韓国総領事館もこのような傾向に備え、行政職員の人事異動に伴い、最近オンライン担当を新設しました。

コロナ禍が私たちに投げかけた衝撃を多角度から味わう、そんな一日になりました。

216 4ヵ月半遅れの三一節記念式典挙行　　July 15, 2020

7月14日午後、大阪民団主催の第101回「三一節」記念式典が挙行されました。実に4ヵ月半遅れの「遅れた三一節」記念式典となりました。

ご推察のとおり、三月一日に向かって日本でもコロナ禍が深刻化したのを受け、感染防止のため、ことしの記念式典を開催しないことにしたのです。行事を強行して感染拡大を招いては一大事という判断にもとづく措置でした。

この式典中止は在日同胞にとって耐えがたく無念なことでした。70年以上毎年続けてきた行事を開催できないことの心残りは深かったのです。他の国はともかく、かつて植民地・母国だった日本に住みながら差別と抑圧を受けてきた在日同胞は、とりわけ三一節に対し切々とした思いを抱いているといいます。

新型コロナ禍中の三一節記念式

こうして、コロナ禍がやや沈静化した機会を捉え、このような思いを振り払おうと、大阪民団は数ヵ月遅れの三一節記念式典を挙行したのです。例年のような参加者約500人の規模ではなく、各支部の幹部を中心に80人ほどに縮小しました。また、検温と手指消毒、マスク着用、ソーシャルディスタンス維持を徹底して式典を進行しました。

参加者全員が例年以上に厳粛で真摯な表情で式典に臨みました。在日同胞社会の特殊性に鑑み、式典を開催しないままにせず、4ヵ月半遅れで挙行したことを高く評価したいと思います。

例年どおり、私は韓国大統領の祝辞を代読しました。時間の経過とともにコロナ禍をめぐる状況は大きく変化しています。前例のない新型コロナ感染症の脅威に対し国際的連帯を土台に解決を図らなければならない、という一節により切実な意味を感じた次第です。

式典後、7月に百歳を迎えられた金二泰（キムイテ）民団大阪本部常任顧問への記念品贈呈式も行われ、行事に華を添えました。

217 大阪で初めて開催された在日韓国商工会議所総会　July 30, 2020

一般社団法人在日韓国商工会議所の第58回定期総会が7月29日、大阪民団の本部講堂で開催されました。例年総会を開催する東京で新型コロナ感染症の感染者数が急増し、大阪に会場を移動したとのことですが、はからずも開催当日、大阪府の感染者数が226人と最高値を更新しました。

在日韓国商工人の最も中心的な団体である在日韓国商工会議所は現在東京ほか17都道府県の地方商工会議所に会員1万人を擁します。1962年の設立以来、在日社会と韓国の経済発展に多大な貢献を果たしてきましたが、決して平坦な歴史ではなく、組織の分裂と対立の痛手を体験しています。

民団との間に繰り広げられた深い対立は2016年の統合一般社団法人在日韓国商工会議所にまとまることで解消されましたが、現在でも一部地域の商工会議所が統合組織に参加していないなどの対立が続いています。そんな対立の代表的な団体が大阪韓国商工会議所なのです。

残存する対立の中心地が大阪にある状況下、在日韓国商工会議所の総会が初めて大阪で開催されることになり、管轄地域の韓国総領事として主催者から祝辞の要請を受けたものの、対立の真っ只中に立つわけで、まったく困惑しなかったといえば嘘になります。

とはいえ、全国の在日韓国商工人を代表する団体が総会を開催するのに管轄地域の関連団体が気まずいからと言って総領事が参加しないわけにはいかないと判断しました。大阪韓国商工会議所は大阪民団傘下の団体なので、大阪民団の呉龍浩(オヨンホ)団長が参加して歓迎の祝辞を述べました。東京からも中央民団の団長が参加して激励演説を行いました。これらの参加者が私の負担を軽減したことは間違いありません。ただ、業務を遂行する上では人々の拍手だけを意識していてはならない時もあり、今回がまさにその事例ではないかと思いました。

祝辞のなかで私は、これまで在日韓国商工会議所が在日社会と祖国韓国に貢献したことを評価しつつ、「組織上解決すべき問題が残っていることを知っているが、双方が小異を捨て大同につく大同精神に立って額を合わせ、好ましい結果を見いだすことを望む」と述べ、今次総会が在日韓国商工人の和合に向けた大きな転機になるよう期待したいと括りました。

今次総会において神奈川韓国商工会議所の趙成允(チョソンユン)会長が新会長（任期２年）に選出されました。新会長の体制下、大阪韓国商工会議所も共に参加し、名実共に全国の在日韓国商工会議所の新しい歴史が刻まれていくことを望んでやみません。

218 『愛の不時着』が巻き起こした「第４の韓流ブーム」　July 31, 2020

７月30日、久しぶりに生野コリアタウンを訪ねました。コロナ禍以来初めてです。直接訪ねて見られなかったあいだも、コリアタウンに暮らし働く人々からニュースを聞いていましたが、自分の目で見たかったのです。

梅雨の後の蒸し暑い天気にもかかわらず商店街には多くの人がいました。コロナ禍で通りが閑散としたあと、緊急事態宣言の解除で５月末から以前の姿が戻ってきたという話を聞き、その状況を直接目で確めることができました。

この日、コリアタウンに行く前に付近の御幸通商店街の商店会代表者たちと会食しました。３月初めの民団支部を皮切りに、青年団体や経済団体など、地域内の団体代表者に会って意見を聞く活動をしており、その一環として会食しながら懇談したのです。

コリアタウン商店会関係者らと

コリアタウン商店街の全長600メートルのなかには、西と中央と東の三つの商店会があります。店舗数は、西（御幸通商店街）38店、中央（御幸通中央商店会）42店、東（御幸通東商店会）40店です。以前はキムチ専門店や飲食店が多かったのですが､最近は韓流ブームの影響を受け､化粧品やアクセサリーショップが増えているといいます。

三商店会の代表者が全員参加する予定でしたが、西商店会の会長は残念ながら急用で欠席となりました。しかし、一体の商店会なので、コリアタウンの近況をありありと聞くことができました。

コロナ禍の前は外部の人が多く来たせいで近在の人がいなかったが、コロナ禍の後は近隣の人が多くなり、観光客に代わって大阪周辺の日本人が通りをうめているそうです。参加者の一人は「韓国が好きな人が韓国に直接行けないので、代わりにコリアタウンで韓国を味わおうとして大勢やって来るようだ」と話していました。

最近は若者だけでなく、さまざまな年齢層が来るともいいます。コロナ禍をきっかけに人々が自宅に留まる時間が増え、『愛の不時着』などの韓国ドラマが全年齢層で人気を集めている現象と、コリアタウンに来る人の流れが類似しているようだというのです。この点、オンラインメディアを介して広がる韓国ドラマの人気は、以前とは明らかに画期される「第４の韓流ブーム」ではないかという意見も出ました。ちょうど、31日付『朝日新聞』に『愛の不時着』と関連した記事が大きく出ていました。

商店会の代表たちはコリアタウンの訪問客の多くが「政治は政治、個人的な好みは好み」という意識を以前よりしっかり持っているといい、神戸の南京町のように、大阪のコリアタウンが多文化共生を象徴する地域として発展してほしいと話していました。
生野区のように在日同胞が集団として長いあいだ生活基盤を持って住んでいるところは日本のどこにもありません。互いに協力して、生野区コリアタウンを韓日友好と協力共生の発信地にしていきましょうと私は呼びかけました。この日、商店会代表たちの溌剌とした姿に接し、久しぶりに良い気運をたっぷり受けて帰ってきました。

索 引

■サ行

■タ行

■ナ行

■ハ行

■マ行

■ヤ・ラ・ワ行

吳泰奎（オ・テギュ）
1960年　韓国忠清南道生まれ
1984年　ソウル大学政治学科卒
1997年～1998年　慶応大学法学部訪問研究員

1986年～　韓国日報記者
1988年～2017年３月ハンギョレ新聞記者、東京特派員、スポーツ部長、社会部長、民族国際部門編集長、編集局首席副局長、デジタルメディア本部長、出版局長、論説委員、論説委員室長
2013年　第60代 寛勳 (Gwanhun)クラブ総務
2017年　ソウル大学日本研究所客員研究員
2017年　東西大学日本研究センター招聘研究委員
2017年　韓・日日本軍慰安婦被害者問題合意検討タスクフォース委員長
2018年 4月より第18代駐大阪大韓民国総領事

総領事日記――関西で深める韓日交流

2020年11月25日　初版第１刷発行
2021年１月20日　初版第２刷発行

著　者――吳泰奎
発行者――稲川博久
発行所――東方出版（株）
〒543-0062　大阪市天王寺区逢阪2-3-2
Tel. 06-6779-9571　Fax. 06-6779-9573
装　幀――森本良成
印刷所――亜細亜印刷（株）

ISBN978-4-86249-403-0